北京古籍叢書

[清]于敏中　主編
瞿宣穎　左笑鴻　于杰　點校

日下舊聞考

第七册

北京出版社

圖書在版編目（CIP）數據

日下舊聞考．第七册 /（清）于敏中主編；瞿宣穎，左笑鴻，于杰點校．— 北京：北京出版社，2018.2

（北京古籍叢書）

ISBN 978-7-200-13590-9

Ⅰ．①日… Ⅱ．①于… ②瞿… ③左… ④于… Ⅲ．①北京—地方史—史料 Ⅳ．① K291

中國版本圖書館 CIP 數據核字（2017）第 283063 號

項目策劃：安　東　　　項目統籌：許　可
責任編輯：喬天一　張　帥　　　責任印製：宋　超
裝幀設計：郭　宇

北京古籍叢書

日下舊聞考

第七册

[清]于敏中　主編

瞿宣穎　左笑鴻　于杰　點校

出　　版　北京出版集團公司
　　　　　北京出版社
地　　址　北京北三環中路六號
郵　　編　一〇〇一二〇
網　　址　www.bph.com.cn
總 發 行　北京出版集團公司
經　　銷　新華書店
印　　刷　北京虎彩文化傳播有限公司
開　　本　八八〇毫米×一二三〇毫米　三十二
印　　張　九點二五
字　　數　一六八千字
版　　次　二〇一八年二月第一版
印　　次　二〇二三年五月第二次印刷

書號　ISBN 978-7-200-13590-9
定價　78.00 圓

如有印裝質量問題，由本社負責調換
質量監督電話　010-58572393

欽定日下舊聞考卷一百二十一

京畿 保定縣

原保定縣在州城南四十里。明一統志

〔臣等謹按〕保定縣明屬霸州，本朝屬順天府。

增縣在府南二百里，東西距三十三里，南北距二十八里。東至文安縣界二十二里，西至保定府雄縣界十一里，南至文安縣界二十三里，北至霸州界五里，東南至文安縣治四十里，西南至河間府任邱縣治九十里，東北至永清縣治七十里，西北至保定府新城縣治九十里。大清一統志

〔臣等謹按〕保定縣所轄幅員本不甚廣，是以統屬未嘗有定。秦屬上谷，漢屬渤海，東漢又屬廣陽，晉屬章武國，隋初屬瀛州，後復屬涿郡。保定爲涿之新鎮地，唐爲幽州，五代石晉割以賂遼，屬析津。後周顯德六年，世宗置霸郡，而邑屬霸。宋置平戎軍，改保定縣，金元明仍之。蓋其地實爲瀛莫要區，設邑建官，固不在疆域之

廣狹也。

原保定本雄州歸信縣之新鎮也，其形勝乃邊陣之衝要。九域志

原太平興國六年，以涿州歸信縣新鎮置平戎軍，景德元年改爲保定軍。輿地廣記

增平戎軍今保定縣治。樂史、太平寰宇記，本莫州新鎮之地。太平興國六年，陞爲平戎軍，以扼邊陲之喉。東至霸州三十里，西至莫州七十里。大清一統志

〔臣等謹按〕大清一統志，保定漢涿郡易縣地，唐爲涿州歸義縣地。宋初爲歸信縣地，太平興國六年，置平戎軍。景德元年，改爲保定軍。蓋是時以澶淵之役，遼遣韓杞來請周世宗所取關南地，不許，始改保定之名也。

增平戎軍本雄州歸信縣之地，景德元年改爲保定軍。景祐元年，析霸州文安、大城二縣五百户隸軍。九域志

原宣和七年，廢保定軍爲保定縣，隸莫州，尋依舊。宋史

〔臣等謹按〕保定入金，卽宋徽宗宣和七年事也。是時其地已屬金之雄州。據宋史地理志所云，尋依舊者，蓋具文耳，實非宋有也。

原金爲保定縣，屬雄州。元割屬霸州，至元二年省入益津縣，四年復置。清類天文分野之書

原保定縣，從軍名也。郡縣釋名

原保定故城相傳宋團練使楊延朗所築。嘉靖庚戌，羽書告急，郊圻震驚。知縣事崇德呂煥首出俸錢以爲倡，乃度地量工，斟酌舊址，棄東南而依西北，以便守也。僅五月而告成，煥自爲之記。保定縣志

增呂煥修城記　城池之設，所以保障一方，爲百年計也。近時值多事，予奉檄築建，蓋守土之急務，不容緩者。但公帑空虛而力有未逮，每懷耿鬱。邑人聞之，咸相謂曰：此舉爲誰而使侯若是也？遂欣欣然各自以家私之盈縮，議備物料，以助城工。即疏名以聞於予，不越月而諸料畢集矣。且當道之省諭有曰：成大事勿惜財費。予亦曰：不一勞，不永逸。而諸尚義者之樂事赴工，適與符合。是則所賴以共成斯舉，以垂千百年屏翰之業者，非斯人而誰與？用布姓名，俾勒於石。若其賢士大夫贊予議以決其成，且捐資爲一邑倡，必有能記之者。茲不敢槩書。嗚呼！建立惟艱，尚冀後之同志君子永圖之。保定縣志

〔臣等謹按〕保定縣舊城計周六里奇六十九步，高三丈，闊二丈，導玉帶河以環其外。今舊址尚存。新城計周八百八十九步，高一丈五尺，即呂煥所謂棄東南而依西北以便守者。新城凡四門：東曰通和，南曰南薰，西曰惠安，北曰玉流。環聚其上，皆有敵樓。謹附載以備考。

原縣治及學宮皆洪武中知縣事張仲謹建。保定縣志

增燕平書院在保定縣北門內。本朝乾隆二十三年，知州芮泰元建。大清一統志

增玉河書院在保定縣北門內。本朝乾隆二十一年知縣孫似梅倡建。同上

原保定軍砦二：桃花軍北七里；父母軍北一十一里。九域志

增桃花砦，世傳楊延朗築屯軍士，基址尚存，今稱旋馬結達。保定縣志

原政和三年，改父母砦曰安寧。宋史

增將臺在縣西南，楊延朗演武之處。下多鐵汁，掘土者每見殘戟。保定縣志

〔臣等謹按〕保定在宋時最爲重地，是以楊延朗守此以鎮三關。北以霸州爲一關，西以雄州爲一關，又白溝河爲一關。其團練兵馬處遺址尚存云。

增父母軍寨在城西八里，楊延朗守平戎時，感父業殉敵，祭父於此，今稱爲寨上。保定縣志

增六郎洞在東關，古傳通數十里，今失其處。上同

增張青口，衆流中一凸，千艘來集，爲保定、正定、河間三府行鹽要地，商賈貿易，水路通衢。上同

增南鎮在城南十八里。上同

〔臣等謹按〕保定縣志，南鎮爲南北往來孔道，河流環繞，岸有古柏橫接如橋，行者便之，邑志謂之柏橋古渡。

原玉帶河在縣北，繞縣東南入於磁河。或曰卽霸水之下流也。方輿紀要

原磁河源自安州，聚九河之水，至雄縣爲瓦濟河，至保定縣爲磁河，入直沽。明一統志

增玉帶河上流有二派：一西北自新城縣來者曰北九河；一西南自任邱五官淀來者曰南六河。俱會於雄縣之毛兒灣，流入保定縣界爲玉帶河。大清一統志

〔臣等謹按〕縣治西北九河：一盧溝，一拒馬，一夾河，一琉璃，一胡良，一桑乾，一烏流，一白澗，一白溝。西南六河：一黑羊河，一一畝泉，一方順，一塘河，一沙河，一磁河。俱滙於保定。玉帶河亦名苑口河，是河容納衆泒，全資千里堤岸以爲保障。且保定在河之南，文安又在保定之南，大城又在文安之南。保定之堤永固，則三縣皆受其福矣。

增陸光旭修堤碑記 玉帶一河，爲白溝、滹沱、琉璃數十河之下渚，恃長堤百里以爲之防。鯨波一決，三邑其魚。官斯地者，生斯地者，固與堤爲命者也。夫以衆河之水聚一河則易決，以三邑之功禦一堤則易完。而歷來數失其防者何哉？一以民習之久玩也，曲突不事，而補亡羊。一以隣人之秦越視也。同舟勿心，剥牀奚及？夫霸州文大，幅員亘百餘里而遥，而堤則錯壤相間，或一邑分汛數處，或一堤數邑協修，自蘇橋迤東，文防居多，西則霸文相界，而盧各莊河干乃保疆分汛。十王堂者文堤也，接胡家墳保障者大城久不修之界岸也，靳家背後則保大所共有事也，何家道口則初爲大堤而今爲文堤也，過此南北横堤則燕子口達北村武各莊者隸平戎，向南則廣陵修汛注窩則平舒分工也。段落甚悉，形勢昭然。三邑父老之胸中口中亦極了了。舊碑有曰文安五分，大城三分，保邑一分。蓋古人計害均勞，使犬牙相制者指臂牽連以使，此修彼應，良深意哉！旭以壬辰莢月筮宰平戎。越歲夏，適吴妖爲祟，靳家背後城堤危如累卵，牒呼不應，代荷鍤畚，豈天譴難回，狂龍夜潰，産蛙盧竈，稻蟹無遺，嗟此哀鴻，葬魚腹而徙四方不知其幾千百人也！乙未暮春，詔發帑金修築，同廣陵宰韓子斗山、廣文張子大章暨捕幕謝廷祐，拮据於斷堤流水之間。夏徂秋，凡四閲月而堤成。又張臬使委代築大城注窩等堤數百丈。是年也，幸馮夷息浪，新壘屹然，去國仳傠，牽車而還故里矣。不意今夏之日，陽侯再肆，湧浪如雷，旭也，臨河而懼，疾呼鳩衆，駕土牛，操槍杇，五晝夜與蛟龍戰，而卒以堤全。盧舍幸免蜃魚之藻，居人始有稻粱之謀。於是紳士民僉欣然曰：是堤也，築於令，修於令，令之心骨竭於堤，堤之利害悉於令。盍鐫數語以爲後日券？因聊叙顛末於貞珉焉。凡百君子慎之哉！居安而虞，逝波其渝。臨深而惕，城維衆志。毋曰一簣，九仞功虧。毋曰涓涓，江河因之。詩不云乎，迨天之未陰雨，徹彼桑土。凡百君子慎之哉！毋忘鼙鼓！順治丙申立石。保定縣志

增王各莊引河自玉帶河起至中亭河止，横亘三千一百餘丈。乾隆十年開挖，二十九年疏濬。大清一統志

〔臣等謹按〕大清一統志，王各莊引河舊名十望河，爲玉帶河分流。其源自西北來者，由雄縣入保定境，自西南來者由任邱縣入保定境，總滙於毛兒灣，至盧各莊下入霸州之中亭河。乾隆十年開挖二百四十丈，二十九年疏濬，至三十八年復展寬挖淤，詳見御製詩注中。

【增】乾隆三十八年御製閲鷹嘴壩及鹿疃引河處詩以示直隸總督周元理　前歲决口凡兩處，東則鹿疃西鷹嘴。堵築長堤已完善，或再逢漲慮後此。况均臨近受頂衝，取直引河固其理。插標備覽取進止，就我所知無不指。鹿疃渠長已合宜，鷹嘴渠短應西徙。鹿疃引河，周元理擬挑九百丈，足資取直之益，即如所擬行。其鷹嘴壩曲處，止擬挑引河一百二十七丈，勢促而渠短，河猶頂衝，不能引溜以化險工。因指令徙西展長百十丈，使不逼近大堤。河防原以衛民，即多費亦弗靳也。籌民惜費我弗爲，督吏鳩工爾其亹。

〔臣等謹按〕鷹嘴壩鹿疃引河御製詩，謹繹有關紀述者，恭載卷内。

【原】二里城在縣東北，宋時積糧於此。保定縣志

〔臣等謹按〕二里城今有遺址。

【原】保定堤自路疃村起，直抵西營唐頭等村，計長四十里，其南與文安界，而北則霸州也。議者謂決霸州之堤以疏水性，而築大堤於南以衛文安，則畿南十數州可免於水患矣。名勝志

增 保定堤即千里長堤，明永樂六年知縣王孟原所築，舊爲秋水冲决，乾隆三十七修築。保定縣志

增 黄猶岡在路疃東北隅。登眺其上，野花香滿，禾穗鱗層，清流環繞，緑樹陰濃。上同

〔臣等謹按〕路疃即鹿疃，其東北隅尚存小土阜，土人傳爲黄猶岡。

原 漢張堪墓在城西南二里。保定縣志

〔臣等謹按〕後漢書，張堪拜漁陽太守，開稻田八千餘頃，致民殷富。百姓歌之曰：桑無附枝，麥秀兩岐。張君爲政，樂不可支。視事八年，其葬處史無明文，非如朱邑桐鄉之鑿有可據。惟考保定於漢爲涿郡易縣地，與漁陽郡統屬幽州，其界相連，或亦堪遺愛所在。然其蹟已不可復辨矣。

原 唐竇建德墓在城西南二十里。保定縣志

〔朱彝尊原按〕新、舊唐書，建德於陣前俘獲，戮於長安市。保定有墓，未必真也。

增 天寧寺在城東北隅。保定縣册

〔臣等謹按〕天寧寺未詳始建年月，有弘治元年僧隱庵撰重建碑記，爲邑之鉅刹。有古鐘，聲振十餘里。今鐘樓雖廢，而鐘尚存。

增 明僧隱庵天寧寺重建碑畧 保定縣城東北隅有吉壤爽塏，昔人即其地建精藍，榜曰天寧，實圻内之鉅刹也。經始未遑究其年代。元季寺毁，迨宣德改元，洞明禪師甫棲之，覩兹廢跡，遂奮志興復。先於西山伐杞梓楩柟，塞川而

下，甄陶甓瓴，堆邱積岳。於是漸次締搆，邑民施捨者旁午絡繹。其制先建殿庭，至若丈室神祠祖堂，繚垣屹立，回廊四合。厥志未就，付屬弟子遠悟。遠悟能不負所屬，以興修爲己任。前建天王殿，并禪堂齋廡洎山門，凡叢林所宜有者，以次修畢。遂能化瓦礫爲祇園，幻荆棘爲金刹。猗歟盛哉！余嘗謂格理盡性，爲入道之本，僧園法物，乃宏道之資。欲樹其本，必賴其資。今兹營建，使樹其本者有所資，宏其道者有所託，其於佛門可謂大有功矣。遠悟不遠千里，謁予爲文，茂揚成績，詞不逮意，直言其梗概，勒諸貞珉，庸示悠久云。弘治元年歲在戊申四月日立。保定縣志

欽定日下舊聞考卷一百二十二

京畿 文安縣

原 文安縣在州城南七十里。明一統志

〔臣等謹按〕文安，元明皆屬霸州，本朝改隸順天府。

增 文安縣在府南二百四十里，東西距五十八里，南北距七十里。東至大城縣界四十里，西至保定縣界十八里，南至河間府任邱縣界三十里，北至霸州界四十里，東南至大城縣治五十里，西南至任邱縣治七十里，東北至東安縣治一百二十里，西北至保定縣治四十里。大清一統志

原 文安漢縣，屬渤海郡，東漢屬河間國，和帝二年置瀛州，以縣屬焉。清類天文分野之書

原 晉泰始元年，分瀛州之東平舒、文安、章武、束州置章武國，縣在古文安城。至後魏太平十一年，置瀛州以統章武縣，遂歸瀛州。北齊廢章武，入文安。隋大業七年，征遼，途經於河口。當三河合流之處，割文安、平館、三邑户於河口置豐利縣。隋末亂離，百

姓南移。唐貞觀二年，以豐利、文安二縣相逼，遂廢文安城，移文安民就豐利城，置文安縣，即今理也。太平寰宇記

【原】唐初屬瀛州，景雲二年屬莫州，周顯德六年屬霸州。九域志

【原】宋景祐元年，省永清入文安，移州治於此。皇祐元年，復徙治故地。清類天文分野之書

【原】金大定中徙州治益津，以縣屬焉。方輿紀要

【原】元屬霸州，明因之。清類天文分野之書

【原】漢縣令趙夔創建土城，明正德九年知縣事王鼎重修，翰林院侍讀李時撰記。文安縣志

【原】李時修城記　正德辛未，河北盜起，摽掠諸州縣，文安荼毒最甚，坐城之廢故也。歲癸酉，齊東王君來尹是邑，顧而嘆曰：民保於城，城關於令，城之廢，民不能生矣。乃集耆老諭之，并力交作。興役於甲戌三月，閱明年乙亥秋訖工焉。城周圍九里，列雉堞，建樓櫓，題其門南曰來薰，北曰拱辰，東曰迎恩，西曰永定。由是文安之民欣欣焉賴以無恐。君名鼎，字公實。相是役者，縣丞王景沂也。薇花堂稾

〔臣等謹按〕縣志，明正德間知縣王鼎修城。計袤七里，高二丈五尺，城門五，角樓四，敵臺警舖八，濠池沿城周圍一千二百七十丈，外護以堤。崇禎中，知縣張上春增高五尺，添砌甎堞甕城。本朝乾隆三十三年，知縣阮基領帑加磚砌城，添設門樓，修橋濬池。

【原】縣治，元皇慶元年，知縣事李祐修建。明洪武初，縣丞鄧士龍重修。儒學創自宋大觀八年，元皇慶中知縣楊潤李祐重建。泮池東北壁有大觀碑，宋徽宗手蹟也。文安縣志

〔臣等謹按〕宋徽宗碑今字蹟漫滅。

原 尚野重修文廟記 文安廟學，貞祐甲戌，金主南渡，焚蕩殆盡，僅存大觀八行之碑。再歷周宋，遼金祚終，皇元受命，肇開貢舉，優復中選，草昧漸革。世祖潛藩，賓禮師儒，務先學校。至元三年，勅上都建孔子廟，用敦化源。四方萬里，莫不知所振厲，黽勉從事。文安近在畿內，無以應德意。二仲釋奠，卽其故基，表以草幕，苟簡不恭，觀者惻然。八年辛未，縣設教諭，以邑儒董君榮爲之。董君素有興復議，而病未能也。卽言於縣，以國家方事襄樊，爲平宋張本，不獲所請。庚辰，以屋賃錢合若干緡，伐木湯川，往返千里，三歷寒暑，衆材始聚。瓦甓釘礎，黝堊丹漆，各輸所有，以後爲恥。卜日其吉，工力並作，不期月，禮殿四楹鼎鼎，宏敞靚深。先聖先師十哲，像設顯嚴，章施可徵，如一大府。惟從祀之室，大成之門，經畫井井，未克備舉，所謂再易之地，力盡而休。今復七歲矣。其在官者，主簿姚元、縣尉張瑛、縣尹楊潤、今縣尹李侯祐相繼而輔成之。二十八年，兩廡翼翼，繪像七十二子。明年，大門言言清靜。董君既沒，子道清學正、孫禎教諭承其事，如君存焉。大德辛丑，後以講堂，前以櫺星。至大四年，以雀育廡瓦，易版以瓴。初，講堂有闕，至是戶牖端朗，階址堅整，燦然一新。李侯伻來謂予曰：文安廟學之廢，荊棘瓦礫者六十年。董君父子祖孫，勤苦四十餘年，卒成盛事，請文勒諸石，永資名教。野既允祐之請，且以廟學之本，告之曰：古者民以君爲師。書曰：若有恒性，克綏厥猷，惟后。孔子雖無其位，而綏猷修道之統不忍絕也。刪定贊修之後，理寓於六經。六經卽天，天卽聖人，故自天子以至庶人無一不可以學孔子。必反身思誠，存心養性，得夫廟之制，而不失其學之實，非徒王安石所謂近世法者也。邑令與董君父子祖孫之成學廟，亦豈韓愈所謂不能修事者哉？雖然，學必久而後成，野喜其民牧學官之克協而將行，又慮其始勤終怠而不繼也，因并附此以示無窮焉。文安縣志

增 後漢書：度尚由上虞長遷文安令。註曰：文安縣故城在今瀛州文安縣東北。上同

原 舊文安城，寰宇記在縣東北三十里。今柳河有古城正當艮隅，卽文安故城無疑矣。上有漢縣令趙夔祠。上同

增 柳河鎮有渠。大清一統志

原 文安，潭名，潭在縣北一十五里。郡縣釋名

〔臣等謹按〕縣志，文安潭卽急流口。

原 文安有狐狸淀。隋書

原 文安縣狐狸淀，俗謂之掘鯉淀。隋圖經

〔朱彝尊原按〕掘鯉之淀，見左思魏都賦。

增 石城淀在文安東北四十八里，又有慈老淀、黑母淀、落坡淀、四角淀，俱在縣東北，又趙家泊，在東北六十里，卽太平寰宇記所謂滹沱河東溢爲趙淀也。大清一統志

原 水紋淀在縣西。宋起塘濼東自信安軍永濟渠，西至霸州莫金口，合水紋、得勝諸淀爲一水，今廢。方輿紀要

原 火燒淀在縣東二十五里，廣四十餘畝。縣境有石溝、柳河、急河三水，皆聚流於此，東入衞河，達於直沽。元志：河間府境有黄龍淀，自鎖井口開鑿至文安縣玳瑁口通濼水，經火燒淀轉流入海。今湮廢。同上

原 易水在縣西，自保定轉流入境，卽沙河諸水下流也。同上

增 縣西北遥堤自白家道口至上五各莊，長八里。明萬曆間築。大清一統志

〔臣等謹按〕縣志，白家口又名河家口。

原 滹沱河水在縣西北三十里，又東溢爲趙淀。太平寰宇記

原 今川原改易，滹沱經縣東南，不經縣西矣。方輿紀要

（臣等謹按）滹沱之環文安者三支：北支由河塘下白洋淀；中支由晉州天宫口至河間下五官淀；南支，卽子牙河也。又最南一支，由深州衡水清河單家橋下青縣入御河。後諸支俱淤，惟子牙河一支會諸流滙三角淀。今益改而東，下流逕會清河達西沽矣。

原霸州苦水，而文安形如釜底，尤爲諸水所滙。其苑家口會同河與栲栳圈新挑河各東西相去約二十里。北岸屬霸州，南岸屬文安，各築高堤，文安約六七十里，霸州約五六十里，屹如長城。累年有秋，實賴於此。但築堤愈高，壅水愈甚。故議者謂京師之南水害以霸州文安爲之阻也。長安客話

增子牙河自河間流入，分二支：一西北流入文安縣石城淀；一北流又分三支：西支入文安縣黑母淀，東支入大小窩口，中支入霸州文爾淀，總滙於三角淀，入白河。大清一統志

（臣等謹按）通志，子牙河總會南北二泊滏滹諸水，而滹沱實爲經流。其性湍悍，伏秋水發，河間以北，静海以南，皆當其衝。康熙三十九年聖祖新閲河工，特授方略，於獻縣河間東西兩岸築長堤，西接大城，東接静海，各二百餘里。又於東堤廣福樓之焦家口開新河一道，東北至賈口入淀。特設分司一員董其事，自是瀕河之民咸獲寧宇矣。

〔又按〕康熙四十年，聖祖巡視子牙河壩，以御臨唐太宗所書漢文帝勸農詔賜撫臣李光地。同知臣楊朝麟勒石。

增聖祖仁皇帝御製巡子牙河建壩詩　暫別宮槐幸子牙，近村處處少人家。清河微暑浮畦麥，緑樹初陰接岸沙。堤外草荒艱籽粒，淀中水淺捕魚鰕。黄童白叟望霖雨，霖雨先施莫自賒。

增乾隆三十二年御製恭依皇祖閱子牙河詩韻有序　子牙河，滹沱下游也，逕大城縣之子牙村，始得是名。夫滹沱在昔卽已著稱，而子牙之名則非古。乃縣志謂其地有子牙廟，卽釣臺遺址，所言無足據。按史記載，吕尚以魚釣干周西伯，西伯獵遇於渭之陽。注引酈道元、劉向之説以證。雖磻溪、渭渚，釣迹不同，而其地尚皆近岐西。故文王出獵得遇之，自爲可信。至此地距岐數千里，安得有釣璜遇主事？蓋古蹟流傳，率多假借，不特釣臺説涉荒唐，卽以大城爲東海之濱亦非確鑿不移者。紀載家傅會失實者多矣。子牙村之釣臺何獨不然？既閱河成詩，并爲序而正之。滹沱至此號姜牙，傅會從來紀載家。北界地高南界下，八分水帶二分沙。籌防沃土資堪黍，庶免村人歎作鰕。碑仰行間將字裏，愛民肫意緬懷賒。

增乾隆三十五年御製再依皇祖閱子牙河詩韻　謾議滹沱訛子牙，滹沱河以經大城縣之子牙村，遂有子牙河之名。舊志因傅會

（其地有釣臺遺蹟。丁亥春，巡閲河堤，曾依皇祖詩韻，並於詩序辨吕尚釣璜不應在此，以訂其訛。雖然，天下一家，奚分秦趙？總在大地之内，此一轉語亦不可少也。）一家秦趙詎殊家？麥因淀潤纔出土，柳偃堤風欲捲沙。籌畫當年仰疏瀹，閭閻今日利魚蝦。觀民要爲（去聲）安民計，咫尺穹碑法豈賒？

【增】乾隆三十八年御製三依皇祖閲子牙河詩韻　東溜沿河有鋸牙，經村因遂屬姜家。（子牙河本滹沱下游，以經大城縣之子牙村，始得是名。向曾於和韻詩序訂正其誤，繼復爲轉語解之。然河因人得名，且其説無稽，究不足爲正也。）入清本是東歸海，隔運都緣西挾沙。堤外資耕黍與稻，水中任取蟹和蝦。屢巡總爲蒼生計，繩繼無違企蹟賒。

〔臣等謹按〕子牙河御製詩，謹繹有關紀述者恭載卷内，餘不備録。

【原】蘇家橋在縣東二十里，當往來之孔道。靖難初，燕王自固安縣渡巨馬河，駐師蘇家橋，即此。（方輿紀要）

〔朱彝尊原按〕蘇橋，縣志謂蘇明允故蹟，載詩云：蘇公曾授文安簿，河上蘇橋自昔傳。然明允爲文安主簿，以修禮書授秩，未嘗赴州也。

〔臣等謹按〕文安堤在霸州苑家口，經蘇橋堂頭村至土橋村，長九千餘丈。乾隆二十六年，河水漫溢，築護月堤草壩。三十二年，自三灘里西接千里長堤，築格淀約二千餘丈，新舊堤岸各長一萬一千餘丈。

【增】蘇家橋恭建行宫。（文安縣册）

【增】乾隆三十二年御製蘇橋雜詠四首　修禮予之主簿禄，幾曾赴任柳河廳？長橋却説老蘇建，未讀歐陽墓誌銘。尸祝斯人理亦宜，河北岸有蘇簿祠，昔人建以祀蘇洵。幾間老屋水之涯。眉山材品河干境，伯仲虎邱短簿祠。勸農詔是漢文爲，唐帝書之念在兹。臨賜撫臣示明訓，康熙四十一年，皇祖巡閲河堤，御臨唐太宗書漢文帝勸農詔，以賜撫臣李光地，建亭勒石蘇祠側。敢忘繼序仰豐碑！碑亭左側有書齋，點綴軒窗致頗佳。偶爾經過解纜去，費如許爲不紓懷。

【增】乾隆三十五年御製題蘇橋二首　姚闢陳州洵霸州，太常因革禮同修。了知食禄弗任事，宋史删文未細求。石橋不是建西湖，却與長堤同號蘇。一實近修軾一遠領洵，爾家父子信賢乎！歐陽修撰蘇洵墓誌云：會太常修纂建隆以來禮書，乃以爲霸州文安縣主簿，使食其禄，與陳州項城縣令姚闢同修禮書，爲太常因革禮一百卷。按：誌所言是洵止食主簿禄而未任事，且二人同修一書，而一在陳州，一在霸州，決無是理。元托克托等修宋史，删使食其禄句，若洵實任文安主簿者然。後世遂因而有橋與祠之附會。夫以洵之文學，卽假借以羶薌其地，尚無不可。然史所以傳信，顧以删節之疏，沿譌貽誤，使非歐陽之誌，又孰從而正其舛哉？

【增】乾隆三十八年御製蘇橋雜詠　蘇橋蘇建是耶非，河北岸有蘇洵祠，相傳橋卽蘇建，但洵主簿是帶禄，跡涉附會。是以丁亥過此，詩有：幾曾赴任柳河廳之句。徒見長虹枕石磯。便卽傳訛人固當，往來利涉達皇畿。碑亭贔屭泐宸章，蘇祠旁碑亭恭泐皇祖御臨唐太宗書漢文帝勸農詔，是康熙四十一年閲河時，賜前撫臣李光地摹刻。每過屏營敬讀詳。綈几問誰副灑筆，祇宜唐漢兩文皇。左傍行齋有數間，開窗緑水俯潺湲。虞孤汎埽殷勤意，小坐聊消片刻閒。安福御艫候水濱，鳴鑼催縴發通津，却嘉大吏悉予意，排當繁文總未陳。先斯申諭大吏，今番所過頓次，一切燈綵綴景並不許預備，少涉靡文。

〔臣等謹按〕蘇橋御製詩，謹繹有關紀述者恭載卷内，餘不備録。

增乾隆三十二年御製閲文安堤工作　辛巳秋行潦，風浪掀喧豗。文安本大窪，長堤報漫開。清水向南洩，百里遭沴災。蠲賑命妥爲，急堵決口培。蘇橋至馬村，加高益厚皆。大工癸未就，涸土耕犁排。連年幸有收，元氣復田垓。堤上兹臨閲，士民欣我來。叩謝爾莫亟，吾猶抱歉哉！

增乾隆三十五年御製閲文安堤工疊舊作韻　萬民隨兩岸，笑語任掀豗。登岸罷清蹕，纔容線路開。閲堤乃要務，釜底每被災。壬午始興工，卑薄一律培。癸未告蕆事，丁亥獲收皆。戊子復行潦，己丑重淪排。兹焉觀釃流，田畧涸高垓。窪地原汪洋，治水慙斯來。或曰田占水，文安窪形如釜底，潦水易積難消。上次巡視至此，窪水盡涸，盈望麥疇。兹則舊時麥地尚有在水中者，深以疏消乏策爲厪。或云窪本水地，涸則民倍獲利，乃田占水，非水占田。即果如所言，亦不若速令消涸，讓地於民之爲愈也。其然豈然哉！

增乾隆三十八年御製閲文安堤工再疊舊作韻　登堤望大窪，銀浪轟雷豗。百里渺無極，愁眉蹙難開。緣因庚寅潦，辛卯繼受災。去歲堤始成，卑增薄者培。疏洩減大半，尚未涸以皆。大吏跽而陳，非不竭力排。稍待四月間，或可耕田垓。然則昨秋豐，此地賦何來？文安窪，惟丁亥春涸出種麥。庚寅經此閱視，窪仍爲水占。今尚一望汪洋，爲之軫念。雖周元理云，四月可以盡涸，亦未能期其必然。且此窪至今積水，則上年之難施耕種可知。昨歲畿輔既稱普豐，而文安窪尚有積水，百姓豈能納無田之賦？然大窪之有無正供及賦額重輕，不可不徹底稽核，爲民籌久遠計，因勅軍機大臣會同周元理覈實以聞，另取進止。吾當有明詔，蠲緩蘇民哉！

〔臣等謹按〕文安堤御製詩，謹繹有關紀述者恭載卷內，餘不備録。

增左家莊在縣東北，乾隆三十四年恭建行宮。文安縣册

〔臣等謹按〕左家莊亦稱左各莊。行宮内佛堂聯曰：不見聞聲羣鳥唄；無塵有色衆花鬘。書室東楹聯曰：琴薦墨壺都妥貼；天光水態盡沖容。西楹聯曰：波含素影澄心鏡；魚躍清淵識道機。及湛觀軒、涵鑑堂、澄景樓、環照齋諸額，皆御書。

增乾隆三十五年御製題湛觀軒詩　左各莊行宮中，文軒臨沼，映目澄心。蓋淀水易引，事半功倍，名之曰湛觀，而係以詩。詎必鑿塘更穿土？引來淀水便成池。階前流潔源清會，座裏天光雲影披。不啻十家費已惜，居然半畝照相宜。湛如對處非空寂，斥鹵民艱有所思。

增又御製涵鑑堂詩　溪堂俯映鑑光寒，春淀生波曲注潭。内澹澹如外澹澹，前三三卽後三三。鳶飛魚躍趣無盡，芷嫩蒲新芳未酣。設欲照他先自照，雖知此理覺行慚。

增又御製登澄景樓詩　拾級樓欄上（上聲）一層，滄波牆外見空澄。水村圖問誰家好，佳景王孫示我曾。（石渠寶笈有趙孟頫水村圖真蹟，神品。）

增又御製環照齋詩　淀水易爲引，溪齋照若環。澄懷孰是勝？延步亦其間。魚鳥觀人意，琴書伴我閒。如云寓精鑒，實早識惟艱。

〔臣等謹按〕湛觀軒諸處御製詩，恭載首見之篇，餘不備録。

增石溝村在縣東北，有琴高祠。（文安縣册）

〔臣等謹按〕石溝河即中南二泒河合流處也，村以河得名。琴高祠乾隆三十八年重修。

增乾隆三十八年御製琴高祠詩　涿水今猶古，淀祠是也非。舍人棄以去，龍子取而歸。邀月爲窗牖，令風司户扉。惟應佺羡輩，來往會依稀。

〔臣等謹按〕石溝村琴高祠御製詩，恭載首見之篇，餘不備録。

原南北盧蒲城在縣西二十七里，齊侯放盧蒲嫳於此。（城冢記）

原魯昭公三年，齊侯田於莒，盧蒲嫳見，泣且請曰：余髮如此種種，余奚能爲？公曰：諾，吾告二子。歸而告之。子尾欲復之。子雅不可，曰：彼其髮短而心甚長，其或寢處我矣。九月，子雅放盧蒲嫳於北燕。（春秋左氏傳）

【增】褚少孫補三王世家云：本始元年封廣陵王胥一子爲平曲侯。正義曰：地理志云，平曲縣屬東海郡。又云，在瀛州文安縣北七十里。七十字疑倒，今縣北十七里有城曰廣陵。文安縣志

【原】三角城在縣西北二十里，石勒築以備燕。太平寰宇記

〔臣等謹按〕三角城今廢。

【原】廣陵城在縣西北二十里，與保定縣接界，宋時聚糧於此，以守益津關。方輿紀要

【原】安平砦在縣西北三十里，宋置，今廢。同上

【增】縣有劉家渦、刀魚渦、阿翁、雁頭、黎陽、喜渦等砦。政和三年，改劉家渦曰平安。宋史志

【原】武平亭在文安縣北七十二里，今名渭城。括地志

【原】史記趙世家：惠文王二十一年，趙徙漳水武平西，二十七年，徙漳水武平南。蓋是時漳水北入大河也。方輿紀要

〔臣等謹按〕今勝芳河在縣東北七十里，會同滹沱、漳水，滙流於北，即武平地也。亭廢。

【增】狼虎廟鎮在縣西北二十里，爲南北通衢。大清一統志

原文安有廣陵趙君神。魏書

原趙夔，漢武帝時爲文安縣令，好神仙，值文安大旱，乃自焚。土人感慕，因立祠焉。圖經

原趙君廟今名仙公堂，在近郭莊。文安縣志

原靈集寺在莊頭村，僧文淳撰記，内有藏經閣，閣後古檜二株，傳是漢時植。同上

〔臣等謹按〕今碑記無考，尚存古檜一株。

原樂巨叔墓在縣東南二十五里。樂毅伐齊，後從燕入趙。毅生間，間生巨叔。毅封昌國君。至漢高祖，求毅之後，封巨叔爲華城君，卒葬於此。太平寰宇記

增漢諫議大夫韓延壽墓在文安縣東南韓村。大清一統志

〔臣等謹按〕韓延壽墓今無考。

原唐御史董甫墓石在城西南安祖店。萬曆初，土人掘得墓石，乃裴晉公撰文。文安縣志

〔臣等謹按〕唐董甫墓石今無考。

原相公莊唐工部尚書張仁憲故里，有神道碑在莊北，其東南道左有相公祠。文安縣志

原唐張仁憲神道碑，幽州節度掌書記李儉撰，幽州節度參軍蔡陵八分書，并篆額。仁憲字仁憲，官至太子中允。其孫仲武爲盧龍節度使，追贈仁憲爲工部尚書。碑以大中二年

立，在文安縣。集古録目

原李儉銀青光禄大夫太子中允贈工部尚書清河張公神道碑銘　天垂四序，所以表成歲之功；地別九州，所以分代天之治。寒燠之運行叶度，河岳之感應有期。是故體五常而承五福，贊九德而著九功。盛業克著於旂常，佳名攸傳於寰宇。素行蘊蓄於至德，積行必貽於後昆。傳曰：明德若不當代，其後必有達人。富哉言乎！有大唐工部張公，孕靈有道之邦，懷抱縱横之畧。宏圖推於一德，奇表出於萬人。操筆運六體之工，彎弧倍六鈞之力。輕財重義，急病讓夷。然諾信於友人，賙給行於州里。不以一隅自束，不以一節自持。情懷久約，常從結駟之遊；座列嘉賓，遍受脱驂之惠。視公家之禄，於我如浮雲；顧金玉之藏，比之於纖芥。居如列闕，譬若置郵，語默順持，浮沉自樂；僶俛從事，逍遥不羈。嘗仕本州，歷居右職。貞元初，勅授銀青光禄大夫、太子中允。四年，薨於昌平縣之官舍，春秋七十有五。旋窆於文安縣之西北安樂鄉原。夫人扶風郡太夫人魯氏，左廂兵馬使太子詹事福之女。行符箴頌，禮具蘋蘩。後公二十二年而没。至是祔焉，禮也。公諱仁憲，字仁憲，其先清河人。五世相韓，文成見稱於漢代；三台輔晉，壯武克大於當時。昭彰四表，厭飫八極。祖諱爲，瀛州刺史，封清河伯，遂家於燕。王父諱佐明，宣威將軍、幽州和政府右果毅都尉。烈考諱元皎，宣節校尉、幽州潤德府折衝都尉。奕世戴德，克廣前修。輝華閥閲之門，錯綜崆峒之秀。元子諱神寂，無禄早亡。嗣子諱光朝，冠軍大將軍、行左威衛大將軍、檢校國子祭酒，遷兵部尚書。訓禀義方，學該典禮。出則摧鋒鏑，居則蒐韜鈐。珠履嘗館於五千，鐵衣時驅於十萬。勳銘彝器，譽冠縉紳。銀黄坐致，琴筑自娱。膺福履以樂天，坦襟懷以卒歲。積慶垂範，高朗令終。誕生元臣，爲國巨鎮。嗣子諱仲武，今幽州盧龍節度副大使知節度事、兩番經畧盧龍兼元招撫回鶻等使、銀青光禄大夫、檢校司空、同中書門下平章事兼幽州大都督府長史、蘭陵郡王，食邑三萬户。星辰降祥而秉政清熙，帝圖立言而金玉王度。嚴干戈以衛社稷，推象象以究天人。側席求賢，勞心政理。歷階清級，夙奉鴻私。洎受鉞專征，登庸任相。和羹鼎鼐，圖治六卿之先；爲國幹楨，論道三台之列。實生靈之藻鏡，爲明主之腹心。伯氏諱仲斌，薊州刺史、永太軍營團練等使、檢校工部尚書、光禄大夫。繼續家實，蟬聯國楨。黄霸爲列郡之雄，關公乃萬人之敵。相國有子曰宜方，國子祭酒兼御史中丞。薊州長子曰得輔，國子祭酒兼侍御史。次曰得平，兼監察御史、審州司馬。敬鉉，幽都主部。敬殷，幽州參軍。洎長房有子曰沛，早亡。琇兼監察御史，有孫曰惠連，兼殿中侍御史。皆珪璋特達，冠蓋相望。丹青克紹於形容，蘭菊聯芳於英蔕。所謂勳業卓冠，儒史名家。穆然清風，高視羣品。相國以逮事逾遠，聿修漸遥。松楸既行，琬琰永勒。景行安仰？思之罔寧。是用伐石他山，建碑立隧。以儉居其家，嘗窺舊史，竊熟華宗。授簡勒銘，期於直筆。盛德難名，因扣絃而常思墮淚；謏聞强繹，媿黄絹而德媿受辛。銘曰：自泮元黄，即垂載籍。華宗上德，奇謀異跡。聞道赤松，受兵黄石。道著昭晰，慶流輝赫。當塗代漢，典午承曹。地分東西，位列卑高。爲郎署筆，作宰操刀。國儲俊乂，代有英髦。降及元魏，清河連偶。爲郡臨燕，卜鳳戴仆。公卿窟宅，德義泉藪。史不絶書，士無虚口。惟唐八葉，誕生尚書。文章軌範，禮義權輿。揮金滿路，載德盈車。清風穆若，待價沽諸。泳游道德，蘊藉儒史。力荷千鈞，名馳萬里。不享眉壽，不登貴仕。道邁前修，慶流後嗣。克生令子，實曰時英。魁梧器宇，性格恢宏。爵位隆重，度量襟虛。業惟匡國，惟懷永圖。持衡秉鈞，杖鉞以壯。龜鶴齊年，山河比量。籍籍羣從，秩秩德音。或臺或閣，如玉如金。日星照地，桃李垂陰。雪霽崐岫，花繁鄧林。著於梧櫝，刊之彝鼎。金石既刻，丹青重炳。文安縣志

原元平章政事王伯勝墓在縣治東南二十五里岳村，墓道有碑。同上

增王儀墓在文安縣北十八里張哥莊。大清一統志

〔臣等謹按〕縣志，明右副都御史王儀墓有中允楊維聰誌。

增孟母臺，臺下有深洞，相傳爲宋將孟良藏母處。文安縣志

補王孝子原，霸州文安縣人。父曰珣，娶於張，生原，小字曰某。時畿輔役事煩苛，比屋流亡。珣無所仰賴，餬其口四方。原稍長，數問母父安之，母告以故，輒哀啼不自勝，願求父俱還。母泣慰之。既受室矣，力請於母，慟哭而出。至燕，至趙，至齊，糧盡行乞於市。已渡海，抵田横島，日夕颶風大作，就道左土偶祠假寐。夢游僧舍，日當午，僧炊莎米爲飯，推而食之，一盂味殊苦，復和以肉汁，曰：甘乎？曰：甘。已復口誦偈授之曰：如來如來真箇來，好去好去還須去。忽聞剥啄聲而寤，則一老父柱杖逍遥來前，類有道者。原起立須之，流涕白所以，且告以夢。老父沉吟曰：日當午者，南方也；莎草者，其根附子也；和肉汁者附子膾也；先苦而後甘，子其南行乎！必求諸蘭若中乃得之。原因南踰汶泗，渡洺漳，至輝縣之山寺，視其名爲夢覺。原心自喜。會雨

雪，倚寺門而臥。昧爽僧出，問少年何所人，何以至此？原對以文安人，爲尋父來。問父何狀。曰生數月而父出，不識狀。僧引謁其師，師分糜餟之。珣方爲僧都養。僧召珣指原示之曰：此少年亦文安人。珣曰：爾父何人？原曰：王珣。珣曰：爾非小字某者耶？原曰：是也。父子相抱而哭，乃同歸。原竭力耕田以供子職。珣年八十有四而後卒。越數十年，有司上其事，聞於朝，詔旌其門。原年亦八十有四，有子六人，孫一十五人，曾孫二十有二人，應期、應霖舉進士。大泌山房集

【原】燕王旦發民會圍，大獵文安縣，以講士馬。漢書

【增】漢武帝衛太子敗，燕王旦自以次第當立，上書求入宿衛。上怒，削良鄉、安次、文安三縣。文安始見於史。文安縣志

【原】張茂者，文安縣大盜也。家有高樓列屋，深牆窨室，招集亡命劉宸、劉寵、齊彥名、李隆、李銳、楊虎、朱千户等，又納賂於豹房諸近侍。太監張忠者，號北墳張，居與茂邇。茂結之爲兄，因得徧賂馬永成、于經、谷大用輩，遂出入禁中。嘗侍上蹴鞠，倚是益無忌憚。庚午春夏間，河間參將袁彪數敗茂及諸賊。茂窘，乃求救於忠。忠置酒私第，招彪與茂東西坐，舉酒屬彪，字茂曰：此彥實吾弟也，今後毋相扼。又舉酒屬茂曰：袁參將今日與爾一面之好，爾今後毋寇河間。彪畏忠，不敢誰何。既而都御史甯杲

欲擒賊立功。有主簿李爲巡捕，承杲意，僞作彈琵琶伶人入茂家，且知鄉道。杲率驍勇數十人，乘其不備，入擒之，斧折茂股，車載以俘。餘賊相率至京，謀出首逭罪。忠與永成爲之請於上，且曰：必獻銀萬兩乃赦之。寵、宸計無所出，潛令楊虎刼近境，冀以足數獻。曾虎焚官署，寵、宸知事敗，乃逃去。其徒日多，參將桑玉受其賂，不肯力攻。嘗相遇於文安村中，寵、宸匿民家樓上，欲自刭，玉故緩之。有頃，齊彦名持大刀脅官軍，敗衂者數十人，至樓下，彦名曰：呼！諸敗軍皆呼。彦名曰：救至矣。寵、宸遂彎弓注矢以出，射殪數人。玉大敗引還。時辛未六月也。及都御史馬中錫奉命討之，中錫家在故城，懼賊殘其墳墓，乃爲招撫之計。嘗與賊會飲於桑園。時已有詔旨，劉六等不赦，又懸賞格募能斬之者。中錫酒中許以不殺。宸曰：無多言，吾已知朝廷不赦吾輩矣。中錫曰：無之。宸出詔旨於袖中，拂衣挺刃而去。蓋京師動靜，悉先知之，以貂璫爲之奥主也。明武宗實録

補正德中，文安縣水忽僵立，是日大寒，遂成冰柱，高五丈，周圍如其高，中空而旁有穴。數日，流賊過文安，鄉民入冰穴中避賊得全。士人謂之河僵。丹鉛録

補高松，字守之，號南厓子，文安人，不仕，善書擘窠大字，寫灰堆山小景，并梅菊蘭松墨竹，鈎勒甚佳。書史會要

欽定日下舊聞考卷一百二十三

京畿 大城縣

原大城縣，州城南一百三十里。明一統志

〔臣等謹按〕大城縣自周顯德及宋元明皆屬霸州，本朝屬順天府。

增大城縣在府南少東二百九十里，東西距四十八里，南北距六十五里。東至天津府青縣界二十三里，西至河間府任邱縣界二十五里，南至河間府河間縣界二十五里，北至天津府静海縣界四十里，東南至青縣治二十里，西南至河間縣治一百二十里，東北至静海縣治九十里，西北至文安縣治五十里。大清一統志

原大城本漢東平舒縣，屬渤海郡。太平寰宇記

原代郡有平舒城，故加東。地理志曰：渤海之屬縣也。水經注

增東平舒故城，今大城縣治，漢置。水經注：漳水枝瀆逕東平舒縣故城南，代郡有平舒城，故加東。魏氏土地記曰：章武郡治。世以爲章武故城，非也。大清一統志

增平舒縣在瀛州東北一百二十五里，衡漳水在其界。括地志

增大城縣西北去霸州九十五里，本漢東平舒縣，北齊爲平舒縣。周顯德六年割隸霸州，今改名大城。太平寰宇記

原後漢屬河間國，晉於此置章武國，後魏爲章武郡，北齊廢郡爲平舒縣。隋開皇十六年，於長蘆縣置景州，以平舒縣屬焉。大業末，劉黑闥兵亂河朔，侵吞郡縣，唐武德四年，賊平，縣屬景州。貞觀元年，州廢歸瀛州。同上

原大城縣，五代時置，屬瀛州，周顯德六年屬霸州。輿地廣記

原宋金元仍舊，明因之。明一統志

原正德七年，知縣事石恩始築土城。嘉靖中，知縣全尚貢、張應武相繼甃以甎，建門樓二。隆慶間，知縣趙德光補建二樓。城周四里一十三步，高一丈六尺，爲堞一千有九十。四門：東曰通和，西曰安阜，南曰明遠，北曰恩光。環以壕，廣六丈。崇禎六年，知縣毛雲翰復增崇六尺。大城縣志

〔臣等謹按〕大城縣城，本朝順治九年重修，乾隆八年改築。

增故城基址在城北，土壟迴折，相傳是舊城，又傳名越州城，今縣城仍舊址築，只得其半。大城縣志

原縣治當城之中，洪武元年主簿周自銘創置。上同

原學宮在縣治西，金天會十二年，縣令姚璧建，元至正二十三年，達嚕噶齊楊甫重建。元末兵燬。洪武間，縣丞王巒復建。弘治三年，知縣張津重修，增設講堂及光風霽月亭。上同

〔臣等謹按〕光風霽月亭今廢。

原金劉光國重修廟學記　昔王仲淹游孔子廟，嘗歎曰：大哉乎，君君、臣臣、父父、子子、兄兄、弟弟、夫夫、婦婦，夫子之力也。蓋夫子之道具於人心，而著於君臣、父子、兄弟、夫婦之倫。其教具於六典，而行於邦國鄉黨家庭之間。自漢唐以至於今，莫不知尊其道矣。其道尊則其祀亦尊。廟貌之崇，垂之有永，前哲之所以形於歌詠，鐫於金石者，豈無謂哉！平舒公廨之西，孔聖舊宮在焉。規制太陋，瞻視未尊。歲久而就圮。天會十二年秋九月，邑令姚公下車未久，一日顧謂僚屬、諸士子曰：風化之地，衰敝若此，吾何以辭其責乎！乃積良材，運堅甓，集衆工以量度之，上而殿廡，下而庖庾，莫不繕治，而復賁之墁飾，繚之垣堵，煥然其一新矣。予惟儒學之設，明人倫，育人才，非徒美觀也。唐虞三代之盛，蓋有自來。而秦火煨燼，聖學榛蕪，視學宮爲傳舍者衆矣。昔范甯宰餘杭，性質直，好儒學，風化大行於期年之後。自中興以來，莫之或先云。今公加意學校，可無愧於餘杭風矣。然范公之崇學敦教者，不止於修葺宮牆。公之教平舒也，豈無身先士類者乎！其於聖經賢傳之大旨，君臣父子之大倫，禮樂刑政之大法，講習討論於師友之間，勇往奮迅，洗濯刮磨，務臻斯道之妙。士習丕變，與學宮而俱新。庶不負夫子之教，而造士作人之盛心愈久而不泯也。於是乎書。大城縣志

原元馬克忠重修文廟記　皇宋吕蒙正作孔子廟碑云，聖人之興也，能成天下之務，能通天下之志，然不能免窮達否泰之數。是故達而有位，則聖人之道泰，堯舜禹湯是也。窮而無位，則聖人之道否，我先師孔子是也。此時之所值雖殊，而功之在天下萬世者則均爾。昔者大道既隱，其風漸漓。英靈始謝於衰周，德教方隆於大漢。闢邦家之正途，播古今之彝憲。百王取法，千古師宗。信乎夫子之道消息兩儀，損益三代，立三綱而垂五教，正禮樂而辨中外，其有補於生民而垂於萬世者，蓋賢於堯舜，而禹湯莫之過也。郡縣各立學校，以吾夫子爲宗而配之諸賢，所以崇德報功也。自兵燹之後，積有百年，祀典衰而文教微。平舒故有文廟，黝堊漫污，瓦甃剥落，廢毁殆盡。至今三十三年，達嚕噶齊楊公宰邑，下車之初，躬謁聖廟，覩草莽荒蕪之狀，咨嗟瞻顧，有戚於中。乃與其僚屬及諸士大夫謀曰：聖廟未新，文風未振，尹兹邑者寧無愧乎！於是命工庀材，規辦貲費，相農隙，誅茅茨，即故基爲築垣墉，自殿廡以

至齋舍，靡不聿新，宏敞軒闊，璀璨輝煌，視昔則加隆矣。故崇祀有所而神得其依，授教有居而士安其業。俎豆生輝，儒林生色，楊君功在庠序亦偉矣哉！爰自經營之日，不期月而落成。蓋以侯躬親其事，榱桷甎埴之類，積儲素具，無取給於民也。宜其成之速而公無廢務，民不知勞也。邑人張温、劉澤等通覩厥成，而樂民之不擾，懇予書於石以揚其美。乃從而銘之。銘曰：聖道昭彰兮，儒風慶延。崇彼廟貌兮，厥功茂焉。雕甍畫棟兮，金碧相鮮。琢詞貞珉兮，奎壁星聯。春秋致祭兮，陳其豆籩。人文宣朗兮，億萬斯年。同上

原 滹沱河出縣北一百三十里。太平寰宇記

原 永濟渠在縣東五十里。同上

〔臣等謹按〕大城縣東二十五里爲青縣界。永濟渠在縣東五十里，地入青縣，今非大城所轄。

增 黑龍港河在大城縣南。上流有三：一自縣西南逕南頭村入境，循四呈口與鹽河會；一自縣南曹家市北流迤邐至四呈口；一自青縣扈家店流至四呈口，與鹽河會流。大清一統志

〔臣等謹按〕黑龍港河與子牙河合，詳見後條。乾隆五年疏濬。

原 大城縣北有子牙堤，相傳以爲太公嘗居此，所謂北海之濱是也。河中有釣臺浮出烟波，土人云常隨水高下，雖大浸不没。燕山叢録

〔臣等謹按〕子牙堤、釣臺今無考。

增 子牙河在大城縣東，自河間縣東又北歷文安縣入靜海縣界，即滹沱、滏陽諸水下流也，一名鹽河，又名沿河。大清一統志

增沿河自河間縣之龍華橋入縣界，東北流至縣東南二十五里四呈口，合黑龍港河，亦名交河，北折繞縣東十二里趙扶村，又北折逕子牙村，故名子牙河。又北二十里逕王家口，分爲二派：一西北流八十里出新挑河；一北流迤東六十里由王慶坨入三角淀。大城縣志

〔臣等謹按〕今子牙河由河間縣屬劉谷莊橋流入大城縣境，至張家莊分爲正支二河：正河自北岔河口起，至王家口新河口止；支河自岔河口起，至青縣界止。乾隆二十九年，興修水利，奉旨以舊正河爲支河，改支河爲正河，大加挑濬。於是水順其性，經静海縣、大城境與正支合流由天津歸海。

增王家口在縣北六十里有王家口鎮。大城縣志

增聖祖仁皇帝御製大城文安等處堤修完舟中駐蹕王家口詩　積水頻縈慮，長堤幸已成。桑麻連井邑，花柳近清明。漸愜勤民意，還深問俗情。蘭橈經過處，布穀唤春耕。

增中亭一支與玉帶河南北相望，自霸州東三岔口分爲三派，其支流從石溝南出，緣大堤而東，至左家莊，仍入石溝河。三泒並至臺頭會流，曰臺頭河。大清一統志

增臺頭村恭建行宫。大城縣志

〔臣等謹按〕臺頭村行宫堂額曰清源堂。聯曰：春水生來蘭葉細；霽烟低處柳條濃。内殿聯曰：常有輕雲釀雨意；愛看秋水泛烟光。皆御書。

增乾隆三十二年御製格淀堤至臺頭西南而止命接築至千里長堤因成是什紀事詩 禹貢無堤水亦治，後惟賴此障防之。常虞渾派北瀰至，間有清流南漲時。格淀意佳何忽止？鳩工命續要堅爲。村民喜躍從心願，力穡趨時勉莫遲。

增又御製於臺頭行館作 行館一區搆淀濆，水營艱築致斯勤。（舟程例設水營。臺頭淀泊環繞地多支港，水營卡障難以施功。地方大吏因於爽塏處建行宮數楹，以供憩頓。）無過晝夜憩而去，何必軒庭綴以紛？岸柳春光染鵝色，溪波風意漾韡紋。臺頭設復循名義，吾正慚焉在漢文。

增又御製清源堂詩 書堂潔治淀池潯，維暮之春適憩臨。巡狩無非廑民莫，詠歌還以絜官箴。遠帆望帶夕陽去，歸棹看從別浦尋。大法小廉清固美，求源應自始吾心。

（臣等謹按）臺頭村行宮御製諸詩，恭載首見之篇，餘不備録。

原黄汊河在縣東北八十里，其上源是卽易水，下流自安次縣，是文安縣分流入縣境，又東北入武清之三角淀。（方輿紀要）

（臣等謹按）黄汊河亦名臺頭舊小河，自莊兒頭東舊格淀堤根起，至臺頭老淀河止，計長十三里。乾隆三十年動帑挑濬。

增沿河堤起自河間府，接縣西之鬻門村，沿三岔口入文安界，迤邐盤曲，百有餘里。（大城縣志）

（臣等謹按）沿河千里長堤，一名長城堤，又名護城堤，自縣南馬村閣起，沿西北三岔口入文安界，計長八十二里。一自縣内之張家莊北岔堤頭起至三岔口，計長二十四里。乾隆三十二年，命自臺頭村西南至千里長堤接築格淀堤，三十五年奉旨補築。

【增】乾隆三十五年御製補築格淀堤成輕輿往閱因疊舊韻成什　數典誰過神禹治，幾曾禹貢曰堤之？行其無事今非古，占以有淤勢與時。圖格清渾空闕築，（格淀堤舊至莊兒頭而止，丁亥臨閱，恐中間空闕，無以障格清渾。因命大臣履度，勅督臣動帑接築至三灘里，與長堤屬，計十五里有奇。今則全堤一律鞏峙矣。）不過罅漏補苴爲。輕輿十里勤來閱，永逸謀艱立爲（去聲）遲。

〔臣等謹按〕格淀堤御製詩，謹繹有關紀述之篇，恭載卷内。

【增】長城在文安縣東南，接大城縣界，延袤百里，相傳燕趙分界處。（大清一統志）

【原】平陵城在縣東北一百一十里。漢書，蘇建封平陵侯，即此地也。（太平寰宇記）

【原】章武故城在縣南四十七里，漢置縣，屬渤海郡。武帝封竇廣德爲侯邑，後漢仍屬渤海郡，三國魏因之。晉屬章武國。後魏屬浮陽郡，又析置西章武縣，屬章武郡，高齊省入平舒縣。（方輿紀要）

【增】西章武故城在大城縣南。漢章武縣在今滄州界，後魏正光中，分置西章武縣，屬章武郡，北齊省。舊志，章武城在今縣南四十七里。以在章武之西，故加西也。（大清一統志）

原清漳自章武縣故城西，故濊邑也，枝瀆出焉，謂之濊水。東北逕參后亭，分爲二瀆。應劭曰：平舒縣西南五十里有參后亭，故縣也，世謂之平鹵城。枝水又東注，謂之蔡伏溝，又東積而爲淀。一水逕亭北，又逕東平舒縣故城，又東北分爲二水：一水右出爲澱；一水北注滹沱，謂之濊口。水經注

增李壇鎮在縣南四十里，又廣安鎮在西南十八里，皆有堡有集。大清一統志

增子牙鎮在縣東北四十里，與静海縣接界。東北去静海縣四十五里，有東西二村，東屬静海，西屬大城，以鹽河中流爲界。同上

原縣北十里所，民家耕牛生麟，其地名麒麟窪。燕山叢録

原鳳凰臺在縣東北十五里，晉石勒四年，鳳凰見於此，因築臺。太平寰宇記

〔臣等謹按〕鳳凰臺久圮。

原仙人洞在縣南，俗名故縣村，洞深入不能窮，今已閉塞。名勝志

增清風井在縣西牛村，因牛烈女全節得名。大城縣志

原孝順窪在縣西良村，相傳唐太宗征高麗萬馬飲之不涸。同上

原秦太子墓在縣城北六十里段堤村，相傳始皇巡狩駐蹕於此，值幼子薨，因瘞之。城冢記

原居民向太子冢祈禱，無不應者，俗呼爲仙人臺。大城縣志

原唐靳夫人墓在城東南十五里，兖州長史靳思室也，墓石尚存。名勝志

原大城城西五里有古墓，近世民竊發之，見五色石槨，上有王羲之三字，乃掩之。好事者因立石識其處。右軍故琅琊人，流寓江左，墓本在會稽，今大城云云，其妄無疑矣。然大城、外黄皆有右軍祠。聞金世貴書，至以字工拙進退士，故北土多慕右軍而祀之。燕山叢録

〔臣等謹按〕縣志，或曰羲字乃義字之誤。

增尚父廟在大城縣東北四十里子牙鎮。大城縣志

原興寧寺在縣東南十五里白楊村，唐貞觀年建，明成化中重修。上同

欽定日下舊聞考卷一百二十四

京畿 固安縣

原 固安縣在府西南一百二十里。明一統志

〔臣等謹按〕固安縣，明屬順天府，本朝因之。

增 固安縣東西距五十五里，南北距一百十里。東至永清縣界二十五里，西至涿州界三十里，南至保定府雄縣界九十二里，北至宛平縣界十八里，東南至霸州界五十五里，西南至保定府新城縣界七十里，東北至宛平縣治一百十里，西北至良鄉縣治七十里。大清一統志

原 固安本漢方成縣，屬廣陽國，後漢屬涿郡，改成爲城。清類天文分野之書

原 晉屬幽州范陽國，元魏屬范陽郡，北齊省焉。同上

原 隋開皇九年，自今易州淶水縣移固安縣於漢方城縣地，取漢故安縣爲名。其漢故安縣故城自在易州易縣東南七百步。續通典

原 漢故安縣，即今易州。隋開皇中，始改置於故方城縣界，乃改爲固。舊唐書

【增】隋開皇六年，改置固安縣，屬幽州，大業初，屬涿郡。大清一統志

【原】唐武德四年，屬北義州，移治歸義縣章信堡城。貞觀元年，省州，以縣屬幽州。清類天文分野之書

〔臣等謹按〕章信堡今無考。

【原】大曆四年，改屬涿州。方輿紀要

【原】遼金仍屬涿州，金割以遺宋，宋名涿水郡，威德軍節度，縣隸焉。未幾金取之，仍爲涿屬邑。元割屬霸州，又改屬大興府。中統四年升爲固安州，屬大都路。洪武二年，降爲縣。清類天文分野之書

【補】王惲固安道中作　十月燕南道，提封入按巡。清霜嚴比雪，枯樹老於人。尚遠經綸妙，須勞撫字頻。前林烏鵲盛，喧集戀餘春。秋澗集

【原】縣治初無城郭。正德辛未，羣盜起山東，轉掠河北，縣常被兵，民始知懼。知縣事西安王宇始創土城，周方五里餘，崇二丈三尺。爲門四：東曰寧遠，西曰豐樂，南曰迎薰，北曰拱極。上各建層樓三楹。嘉靖二十九年，壽光蘇繼來知縣事，改甃以甎。四十四年，知縣事河南何永慶以土加甓，因舊制而重修之。城壕則嘉靖中知縣事安陽李玞所鑿，而何永慶重濬焉。固安縣志

〔臣等謹按〕縣志，明崇禎四年知縣事秦士奇濬四門壕，設橋築堤，修砌城垜，後漸

傾圮。本朝乾隆十五年，奉旨興修，改砌甎門四。

增明顧清創建固安縣城池記 都城南一百十里有邑曰固安，本漢廣陽國之方城縣，至隋易今名。歷唐宋金元，常爲州、邑。入國朝又百五十年，而城池之守未備。承平恬熙，上下循習，若以爲當然者。正德辛未，盜起山東，轉掠河朔，邑嘗被兵，民始知懼。上亦以廷臣議詔增築郡縣之無城郭者，而固安猶未有以應命也。乃乙亥六月，御史盧君按歷其地，慨然念之，召知縣王君宇圖所以爲興築計。宇曰：此令之責也，敢不供命！以告民，民曰：此使君生我也，敢不盡力！於是爲之規其方位，劑其土物，籌其工費，以條約上。王君轉於盧君，復言於朝，得霸州及永清等縣各以其衆來助。羣心歡趨，一唱百和。起是歲七月，至明年四月而城成。先辟其四門而爲樓於其南北，曰迎薰，曰拱極；東曰寧遠，西曰豐樂。城周方三里二百六十有九步，高二十有三尺。其上爲女牆。牆四隅，鑿池圍城，深廣各若干尺。總役夫三千五十人，食米二千三十有五石，用木以根計者三千七百九十餘，灰鐵洎石灰以斤計者十五萬七千三百六十二，費公帑銀七萬有餘兩，米則民間義助，別無所擾。民居當城表者遷之，林木之蔓翳者啟之，而以其旁之隙地馬廠中爲通衢，而以其地益遷者。徙豫備倉於城中，而給民以其故址如其數。當遷者皆優於資給，民忘勞焉。於是邑之紳士均顧而言曰：天下之事，惟有備則無患，故重關擊柝，必資於豫。不知者恒悠忽，輒易生患。患至而爲備，則又苦於無及。人情喜逸而惡勞，而自私者幸其事之不在己。固安之爲縣，閱年多矣，而防畛之闕畧如此，非不知與自私者之有以誤之歟！懲其誤而爲之備，舍我逸而親彼勞，不私其一身而爲來者無窮之慮，御史君之志大矣。而以身任責，不避嫌怨，成一方保障於數月之間，使此邦之民子子孫孫得安枕而卧者，皆王君之功也。而何可忘之？乃相與具書京師，請記其事，刻之石以告來者。御史名雍，字師朗，涿郡人，正德辛未進士，詳慎而敏，遇事優爲，不動聲色，城其一事也。王君字德周，關西鄉貢士，清勤奉職，在蜀之仁壽已有聲，城成，遂入判順天府。其可稱述不止此。縣丞劉濬、張經，主簿王慶，典史張綸等，贊襄左右，與有勞焉。法皆得聯書。速予記者，嗣令孫君璁，皆有足嘉者。嗚呼！尚相與勉之以無廢前人之功哉！明正德十五年六月立。固安縣志

增曹夢麟創建四門弔橋記 邑舊無弔橋。今之弔橋作於秦明府莅任之三月也。時爲庚午初夏，公繕城製器之餘，周城浚池，深二丈許，創四弔橋。夫池舊有之而今爲天塹，橋舊無之而今爲天險。其版之堅，可以通車馬也；其機之括，可以任去存也。橫雲數柱，遊者可憑而題也。規制一開，繼者可循而葺也。明府負重之資，應變之器，胥具是矣。余承鄉先生言，爲弔橋記，記弔橋，所以記明府也。乃援而歌曰：橫木平平，險以設思。神君既去，有橋傑思。西望太行，榆水環思。山河長久，惠曷竭思。同上

原縣治在城西北隅。其左爲儒學學宮。東偏有尊經閣，金護國仁王寺佛閣也。有飛騎尉兼管常平倉李成彦碑記。正德丙寅，知縣事太康劉淛并入於學宮。同上

〔臣等謹按〕縣治及儒學學宫，明洪武三年建。金李成彦碑今不可考。

【增】明楊維聰尊經閣詩：阿閣三重書百篇，青衿白首此鑽研。兩河檻外清兼濁，阡陌宫前斷復連。北闕晴雲常五色，西山瑞靄亘千年。歸儒逃墨思曩迹，入室升堂俟後賢。固安縣志

【原】濩灦水上承護陂於臨鄉縣故城西，東南逕臨鄉南。漢封廣陽王子須爲侯國。地理記曰：方城南十里有臨鄉城故縣也。水經注

【原】福禄水出西山東南，逕廣陽縣故城南，東入廣陽水，亂流東南至陽鄉縣，右注聖水。聖水又東南至陽鄉城西，不逕其北矣。縣故涿之陽亭也。地理風俗志曰：涿縣東五十里有陽鄉亭，後分爲縣，王莽時更名章武，卽長鄉縣也。按太康地記，涿有長鄉而無陽鄉。同上

〔臣等謹按〕縣志，福禄河，聖水、桃水東來合之，今涸。

【原】桑乾河自良鄉縣流注縣界，又東南流入東安縣境，合於巨馬河。方輿紀要

【原】桑乾河在縣西二十里，至燕丹口分而爲二：其一至通州入白溝河；其一逕小直沽入於海。名勝志

【原】永樂二年十月，修順天府固安縣渾河決岸。七年六月，固安縣渾河決賀家口，傷禾稼，命工部亟遣官修築。十五年閏五月，修固安縣孫家口堤岸。明成祖實録

【原】正統八年六月，渾河水溢，決固安縣賈家口、張家口等堤，詔隣近州縣協力修築。十

一年六月，渾河水泛賈家里，張家口堤決，命有司修築之。明英宗實録

原正德中，渾河堤決，禾黍悉爲巨浸。嘉靖初，徙流縣北十里，入永清縣界。方輿紀要

增桑乾河，明萬曆中徙固安縣西十餘里，尋又徙城南，泛溢固安永清之境，後又徙固安城北。本朝順治十一年復改流縣西，與清水合流。康熙三十七年，聖祖周覽河道，命撫臣于成龍等起良鄉之張家莊，至東安之郎城河，重開河道，遷流於東，由固安永清之北引流直出柳岔口三角淀，達於西沽，築長堤捍之。大清一統志

〔臣等謹按〕自固安至西沽河堤，所謂千里長堤也。仰惟聖祖貽謨，因勢利導，創立堤防，俾渾流得以順軌。皇上御極以來，復屢蒙親臨相視，爲淀爲泊，爲渠爲堰，皆一一示以修防之要。惟在有水土之責者遵而守之，斯萬世永賴矣。

原巨馬河在固安縣理西一百一十里。太平寰宇記

〔臣等謹按〕巨馬卽拒馬。今據大清一統志，拒馬河在涿州西北，自淶水縣流入，與琉璃河合，卽古桃水，不入縣界。

原盧溝河入縣境，復分流入霸州界，謂之巨馬河，或謂之安陽河。周顯德六年，世宗遣先鋒將劉重進據固安，自至安陽水作橋，謀取幽州，會有疾而還。建文時，燕王駐兵固安，渡巨馬河，卽此。方輿紀要

增 東湖、西湖在縣東八里。相傳白蘆等河之水經炒米店東南流瀦於此，南北闊十里，東西盡縣境，乃九河支流也，今涸。其地有東湖、西湖兩村。固安縣志

原 聖水東南流，右會清淀水，水發西淀，東流注聖水，謂之劉公口也。水經注

增 桃水源自淶水縣，經徐城東南，又東逕陽鄉縣，入聖水。固安縣志

原 曲洛溝源自督亢陂經縣南，東注方城泉。太平寰宇記

〔臣等謹按〕今縣西南三十五里有曲溝鎮，距督亢陂二十五里，接新城縣界。

原 臨鄉城在故方城縣南十里，漢縣，屬涿郡，後漢省。劉昭曰：趙孝成王十九年與燕易土，以臨樂與燕，卽此城也。方輿紀要

增 臨鄉故城在固安縣南，漢置。初元五年，封廣陽頃王子雲爲侯國，屬涿郡。後漢省入方城縣。括地志：臨鄉故城在固安縣南五十七里。大清一統志

原 陽鄉故城在今縣西北二十七里。後漢省，晉復置爲長鄉。高齊天保七年省入涿縣，其城亦謂之長鄉城。太平寰宇記

〔臣等謹按〕固安縣北有陽鄉，在永定河南岸，屬宛平縣界。乾隆十六年，改名長安城，爲伏秋防汛駐劄之所。當是古陽鄉地也。

增 陽鄉故城在固安縣西北。漢初元五年，封廣陽王子發爲侯國，屬涿郡。後漢廢，晉復

置長鄉縣，屬范陽國。後魏曰萇鄉，北齊廢。魏書地形志：范陽郡萇鄉縣有長鄉城。（大清一統志）

原陽鄉，魏收志作萇鄉。（方輿紀要）

原聖水縣西北有武陽城，相傳燕昭王所築。（城邑考）

原固安東南逕韓城東，詩韓奕章曰：溥彼韓城，燕師所完。王錫韓侯，其追其貊，奄受北國。鄭玄曰：周封韓侯居韓城爲侯伯，言爲獫夷所逼，稍稍東遷也。王肅曰：今涿郡方城縣有韓侯城，世謂寒號，非也。（水經注）

原成王十二年，王師燕師城韓，王錫韓侯命。（竹書紀年）

原昔周宣王亦有韓侯，其國也近燕，故詩云：溥彼韓城，燕師所完。其後韓西亦姓韓，爲衛滿所伐，遷居海中。（潛夫論）

原武王子初封於韓，其時召康公封於北燕，實爲司空，王命以燕衆城之。（曹氏詩説）

原溥彼韓城，燕師所完。涿郡乃燕地也，又有奄受北國之言。水經注：聖水逕方城縣故城北，又東南逕韓城東。引韓奕之言爲證。梁山恐是方城縣相近梁門界上之山。（李氏詩譜）

原燕師所完，鄭箋以燕爲燕安。王肅云：今涿郡方城縣有韓侯城，燕，北燕國。愚謂詩云奄受北國。肅説爲長。（困學紀聞）

補 詩曰：其追其貊。燕師之北國也。韓在燕北，貊爲韓之北國，韓既歸於燕，韓從而東徙，漢初謂之三韓。燕史

〔朱昆田原按〕郭氏之説，與潛夫論相發明。

原 方城舊城在今縣東南十七里。括地志

〔臣等謹按〕方城舊址不可考，今有方城村。

原 聖水東逕長興城南，又東逕方城縣故城。李牧伐燕取方城，是也。魏封劉放爲侯國。水經注

原 水經注：聖水逕方城縣故城北，又東南逕韓城東。王肅曰：今涿州方城縣有韓侯城。魏書地形志：范陽郡方城縣有韓侯城。按史記燕世家，易水東分爲梁門，今順天府固安縣有方城村，卽漢之方城縣也。水經注又云：濕水逕良鄉之北界，歷梁山南，高梁水出焉，是所謂奕奕梁山者矣。舊説以韓國在同州韓城縣，竊疑同州去燕二千餘里，卽令召公爲司空，掌邦土，量地遠近，興事任力，亦當發民於近甸而已，豈有役二千里外之人而爲築城者哉？召伯營申，亦曰因是謝人。齊桓城邢，不過宋曹三國。而召誥庶殷攻位，蔡氏以爲此遷洛之民無役紂都之理。此皆經文明證。況其追其貊，乃東北之夷，而蹶父之靡國不到，亦似謂韓土在北陲之遠也。日知録

原韓侯城，今縣南名韓砦營者是。名勝志

〔臣等謹按〕縣志，韓寨營在縣東南十八里，即古韓侯城。

原固安縣西南十八里有土臺，俗呼雀臺，傳是趙李牧故蹟。名勝志

〔臣等謹按〕雀臺在今縣西南十八里，高丈餘，其上廣平數百步，有雀臺寺。

增固安有黄金臺。水經注

〔臣等謹按〕縣志，燕昭王築黄金臺在易水。後人慕之，亦築於此。

增歇馬亭在東嶽廟前，元至元中建，明弘治中改爲獻享亭，縣人劉傑有記。固安縣志

〔臣等謹按〕歇馬亭今廢。

增水寨，元舒穆嚕拜達勒鎮守處。同上

〔臣等謹按〕水寨今無考。

增知子營，元布哈丞相屯軍於此，其家傳報生子，遂改馬慶店爲知子營。同上 按：布哈義見前，舊作伯華。今譯改。

〔臣等謹按〕縣志，知子營又作質子營。相傳宋叛臣李璮質子彦簡於朝，而潛爲私驛，自益都至京師質子營，至是彦簡遂用私驛逃歸。

原栗園在縣界北。魏孝昌三年，上谷賊杜洛周遣其黨曹紇直掠薊南，幽州刺史常景運遣

將于榮擊破之於栗園，是也。方輿紀要

〔臣等謹按〕栗園舊址今不可考。

原 固安縣東北八里有張華村，村人指石井欄八角曰故宅處。帝京景物畧

〔朱彝尊原按〕宛平亦有東張華村、西張華村，在西直門外八里莊相近。蔣仲舒謂華宅在盧溝橋東，而晉書本傳云方城人，當以在固安者爲是。

原 張華村臨桑乾河。郡國志

增 張華，字茂先，魏張平子，范陽方城人。性至孝，少孤貧，自牧羊。同郡盧欽見而奇之。鄉人劉放奇其才，以女妻焉。華學業優博，圖緯方丈之書莫不詳覽。時人罕能測之，其生平品概，俱詳晉書。固安縣志

原 涿州管下固安縣有獨流村。金大疆域圖

〔臣等謹按〕縣志，獨流村在縣南五十里。

增 牛堝堡方八百丈，明嘉靖時建。固安縣志

〔臣等謹按〕牛堝堡舊址在今縣南，爲巨鎮。

增 禮讓堡方三百六十五丈，明嘉靖時建。固安縣志

〔臣等謹按〕禮讓堡名今廢，遺址僅存。

增孫臏墓在方城村東南一里許，有石門。固安縣志

〔臣等謹按〕房山縣亦有孫臏墓。至本朝康熙年間，房山縣知縣羅在公得墓誌，始知在房山者爲唐將軍孫士林墓云。

原金張君墓在押畝村西北一里，有石刻云故贈儒林郎清河張君之墓，明昌二年立石。墓前石獸尚存。固安縣志

原元宋侯墓在駝頭村西南半里，有石刻云大元故武略將軍大都路都總管府判官宋侯墓，翰林學士承旨歐陽光書，至正十四年立石。同上

〔臣等謹按〕元宋侯墓無考。

原關侯廟在縣治西南，金明昌中建，元延祐三年重修。殿懸義勇武安王廟扁，後題延祐五年九月翰林編修官牛師厚書，豫章李仝撰碑。同上

〔臣等謹按〕李仝碑文今已剥落不可辨。

補普安禪師至温於固安，作興化寺。道園學古録

〔臣等謹按〕興化寺久廢。

原周世宗伐遼，下關南瀛、莫二州，遣先鋒將劉重進先發據固安，即今縣治。方輿紀要

〔臣等謹按〕通鑑：晉建武初，段匹磾推劉琨爲大都督，檄涉復辰，疾陸眷，段末、

栝等會於固安，討石勒。又宋雍熙三年三月，曹彬趨涿州，遣先鋒將李繼隆取固安、新城二縣。遼統軍使耶律伯特復之，仍屬遼。又明洪武三十三年，建文遣李景隆、徐增壽、郭英期於白溝河。成祖聞之，率諸將進駐固安。此皆固安之已事，謹類識之以備考。按：伯特，滿洲語才力不及也，舊作頗德。今譯改。

補固安縣大水，岸坼，斷橋邊出一碑，題曰：橋傾天子過，碑出狀元來。其年武宗南幸過其邑。次年辛巳，邑人楊維聰狀元及第。玉堂叢語

〔臣等謹按〕斷橋碑蹟今不可考。

增正大二年，奇塔特伯奇乞賜固安田二百餘頃，從之。金史 按：奇塔特，蒙古語漢人也；伯奇，堅固也；舊作乞台普濟。今譯改。

補建隆元年三月，遼入侵棣州，刺史河南何繼筠追破其衆於固安，獲馬四百匹。續通鑑長編

補京師之南，固安、永清、霸州、文安等處，京衛屯軍雜居，人性驕悍，好騎射，往往邀路劫財，輒奔散不可獲，人號爲放響馬賊。近來内官用事，谷大用、馬永成、張忠等皆霸州、文安諸處人。大盗劉七等嘗因内官家人，混入禁内豹房，覷上游幸之所。及爲寗杲所逼，遂聚衆拒捕。後劉瑾誅，杲亦得罪繫獄，因而作亂。繼世紀聞

欽定日下舊聞考卷一百二十五

京畿 永清縣

原 永清縣在府南一百五十里。明一統志

〔臣等謹按〕永清縣，明屬順天府，本朝因之。

原 永清縣東西距五十里，南北距五十七里。東至東安縣界三十里，西至固安縣界二十里，南至霸州界三十里，北至東安縣界二十七里，東南至大城縣治一百里，西南至霸州界五十里，東北至東安縣治四十里，西北至良鄉縣治一百一十里。大清一統志

原 永清，漢益昌縣，屬涿郡，爲侯國，東漢省，晉因之。清類天文分野之書

原 巨馬水東逕益昌縣故城南。漢封廣陽頃王子嬰爲侯國，王莽之有秩也。風俗記曰：方城縣東八十里有益昌城故縣。水經注

原 隋大業七年，開渠通遼，於縣西五里置通澤縣，後罷。唐如意元年，改武隆縣。景雲元年，改會昌縣。天寶元年，改永清縣。清類天文分野之書

增酈道元水經注：方城縣東八十里有益昌縣故城，方城爲今固安地。括地志：方城舊城在今縣東南十七里。唐書地理志：如意元年分安次縣置武隆縣，是則後漢省縣以後，當以方城東境、安次西境爲今永清地。永清縣志

原石晉時没於遼，周世宗復取之。宋初爲霸州治，景祐二年，并入文安縣。金復置。方輿紀要

〔臣等謹按〕縣志，周世宗置霸州，治永清縣。宋景祐中，以永清省入文安。金太宗復永清縣，隸析津府。蓋宋自仁宗景祐以前，永清仍周之舊，故太平寰宇記載河北道幽州永清縣，最爲明顯。景祐以後，永清并入文安縣，至徽宗宣和中，尚隸燕山府。徽欽而後，乃入於金。

增周顯德六年，世宗自乾寧軍抵信安，捨舟陸行，至益津關，仍至永清駐蹕三日，然後南還。永清縣志

原元屬大都路。清類天文分野之書

原舊城周三里，日久傾頹。正德五年，流賊突犯，燬官舍，劫倉庫。知縣事郭名世始拓土城，袤五里餘。隆慶二年，署縣事霸州判官王建議，廢寺塔廟觀甃甎城，後被大水衝塌。萬曆三十七年，知縣王嘉績重修，四十二年知縣楊夢雄復修之。永清縣志

增永清縣城，本朝康熙十五年重修，乾隆十四年改築。大清一統志

增明屯田僉事劉惟蕙重修城垣記 益昌，首善地，斗大一城，無寸險足恃，名曰城，實無異壘也。我侯曰：爲高爲深，致富致强，豈異人任？不請帑，不加賦，不殫力以疲民，不愆期以誤國，吾自有便法。若以永人衛永人，以民情鼓民力，屋漏可質，鬼神效靈，黎民應不懼非常也。首損貲以爲士民倡，周募疏於四境，或量力修垛，或計土受工，或掘地而填築，或挈家以供役。自正月始事，三閲月而告成，計垛一千四百有奇。又令籌軍器，積穀草，貯硝黄，練鄉勇，創弩臺，不日皆具。建弩臺共八座，環以女牆，通以機橋，攻有備，守有貲，或俯陴而瞯，或跨濠而擊。有永邑以來，未嘗有也。永清縣志

原縣治在城西，儒學在縣治西南，元卓哩軍都押司官蕭薩巴建，成化間遷於城東南隅，翰林學士汪楷作碑記。同上 按：卓哩，滿洲語指之也，舊作啜里。薩巴，蒙古語器皿也，舊作薩八。今俱譯改。

原瓦河水在永清縣西南三百步。太平寰宇記 此條原在霸州卷内。今移改。

原縣南拒馬河自霸州流經東安縣境，又東入縣界而注於武清縣之三角淀，卽盧溝河及易水之下流也。方輿紀要

增拒馬河距邑治東南五十里，在古信安郡内，爲九河洩尾之墟。周世宗嘗以舟師駐蹕。渠水通於東南，夙稱名瀆。永清縣志

原永清舊苦河患，嘉靖三十一年，水溢，漂没廬舍。至萬曆三年，巡撫王一鶚築堤障之，延袤五十里。及二十二年，復抵縣界，且逼城垣。三十五年，淫雨堤蟄，東城下又有巨蛇丈餘爲祟，知縣李循爲民祈禱立祠，水患稍息。上同

增永定河堤，自康熙三十七年開挖新河前，築兩岸大堤。南岸自盧溝橋石堤下起，至永

清縣郭家務止；北岸亦自盧溝橋石堤起，至永清縣何麻子營止。三十九年，安瀾城河口淤塞，水由霸州之柳岔口歸淀入海，復於南岸接築西堤，自郭家務起，至柳岔口止，北岸接築東堤，自何麻子營起，至柳岔口迤東止，即今之東西兩堤是也。雍正三年，南北兩岸又接築大堤。南堤自冰窖東堤起，至王慶坨止；北堤自何麻子營起，至武清縣范甕口止。卽今之舊南堤、北堤是也。四年，柳岔口河淤，自郭家務起開挖引河。十年，接築重堤，并挑引河。乾隆三年，又接築南北兩埝。五年，又自葛漁城北埝起接築北埝，至東蕭家莊止。二十年，冰窖河口南北淤高，皇上親臨閲視，開堤，改河於賀堯營一帶，任其蕩漾，入淀歸海。二十一年，接築遥埝；二十八年，添築越埝；三十九年，興舉大工，於下游條河頭挑濬寬深，直趨毛窪，歸沙家淀，達天津入海。上同

〔臣等謹按〕永清地界爲永定河入淀歸海之下游。自康熙年間修築南北兩堤，河流得以順軌，嗣後或間有淤滯之處。皇上御極以來，屢經臨視，隨宜疏濬，旋卽安瀾。其區畫原委之詳，恭繹御製詩章，瞭如指掌，謹編載卷内。

增 乾隆十八年御製沿堤行三十里觀永定河新移下口處兼示直隸總督方觀承永定河道白鍾山詩　舊時北岸今南岸，近舊南堤今北堤。桑乾於康熙年間築堤之始，原就南，雍正年以河身淤，故改從北。近又以河身漸淤，改從冰窖南出，在兩河之間，故康熙年之北堤爲今南堤，而雍正年之南堤爲今北堤矣。遷就向寬資蕩漾，已看汛過積淤泥。舊識黄河利不分，挾沙東

注向瀛瀆。渾流今有清流亘，（黃河全流入海，其力較專，至清口滙淮，攻沙之力益勁。永定下流不能獨行入海，有運河、鳳河橫亘於中，因散入諸淀，水過沙渟，故特易淤。）此策思量未易云。新口疏通頗吸川，安瀾自可保當前。都來六十年三改，（河自皇祖中年始築堤修防，賜名永定。六十年間，已南北三徙。）長此經行正未然。給資撥地遷村墅，讓水還聽一麥耕。安土不難事姑息，那知深意訓盤庚？

增 永清縣，唐置益津關，後入遼。（文獻通考）

（臣等謹按）乾隆十八年御製詩，恭勒於永清縣境冰窖村。

增 韓淮陰城在縣西八里。韓信下燕，築城於此，遺址未湮，又稱爲韓侯鄉。（永清縣志）

（臣等謹按）通鑑：漢高祖三年，韓信用李左車策，發使使燕，燕從風而靡，遣使報漢，且請以張耳王趙。未幾，楚擊趙，張耳、韓信往來救趙。據此則信當日未嘗至燕。舊志相傳有漢淮陰城，又稱爲韓侯鄉，似屬後人附托之辭，謹附識以俟考。

增 武毅漢軍臺在永清縣南二十五里，又有武毅番軍臺，相傳皆宋人所築。（大清一統志）

（臣等謹按）縣志，東南鄉南門村有武毅漢軍臺，近后奕村，相傳宋將楊業所築，土人亦稱六郎臺。武毅番軍臺近南門村。

原 通澤廢縣在縣西五里。（方輿紀要）

（臣等謹按）縣志，今城西五里有通澤村。

原 劉越石壇在拒馬河之陰。晉太尉劉琨欲圖燕薊，築壇與段匹磾歃血同盟，翼戴王室。今遺址尚存。永清縣志

原 幽州刺史段匹磾數遣信要劉琨同奬王室，琨由是率衆赴之，從飛狐入薊，共討石勒。匹磾推琨爲大都督，歃血載書，檄諸方守，俱集襄國，進屯固安，以俟衆軍。晉書

〔臣等謹按〕唐析安次爲永清縣。安次在漢爲益昌縣。酈道元水經注：方城縣東八十里有益昌縣故城。方城卽今固安，益昌卽今永清，兩境相連，故晉書有進屯固安之文也。

增 縣南信安鎭卽古信安軍也，北隸永清，南隸霸州。永清縣志

〔臣等謹按〕縣志，信安鎭在縣東南。霸州志，信安城在城東五十里。蓋霸州在唐天寶初爲永清縣，後周始置爲州治。宋時又改置信安軍。今之霸州永清，卽信安軍之舊地。故兩境皆有其遺蹟云。

〔又按〕信安鎭有宋將楊延釗舊砦，南近霸州界，路旁石碣題曰信安鎭楊六郎城，遺址繚繞，猶隱隱可覩。

原 雁月樓在信安鎭。永清縣志

原 文信國被執北行，次信安，館人供帳甚盛。信國達旦不寐，題詞於壁，寄南樓令。詞

曰：雨過水明霞，潮回岸帶沙。葉聲寒飛透窗紗。懊恨西風吹世換，又吹我，落天涯。寂寞古豪華，烏衣日又斜。説興亡燕入誰家？只有南來無數雁，和明月，宿蘆花。或云此鄧光薦詞也。詞苑叢譚 此條原在霸州卷內。今移改。

原 縣治東南譙樓有鐘，篆文斑剝，莫辨歲月，相傳唐貞觀末，桑乾河決，衝没城垣，得此鐘於水涘，至今父老謂之自來鐘。永清縣志

原 史丞相天澤墓在縣西南二十里黑垡村，墓前神道碑，翰林學士王磐所撰。同上

增 元王磐史天澤神道碑 房杜受帷幄之奇，而不親汗馬之勞；耿賈著鐘鼎之勳，而弗踐秉鈞之仕。豈不以將相殊器而軍國異宜，非仁勇兼備而才德兩全者，未易當之也？丞相史公，弱冠從軍，年三十已大將。自我太祖、太宗、睿宗、憲宗四朝，每有征伐之事，未嘗不在軍中。身經百戰，偉績豐功，不可勝紀。逮上御極，置之相府，授以政柄，即從容閒暇，不動聲色，而紀綱法度粲然一新。內立省部，以杜絶政出多門、斜封墨勑之權，外設六道宣撫司，以削奪郡縣官吏世襲專擅之弊。給百官奉禄，使在官者有以自贍，而得保清廉之節。禁賄賂請託，使官吏一心奉公，而不敢爲狗情枉法之私。又奏罷諸邑占役五十餘萬户，均其賦税以蘇民力。天下欣然，咸有太平之望。非所謂仁勇兼備而才德兩全者，能如是乎！公諱天澤，大興路永清人。曾大父成珪，隱德不耀。父秉直，是爲尚書府君，生三子，伯曰天倪，仲曰天安，公其季也。金大安癸酉歲，國兵南下，尚書府君謁太師穆呼哩軍門。明年，從攻北京，下之。太師以府君爲行部尚書鎮守其地。公以府君元子，授五路萬户。中統元年，上登極，首召公。公奏疏以面對，上嘉納之。是歲秋，詔公兼江淮經畧使。二年春北征還，以公爲中書右丞相。至元改元，加光禄大夫，右丞相如故。六年春，上將有事於襄陽，詔公與駙馬呼喇楚往。行至郢州，公病不能進，還襄陽。時上聞，亟遣近侍齎葡萄酒賜公，且諭之曰：卿自吾祖父以來，躬擐甲冑，跋履山川，宣勤勞者多矣。勿以小疾暫阻行意，便爲憂惱。可且北歸，善自調護。公歸家，又遣其子杠與太醫馳往診視，仍賜藥物。公餌畢，附奏曰：臣大限有終，死不足惜，但願天兵渡江，慎毋殺擄。是日薨，春秋七十有四。實至元十二年二月七日也。訃聞，上爲震悼，遣近臣致奠，賻白金二千五百兩，贈太尉，下太常考行，謚曰忠武。以三月庚寅，葬城西原。其明年春二月，有特旨命臣磐製墓隧碑文。臣嘗論士君子抱負才智，出逢昌運，君臣遇合，取富貴功名以自振耀，非難事也。惟夫仁慈惠愛，不吝不驕，有以服人心於富貴功名之外者，是可重也。公以元勳碩德，位兼將相，爲邦家之柱石，爲宗社之著龜，望重四朝，恩隆百辟。其容貌循循和易，未嘗有一毫驕矜之色見於顔間，視富貴功名欿然退避，若將有浼於己者。此其蘊藉，豈尋常淺狹之量

所能窺伺哉？初公乞致仕，上召問其故。公曰：臣無大功報國，今一子管民政，一子掌兵權，臣復久叨隆遇，一門之内處三要職，寵榮過分，必致咎殃。臣敢冒死固請。上諭曰：卿奕世忠勤，有功於國，一門三職，何足爲嫌？不允。國朝之制，州府司縣各置監官，謂之達嚕噶齊；府州官往往不能下，公獨一切莫與之較。由是惟真定一路事不乖戾而民以寧。兵火之餘，北地民窮，往往從蒙古賈人借貸，周歲輒出倍息，稍積則鬻妻賣子不能償，謂之羊羔債。公題奏令民負債出息至倍則止。上俞允之。初，公至歸德，遇蒙古驅俘獲將殺之。内一俘，公問爲何人，曰：我金人李正臣也。公出金贖，署萬户參謀。河南王顯之來謁公，一見留置門下，署萬户參謀。兩人信任之專，雖父子兄弟莫之敢間。由是真定治效高視他郡，兩人之力爲多。公生平喜資治通鑑，每公務之暇，卽取讀之，有不解，卽以問人，必解而後已。雖公務遠適，亦恒以數册自隨。每舉一事，輒能推究始終，折衷是非，雖老師宿儒有不及者。公夫人石氏、李氏、納哈塔氏、穆延氏，皆先公卒。子男八人：曰格，榮禄大夫、湖廣行中書省平章政事。曰樟，真定順天兩路新軍萬户。曰棣，嘉議大夫、衛輝路總管。曰杠，資德大夫、湖廣行中書省右丞。曰杞，嘉議大夫、淮東道肅政廉訪。曰梓，奉議大夫、澧州路同知。曰楷，奉訓大夫、南陽州同知。曰彬，資德大夫、中書左丞。女七人，男孫十六，女孫十三。銘曰：維開府公，沈毅龐鴻。梃然異禀，間氣所鍾。累朝尚武，公在戎旅。把握韜鈐，指揮貔虎。一旦崇文，正笏垂紳。從容廊廟，百度維新。省部既立，事權歸一。監司出臨，專擅自息。禄足代耕，吏畏公清。苞苴不行，獄無攲傾。謨協宸意，事合羣情。黔黎呼舞，思見太平。公屬櫜鞬，十常八九。其在鈞衡，暫而非久。世治時清，尚可無公。險巇震驚，非公孰寧。公今云亡，孰佐時康。宸衷簡在，百世難忘。豐碑堂堂，松柏生光。有不知者，視此銘章。同上　按：呼喇楚，蒙古語積聚也，舊作忽刺出。今譯改。納哈塔舊作納合，今從八旗姓譜改正。

原金鵲廟在縣南三里，廟祀關侯，修葺時掘地得金鵲二翼，故名。草中有遼大安年所立石幢。上林彙考

原永清城外東南隅百步有三塔寺，蓋唐刹也。石幢尚存，上書大周𨲢曆元年二囬八𡆠武隆縣令聞生元相奉爲金輪𨲢神武皇帝造四面像創浮圖一所供養，後紀上柱國以下官名，字多湮滅。同上

〔臣等謹按〕三塔寺一名會福寺，寺内石幢今尚存。

增宋之問題會福塔院詩，如湧浮圖近紫霄，芙蓉仙苑禮羣僚。海天遥奉金輪日，盡遣禎祥歸聖朝。宋延清集

原縣西北十五里辛窨村龍泉寺有白石塔。永清縣志

〔臣等謹按〕縣志，辛窨村龍泉寺一名龍演寺，西阡有白石塔，約高七八丈。其基四面雕鏤，上共十三層，年月款識俱莫可辨。

原隆慶寺在城西叉口村，殿前香鑪石基，遼乾統年所立。乾統者，遼天祚之紀年也。上林考彙

〔臣等謹按〕遼史本紀，天祚皇帝二月壬辰朔，改元乾統。無天祐年號，原書祐字蓋祚字之誤。

原金御史中丞李英、元帥左都監烏庫哩慶壽，領兵護軍食，以援中都。帝遣右副元帥星薩將四百騎迎戰。舒穆嚕明安將五百騎繼之。遇於永清。將戰，命士卒佯敗。金兵來追，迴擊，大破之，死及溺死者甚衆。獲李英及所佩虎符，得糧千餘車，遂招諭永清，不降，拔而屠之。元史 按：烏庫哩舊作烏古論，今從八旗姓譜改正。星，唐古特語樹也，薩，地也，舊作神撒。今譯改。

原縣名取邊境永清之義也。居渾河下流，頻年爲患，一望無涯，僅遺城南三五村頽垣覆舍而已。長安客話

原崇禎庚辰三月既望，大風揚沙，京營大將旗吹墮永清縣。野老漫録

補周縉，字伯紳，武昌人。洪武中以貢入太學，授永清典史。靖難兵起，一時守令，相率迎降。永清地尤近，縉攝令事，極力拒守，顧其民寡弱，争先逃散。縉度不可爲，懷印南奔。吏部上言：靖難時北平屬州縣官朱寧等二百九十人俱棄職遠避，宜置法典。俱逮戍，縉其一也。忠節録

補馬録永清遇雨作 白日永清雨，移時不肯休。風雷當檻落，河漢近城流。牛馬誰堪辨，蛟龍恐亦愁。西歸途路失，何處問孤舟？百愚集

欽定日下舊聞考卷一百二十六

京畿 東安縣

原東安縣在府南一百五十里。明一統志

〔臣等謹按〕東安縣，明洪武初，州降爲縣，屬順天府，本朝因之。

增東安縣東西距三十里，南北距一百五十里。東至武清縣界十八里，西至永清縣界十二里，南至天津府静海縣界六十里，北至大興縣界九十里，東南至小直沽海口一百十里，西南至霸州治一百里，東北至通州治一百里，西北至固安縣治八十里。大清一統志

原東安，古安墟，黄帝制天下以立萬國，始經安墟，合符釜山，卽此。長安客話

原安次，漢舊縣，縣東枕永濟渠。漢武帝以屬燕國，王旦有罪，削以屬渤海郡。續漢書郡國志，安次屬漁陽郡。太平寰宇記

原晉屬燕國，後魏仍屬燕郡，隋屬涿郡。方輿紀要

原唐武德四年，徙置東南五十里石梁城。貞觀八年，又徙今縣西五里常道城。開元二十

三年，又徙耿就橋行市南。遼史

〔臣等謹按〕縣志，常道城在耿就橋。今縣城西北五十里常道鄉卽其故址。至遼史所謂今縣，乃開元中所徙在耿就橋行市南者，今謂之舊州頭，以元時曾改稱東安州也。

原遼金並因之，元初屬大興府，後屬霸州。中統四年升東安州，屬大都路。洪武二年降爲縣。清類天文分野之書

原縣治舊在常道城東耿就橋行市南，經渾河衝決。洪武三年十一月，主簿華德芳移治於常伯鄉張李店，卽今治也。天順間，始創土城。弘治中，始券城東門。正德六年，流賊猖獗，知縣事周義急築垣濬濠，補建西南北三城門。嘉靖十六年，知縣劉繼先名其門北曰迎恩，東曰曙海，南曰通津，西曰宗山。二十八年，知縣成印增修之，次年甃以甎，建角樓四。天啓五年，知縣鄭之城復修之，給事中沈應時爲作記。東安縣志

增東安縣舊城，週圍七里二百四十步，高二丈七尺，廣一丈五尺，池深八尺，濶一丈二尺。本朝康熙三十五年修葺，乾隆九年勘估，改築土城，十四年興工，十九年完竣。上同

原縣門譙樓鐘，太安二年鑄。上同

〔臣等謹按〕據明李光昭鐘説，爲太安二年，而原書引縣志誤加一金字，又太訛作大，直爲金之大安矣。今謹於卷内改正。

增明李光昭鐘説　譙門曉鐘爲東安八景之一，俗傳前有農婦餉耕，早起聞地下鐘聲隱隱，乃掘得之。懸於譙樓之上。嘉靖間不擊自鳴。邑令怪其不祥而棄之，其鳴如故。後令復建樓以懸之，遂止不鳴。山海經云，豐山有鐘九耳。是知霜鳴應候而鐘自鳴也。然則物之相感，理誠有之，不足爲怪。自初迄今，又數百年，未嘗復鳴。每日司閽者掌之，暮擊晨撞，其聲清越而不殺，順風可聞二十餘里，蓋器之精良者也。款鐫太安二年造。考北魏文成帝與遼道宗時俱有太安年號，玩其形製色澤亦不甚古，疑爲遼時物。東安縣志

原儒學在縣治西學之南，有泮池，池南有高壘。上同

原元東安州廟學記，國子監祭酒孔克堅撰文，至正二十四年六月立石。又州北邵家莊鄉學記，翰林檢討李繼本撰文。上同

增元孔克堅東安廟學記　郡有程式者，好義之士也。至正乙酉間，出貲創義學一區，贍地一頃一十畝，延師教其鄉人，洎四方之來學者。一日慨然而興曰：義學建而聖廟未建，是溯流而忘源也。壬辰歲，復捐貲若干，立廟塑像，並香案祭器咸備，春秋二祀無缺。州故有廟學，地爲渾河所衝，而程君所建者迄無恙。昔范文正公貴爲參政，捨宅爲學，割義田以卹貧族。而式布衣耳，其所設施亦能如是，又其難焉者。是宜書其事以勸。式親喪廬墓側，朝夕泣奠，翰林承旨康里公扁曰慕親。時有慈烏百餘，巢於塚樹，渾河爲之迴瀾，人咸異之。又分田以給孀族婚喪之貧乏者，前太守牛德裕聞於朝，旌其門，薦除本州文學。同上

元李繼本東安縣邵家莊鄉學記　鄉學古也。四代之制，家有塾，州有序，以教其子弟，材成則賓興其賢能而官之。於是内之輔相，外之岳牧，與凡小大臣工胥此焉出。則鄉之有學，所係蓋不細矣。記曰：良冶之子必學爲裘，良弓之子必學爲箕。況齊民之子，其可以不學乎？東安古名邑，風氣渾厚，民俗質直。治得其道則妥順以安，非其道亦强忍慴服而不敢肆。邑之北鄉曰邵家莊，邑長王侯建學於其地，延李宗昭爲之師。宗昭，前代衣冠家，而能遵教條，嚴訓誨，藹然有鄒魯文學之風。夫師之於弟，教之以正，自童蒙始。蓋所以謹夫始入之途而不爲他岐所惑。此朱子所以補訂小學一書也。小學既成，由是而進於大學，則内體外用，税駕乎高明光大之域，而可以兼善一世矣。上同

原易水出涿郡故安縣閻鄉西山，東過范陽縣南，又東過容城縣，又東過安次縣南。水經

原易水在縣南，舊過安次縣界爲固安河，今與拒馬河同爲一川矣。東安縣志

原聖水又東逕渤海安次縣故城南。漢桓帝中平二年封荆州刺史王敏爲侯國。又東南流注於拒馬河。水經注

原白祀溝水出廣陽縣之婁城東，東南流，左合婁城水，水出平地，導泉東南流，右注白祀水，亂流東南，逕常道城西，故鄉亭也，西去長鄉城四十里。魏少帝璜甘露三年所封。同上

原枯溝自安次西北，東逕常道城東，安次縣故城西。晉司空劉琨所守以拒石勒也。同上

原盧溝河在縣西，自安次縣流入境。元皇慶初，渾河水溢，決東安境内黄堝堤一十七所，是也。又東南合霸州之拒馬河。方輿紀要

原盧溝水至東安，過耿就橋，一分東至界河入土樓東南，一分西至界河入左奕西南。今自盧溝橋下流，從固安縣經永清縣北東注，自孫家垈，一分派永清之南，一分派東安之西。至隆慶末年，分派於東安者又分爲二：一由韓村至管家屯迤東，似有奔縣之勢，然離縣二十里卽停不行，止在本屯前後左右爲害；一從韓村東南下歷衡亭、左奕、朱村、馬子莊至桃河頭。萬曆二年，積雨水溢，人畜漂没，知縣洪一謨力請築堤。堤成，賴以

無患。萬曆六年，馬子莊堤口決，潹駱駝灣，知縣韓景閔塞之。九年，舊口復決，知縣張汝蘊修之。自是屢修屢決。至二十三年七月，河徙於霸州泥河，舊址盡成沃壤矣。東安縣志

增明萬曆乙未間，渾河南徙，固、永、文、霸一帶常被沖突，東安河患頓息，嗣後下口日淤，壅遏清流。本朝雍正三年，東行由冰窖、武家莊經東安之狼城、宋流口、東沽港至王慶坨歸淀。乾隆四年，河北出，一趨武清之蕭家西南等莊歸沙家淀，一西折逆流至東安之淘河，復東折經葛漁城穆家口，亦歸沙家淀。二三年後，亦漸淤墊。同上

〔臣等謹按〕縣治南十里，乾隆二十八年建築越埝，西接永清縣辛立村，東抵武清縣八里橋村，長二十三里一分。乾隆三十八年皇上閱視永定河下口，改越埝爲北堤，其修防之要，恭繹御製閱視永定河記並御製往閱永定河下口詩，具詳原委，恭載卷內。

增聖祖御製察永定河詩 源從自馬邑，溜轉入桑乾。渾流推濁浪，平野變沙灘。廿載爲民害，一時奏效難。豈辭宵旰苦，須治此河安。

增御製閱視永定河記 永定之河，本無定也，此氣數之可以授其權於人事者也。無定河之求永定也，此人事之不可以諉其柄於氣數者也。自前歲夏秋，瀕河田廬被潦，特命高

晉、裘曰修、周元理等會勘利病所由，發帑五十餘萬金，大加疏築。浹歲訖功，農臻倍稔。遂俞所請，以今春省成事，而詔之曰：河之工茲式集矣，雖然朕能遽信爲一勞永逸計乎！昔之河故無工也，惟我皇祖聖祖仁皇帝蒿目民艱，爲畿甸東南勤求保惠之政，莫若興建堤工。溯自康熙三十七年始事，迄今億兆蒙庥，淪浹肌髓。中間偶值水旱不齊，此濫彼淤，遷流遞易，自安瀾城而柳岔口，而王慶坨，而冰窖草壩，而賀老營，而今之調河頭，或北或復南，凡六徙。皆審時度勢，善爲相導，惟務順小變以歸大常，而於成謨罔敢稍斁。斯誠皇考世宗憲皇帝以暨朕躬數十年來繼志繩武之苦心不容自己者。何者？在河固無一勞永逸之方，在治河實有後樂先憂之責也。或者耳食漢田蚡天事非人力，及晉杜預請決諸陂之膚見，謂棄地與水，可聽無定者之所之。嘻，何其戾耶！夫以水故，棄地猶可；并地故，棄人可乎！子輿氏稱神禹行所無事。無事而曰行，則必有無事之事。所爲疏瀹決排者，非耶？以黃河證之，積石、龍門故跡可按，而商患五遷，周移千乘，卽已世近而事殊。厥後赴海南趨，殆更燕齊與吴之境，雖神禹復生，亦難力挽以從其朔。第更一境卽治一境，仍與當年導源之績等耳。豈竟以不治治之耶？桑乾流經近圻，勢若建瓴，非挾沙將一洩而無餘，惟挾沙又四出而莫遏。運道民生，無堤曷賴？前此督臣孫嘉淦建議試開金門閘上游，中亭河遂不能容，所至村莊漫溢。幸急飭堵閉，民獲安居。尤近事之足爲烱戒者。且朕匪直爲愛護已成之工起見也。假令是河在今日尚無堤工，而籌運道、策民生，朕亦必自爲始事之舉。易地以觀，益知我皇祖、皇考，默鑒今日之發帑疏築，有深許爲後先克紹者矣。不然者，惡勞惜費，朕必大矯乎人情而甘爲汲汲也哉？是行也，往復周諮，既嘉大吏能體朕意，猶慮其不克堅持定識，勉繼前功。爰特揭大指，鍥之河上。其他條具規制存乎神而明之者，皆不書。

增乾隆十八年御製乘舟觀永定河下口之作　夜雪忽已收，朝霧未云斂。策馬遵遥堤，永定全勢覽。下口欲其暢，渾流利泛濫。前者歎行檣，一綫奚歸坎。無已籌下策，讓地稍避險。中處徙流移，向南聽沏漸。乾隆十五年春，閱永定河，以下口宜畧更移，令其易於趣下，且於流涸時濬中泓引河，而流民占居河中淤地者，亦勸導徙就堤外。年來次第修舉，下口益暢。爰取道重閱，倏已三載餘矣。今來閱尾閭，三歲驚荏苒。舍陸命進舟，恬波春淰淰。雖遜洪澤濶，微山已不減。蕩漾有餘地，巨浸乃澄澹。慰兹憂卽兹，積高車鑒儼。補偏斯不無，永逸則豈敢？

增乾隆三十八年御製往閱永定河下口輿中作　下河南北任流遷，永定河自康熙三十七年築堤之始，下口由安瀾城。後因原道漸淤，至三十九年，改由柳岔口。雍正四年，改由王慶坨。乾隆十六年，改由冰窖草壩。二十年，改由賀老營。三十七年，改由條河頭。計前後遷流六度。以冰窖草壩而論，康熙間之北堤轉爲南堤，雍正間之南堤轉爲北堤。以今條河頭而論，凡康熙、雍正間之南北堤又均在河之南矣。壅則傷多導使宣。絜矩邱明別知懼，防民之口慎防川。

增又御製閱永定河下口詩以示裘曰修周元理何焆　七十年間六度移，永定河下口，初由安瀾城，後復改柳岔口，而王慶坨，而冰窖草壩，而賀老營，及今之條河頭，或北或南，凡六徙。卽今下口實權宜。便微盈酌虛劑者，不過補偏救敝斯。熠則扈輿資博採，何熠素習河務，於行水機宜具有見解，茲以河南巡撫至天津迎鑾，卽命其扈隨閲視下口，以資詢訪。禹之行水在無爲。委源源委勘一再，此次初閲頭工二工，今復視其下口，於全河首尾情形畧悉梗概。茲命裘曰修、周元理、何熠三人由此尋源而上，至頭工，沿河再加講求，斟酌具議以聞。同事諸人共勗其。

〔臣等謹按〕永定河御製詩，謹繹有關紀述之篇恭載卷内，餘不備録。

增桃河泊在東安縣南五十里，渾河水所滙也，流入三角淀。大清一統志

〔臣等謹按〕桃河泊亦名桃花泊，卽淘泊河，今淤。

原八丈溝水出安次縣東北平地泉，東南逕安次城東。水經注

原鳳河水一渠從西北流至鳳窩村，雖隆冬沍寒，水亦不冰。名勝志

原蓮花泊在縣治南三十里甄家莊南，東流經葛城入武清。東安縣志

原白溝河在縣治西八十里，其源自栲栳圈流入縣境，東南抵武清直沽港。同上

〔臣等謹按〕縣志，巨馬河、易水、沙水合流於定興之河陽渡，爲白溝河故道，久淤。今河流經新城、容城、雄縣入穿兒灣，達玉帶河，其分流亦自雄縣西折入新安合四角河，俱不入縣境。

增文天祥過白溝河詩　昔時張叔夜，統兵赴勤王。東都一不守，羸馬遷就荒。適過白溝河，裂眦鬚欲張。絶粒不遄死，仰天扼其吭。羣臣總奄奄，一士垂天光。讀史識其地，撫卷爲凄涼。我生何不辰？異世忽相望。皇圖遘陽九，天塹漏飛艎。引軍詣闕下，捧土障瀾狂。出使義不屈，持節還中郎。六飛狩南海，金鉞將遑遑。武侯空感心，出師驚四方。吾屬竟爲羈，世事吁彼蒼。思公有奇節，一死何慨慷？江淮我分地，我欲投滄浪。滄浪却不受，中原行路

長。初登項羽館，次覽劉季邦。涉足河與濟，回首嵩與邙。下車撫粱門，上馬指樓桑。戴星渡易水，慘淡天微茫。今我
行人爲我言，宋遼此分疆。懸知公死處，爲公出涕滂。恨不持束芻，徘徊官道旁。我死還在燕，烈烈痛肝腸。
爲公痛，我死誰爲傷？天地垂日月，斯人未
云亡。文武道不墜，我輩終堂堂。吟歗集

原東沽港在縣南五十八里，水自縣西渾河分流而東，入武清縣三角淀。方輿紀要

原垂楊渡在東沽港之北，下通静海縣，夾岸垂楊凡數里。名勝志

〔臣等謹按〕縣志，垂楊渡今淤。

原張繼恕詩：柳色凝清曙，鶯聲散曉霞。微茫連水國，迢遞見村家。綠滿平田草，紅開斷岸花。流亡宜早復，此地足魚鰕。名勝志

原泥沽口，昔人講水戰之具於此。同上

原咸平二年，詔聽邊民越拒馬河塞北市，何承矩上言曰：緣邊戰櫂司自淘河至泥沽口屈曲九百餘里，此天險也。太宗置砦一十六，鋪百二十五，廷臣十一人，戍卒三千餘，部舟百艘，往來巡警，以屏奸詐，緩急之備，大爲要害。今聽公私貿市，則人馬交度，深非便宜，且砦鋪皆爲虚設矣。疏奏，卽停前詔。宋史本傳

原自邊吴淀至泥姑海口，緜亘七州軍，屈曲九百里，深不可以舟行，淺不可以徒涉，雖有勁兵不能渡也。宋史河渠志

原咸平五年三月，西京左藏庫使舒知白請於泥姑海口復置海作務，造舟，令民入海捕魚，因偵平州機事，異日王師征討，亦可由此進兵以分敵勢。先是置船務，以近海之民

與遼人往還，遼人汎舟直入千乘縣，疑有鄉導之者，故廢務。至是，令轉運使條上利害，既而以爲非便，罷之。同上

原 飛虹橋在故安次縣南，跨界河川，相傳漢元狩二年建，晉劉琨留飲於此。名勝志

增 大石橋之流爲東川，西浮橋之流爲西川，八里迤西之流爲南川，晉劉琨守此以拒石勒。東安縣志

增 通濟橋在縣西左奕堤之東，亦跨渾河上。大清一統志

〔臣等謹按〕通濟橋今地屬大興縣。

增 濟公橋在縣北七十里東沽港。大清一統志

增 安次故城在東安縣西北，漢置，後魏改置安城縣。魏書地形志：安城縣有安次城。蓋已非故治也。後漢書注：安次故城在今縣東。樂史太平寰宇記：縣在幽州東南一百里，本漢舊城，東枕永濟渠。同上

〔臣等謹按〕後漢廢益昌爲安次縣，唐又析安次爲永清縣，周世宗顯德六年，取益津關置霸州，仍治永清。蓋東至安次，南至霸州，皆益昌故地。

〔又按〕永濟渠在霸州東。顧祖禹方輿紀要云：信安軍有永濟渠，宋咸平中置塘濼以爲邊備。今廢。

原 土樓在縣治東六里，宋時爲土兒衛，臺高丈二尺，盤一百六十步。東安縣志

原 奕臺在縣西八里，宋爲左奕衛，其西有倉如土樓制。名勝志

〔臣等謹按〕縣志，今縣西十二里有左奕村。

原 安次廢縣在縣治西北四十里，今名古縣。東安縣志

增 縣北四十里有古縣村，卽安次廢縣。同上

原 舊東安州在縣西北四十里，安次舊縣之西，渾河水次，居民輳集，名舊州頭。名勝志

原 常道城在舊州頭西五里，三國魏燕王宇之子璜封常道鄉公。甘露五年，司馬昭迎立之。北魏主宏封宇文英爲常道鄉公。皆此城也。方輿紀要

原 安次縣有故萇道城。魏書志

原 石梁城在舊州頭東南五十里，或云南北朝時所置戍守城也。其地又有崧州城，相傳遼古拉王所置。方輿紀要 按：古，唐古特語身也，拉，神也，舊作古喇。今譯改。

〔臣等謹按〕縣志，石梁城在古縣東南五十里。按其道里，卽今灰城也。崧州城在縣治西北七十里，今地有稽察王村。

原 盧王屯在常道鄉東南二十五里，漢盧綰屯兵在此，與劉賈夾攻取燕。今名盧村。東安縣志

〔臣等謹按〕縣治西北十二里有民盧村軍盧村，當卽盧王屯舊地。

原 葛城在縣治南三十五里，宋建屯守於此。東安縣志

〔臣等謹按〕葛城在縣南四十里，今名葛漁城。

原 狼城在縣治南四十五里，亦宋時所建。東安縣志

〔臣等謹按〕狼城卽信安軍之狼城寨，爲永定河經由之地，今名安瀾城。

原 長慶宮舊在廣平淀。金天會三年移安次南五十里，東接巴納，南通番漢，有大石橋以受諸國之禮。今次平屯乃其舊址也。東安縣志 按：巴納，滿洲語地方也，舊作捺鉢。今譯改。

增 元庫庫長慶宮留題 岧嶢宮殿凌天表，一脈洪濤入檻流。勢壓曉山千澗落，寒隨野水半楓秋。微才空抱長卿志，滯跡還同王粲遊。北望燕臺何處是？五雲縹緲鳳城樓。同上

增 省抑宮在安次南，遼會同中建。同上

原 留犢村在縣西北六十里，魏鉅鹿時苗爲壽春令，及歸留犢而行，回經於此，因以名里。名勝志

原 劉琨墓在東安縣東二十里。明一統志

〔臣等謹按〕劉琨墓在古縣東二十里樓桑村，今其地有南桑園、北桑園。

原 遼中丞韓澤墓在縣西北五十里更生村。東安縣志

原 廣嚴寺始建於縣西之郭外，燬於兵。英宗朝，邑人孟士中捨己宅改創於縣西之郭內。同上

原常道鄉定覺寺，唐垂拱三年建，五代燬於兵。遼天慶間，承直郎張銑復爲建立，至金天會四年成。正隆間，韓承彦重修。大定元年，奉直大夫楊俊卿復新之。又有古營寺，金明昌五年建；團城寺，明昌六年建，俱有碑存。同上

〔臣等謹按〕古營、團城二寺今俱廢。

原大悲禪院在安次縣西閻家垡，金天會六年僧行進募民韓福林修，有碑存。同上

〔臣等謹按〕縣志，大悲禪院在閻家莊。今地屬大興縣，不隸縣界。

原寧國寺在留犢里，金大定三年村民曹瑛建，有碑存。同上

原廣福寺元建，在東安縣治西北四十里。明一統志

〔臣等謹案〕廣福寺今地屬大興。

原廣福寺在故縣西北五十里，金天會中建，大定三年，僧會頤請賜額。東安縣志

原廣善寺在徐村里固城莊，唐之靈應寺也。洪熙元年，太監何至淵重修，景泰三年立碑。同上

原淨安寺在固城里惠化鄉，宣德三年，太監張盛建，正統四年賜額，碑存。同上

原靈巖寺在鳳河南，金大定五年，僧洪寶建。同上

原至正十八年三月，東安、㴶州、柳林日有警報，京師備禦四隅，俱立大都分府。元史

百官志

原任風子，成化中雲遊東安，自謂得養生術，而衣服垢敝，又無容止，人多不信。頗以善奕爲士大夫所邀。一日在廣嚴寺看奕，又有人於城外見其西行，未幾人傳其尸解西山巖中，究其日，則分身之日也。平日無他異，獨冬月單衣，體常沾汗而已。燕山叢録

欽定日下舊聞考卷一百二十七

京畿 涿州一

原 涿州在府西南一百四十里。明一統志

〔臣等謹按〕明初以州治范陽縣省入，屬順天府，本朝因之。

增 東西距六十五里，南北距五十五里。東至固安縣界三十里，西至易州淶水縣界三十五里，南至保定府新城縣界三十里，北至良鄉縣界二十五里，東南至霸州治一百十里，西南至保定府定興縣治七十里，東北至良鄉縣治七十里，西北至房山縣界三十里。大清一統志

原 州東北至幽州一百二十里，南至莫州一百六十里。太平寰宇記

原 涿州古涿鹿之地，星分尾宿十六度。史記黄帝與蚩尤戰於涿鹿之野，即此地。同上

原 涿鹿黄帝所都，有蚩尤城，阪泉黄帝祠。帝王世紀

原 州因涿水而名，以水中嘗出此豕也。城週九里，形如凹字，相傳顓頊時所築。名勝志

原 舜分十二州，爲幽州地，禹貢冀州之域。太平寰宇記

原 涿鹿於周官，幽州之域也。帝王世紀

原 春秋戰國時，燕之涿邑。清類天文分野之書

原 秦滅燕，以其都及四境爲上谷郡地。漢高帝元年，項羽入關，又立燕國，封臧荼爲王。三年，韓信用廣武君策，發使於燕，燕王臧荼降。五年反，漢誅荼，立盧綰爲王。六年，分燕，置涿郡，領縣二十九，理此。太平寰宇記

原 州治創自漢盧綰。名勝志

〔臣等謹按〕秦時涿爲上谷郡地，漢加置郡國，分上谷郡地置涿郡，領縣二十九，事在高帝六年，而封綰則在五年，因建國而更置郡邑，理固然也。

原 莽曰垣翰，屬幽州。漢書注

〔臣等謹按〕據水經注，涿有垣縣，王莽之垣翰亭。又稱涿縣故城莽更爲垣翰。蓋當日此地有城有亭，通稱垣翰，如泗上亭、漢壽亭之類，或謂酈注亭字爲縣字之訛，非也。謹附辨以備考。

原 後漢安帝以涿郡屬幽州郡，理涿縣。清類天文分野之書

補 夏世侯伯有范，即今之范陽。國名紀

原 魏黄初七年，文帝改爲范陽郡，以漢涿縣在范水之陽，取以爲名。以此地追封武帝子

矩爲王。〔太平寰宇記〕

〔臣等謹按〕方輿紀要，范水在州南，自易州淶水縣流入境，下流合於拒馬河。

【原】晉武帝泰始元年，又改爲范陽國，封宣帝弟馗子綏爲范陽王。〔太平寰宇記〕

【原】馗字季達，兄弟俱知名，故時號爲八達。魏魯相東武城侯康王綏字子都，初爲諫議大夫，泰始元年受封，在位十五年，咸寧五年薨，子虓立。〔晉書〕

【原】虓字武會，少好學馳譽，研考經紀，清辨能言論，以宗室選拜散騎常侍，累遷尚書，出爲安南將軍、都督豫州諸軍事、持節許昌，進位征南將軍。惠帝西遷，虓與從兄平昌公模、長史馮嵩等，刑白馬歃血而盟，推東海王越爲盟主。虓都督河北諸軍事、驃騎將軍、持節領豫州刺史。劉喬不受越節度，乘虛破許，虓自拔渡河。王浚表虓領冀州刺史，資以兵馬。虓入冀州，發兵入南濟河，破喬等，於是奉天子還都，拜虓爲司徒。永興三年，暴疾薨，年三十七，無子，養模子黎爲嗣。黎隨模就國於長安，遇害。〔晉書〕

【原】永嘉之亂，郡陷於河北，其間建置，莫能詳悉。〔太平寰宇記〕

【原】元魏復爲范陽郡。〔清類天文分野之書〕

【原】永安三年，移置平州於此。〔魏書志〕

【原】北齊惟領涿、遒、范陽三縣。後周省遒縣，領縣二。〔太平寰宇記〕

【原】隋開皇初，改范陽縣爲遒縣，隸昌黎郡。又於古遒城別置范陽郡，領涿、范陽二縣。二年，罷郡，移涿縣入郡故廨爲幽州。大業三年，以幽州爲涿郡，縣仍屬焉。同上

【原】唐武德元年，廢涿郡，復爲幽州之屬邑。七年，改涿縣爲范陽縣。大曆四年，幽州節度使朱希彩奏，請於范陽縣置涿州，仍割幽州之范陽、歸義、固安三縣以隸之，屬幽州都督府。領縣五：范陽、固安、歸義、新昌、新城。同上

【原】五代石晉割地賂遼州，名如故，尋置永泰軍。清類天文分野之書

【原】金仍爲涿州。方輿紀要

【原】涿州昔爲遼南寨，邊城樓壁俱存。及郭藥師舉城内屬，不經兵火，人物富盛，井邑繁庶。近城有涿河、劉李河，合范河東流入海，故名范陽。許亢奉使行程録

【補】汪藻賀收復涿州表　臣聞黄帝得天，始正阪泉之伐；宣王復古，爰興玁狁之師。緬惟幽薊之區，久失漢唐之舊。厥留丕績，以待聖時。出成算於九重，拓提封之萬里。風聲鶴唳，何勞震疊之餘；簞食壺漿，惟恐歡迎之後。皇帝功高治古，道冒綿區。兼收區夏之心，克紹祖宗之志。得皇天之所覆，俫上古之不臣。前茅突入殊疆，破竹遂無遺策。臣幸逢嘉會，適守遐藩。傳聞衾帶之朝，悉陳渭上；遥想龍墀之慶，獨阻周南。五百家播芳文粹

【原】元太宗八年，爲涿州路。中統四年，復爲涿州。元史

【原】明并范陽縣入州。清類天文分野之書

【原】今之州治本燕之涿邑。漢置涿縣爲涿郡治。魏晉以後，范陽郡國皆治焉。後魏孝昌三年，上谷賊杜雒周南趣范陽，幽州刺史常景破之。隋廢范陽郡，縣屬幽州。唐武德七

年，改涿縣曰范陽。寶應二年，史朝義敗走范陽縣，其將李懷仙遣兵拒守，朝義至，不得入。大曆四年，幽州帥朱希彩復奏置涿州於此。方輿紀要

補王惲涿州移置考 至元八年秋九月，予以省覲來涿，因拜謁孔子清廟，遂讀唐貞元中使持節都督幽州諸軍事彭城劉公建孔廟碑，乃知州治本幽州盧龍軍屬邑范陽縣也。至代宗大曆初，詔始分范陽、歸義、固安三縣爲涿州，治范陽，涿郡卽涿郡故地爲名。按輿地廣記，漢初高祖始立涿郡，魏文帝改范陽郡。其地左碣石，右督亢，南控鄚城，百里而遥，北連幽薊，百里而近。唐以來，中間控制蕃戎部落甚衆。又河流縈帶，前後有林麓陂池之利，周廣磅礴，鬱爲雄藩。及辨讀遼統和廿八年州刺史廣陵高公移置碑陰記云，舊廟本在南城東北隅，是年刺史高公移置南城東南隅康莊之左。因復悟今州城南北若連環然。意者置州時展築南城而廣大之，今市中隔門，本故縣城南門也。觀此前後，證據甚明，無可疑者。噫！予往來幽涿間蓋十年於茲，嘗以隔門之制爲惑。詢訪土俗，莫詳其故。且方物之辨，一事弗知，君子恥諸。不圖聞一得二，使數年之疑一旦涣然冰釋，亦可喜也。特表而出之，敢貽涿之好事君子以俟更考云。秋澗集

原涿州城，明景泰初，知州事黄衡始甃以甋石，垣高四十尺，基之廣倍之。方各有門，門有樓，前曰迎恩，後曰通濟，左曰進德，右曰積慶。舖舍三十二，女牆一千八百三十，隍深十尺，廣倍之。城之中有夾城，如人之束帶，中有券門，曰通會。上有重樓三楹，左鐘右鼓，以啟晨而警夜。嘉靖乙巳，知州何鑌所修，殷謙爲作記。涿州志

〔臣等謹按〕涿州城，本朝康熙六年知州李勷重修，周圍高厚皆仍其舊。東西南三門名亦如舊，惟北門改通濟爲拱極。

增明殷謙重修通會樓碑 天順紀元，以都指揮同知石公端分守涿州。受命以來，夙夜惓惓，圖惟報稱。勵官屬，訓士卒，恤民隱，除吏蠹，植善鋤强，德威竝著，人心感畏，境内之治一新矣。而郡無更樓。公以詢諸耆老。對曰：去州治西北一里許有門曰通會，築土爲臺，上有房三楹，以司更漏，歲久爲風雨所損，十餘年未有修復之者。獨臺兩旁有二小屋，以懸鐘鼓而已。公曰：茲非缺典歟！且更樓必務崇高，吾構之可也。先是，近城有隙地可二三百畝，

官禁人不得耕耨。公令士卒佃其中，收其藁以陶瓦甓，易其粟以營材木，皆有餘積。公知樓可構也，乃筮日啟工。時郡之官屬耆庶，咸欲捐貲以佐厥工。公弗煩衆，悉却之。至於士卒之在役者，無慮數百人，公皆撫恤，給俸廩以激勵之，而官屬之涖其事者，率以公之心爲心。由是人皆樂於趨赴，羣工展藝，竝手皆作，士卒効力，晨夕弗懈。不踰月，黝堊丹漆，輪焉奐焉，而工告完。凡構樓三楹，其高廣尋丈皆合矩度。樓成，飭更漏，戒更卒，晨昏鐘鼓之期，晝夜時刻之節，抱關啟閉之候，咸中法則。於是南北往來之人，覩其樓之宏麗，曰：何昔之委靡而今之壯觀耶？縉紳君子考德而問政者，曰：豈前無作興之者，而今有其人耶！嗟夫！古人以更鼓分明，知人之善政，公之用心如此，其知所務與！然公又多方築城池之未固者，治城扉之將敝者，修護門之垣，新擊柝之舍，皆人不告勞而事有成效。則更樓之構，蓋公興滯補闕之一事也。耆老曹宗勉等丐予爲文，以彰厥美。於戲！有及人之政者，人必思之不忘，有感人之德者，人必頌之不已。若召伯甘棠之詩，羊祜遺愛之碑，是也。公之崇飭郡事，既非一端，而其所舉又皆德政之切務。然則郡之人思公之政，頌公之德，寧不與召伯、羊祜同其休美耶？予非能文者，重違鄉老之命，遂書此以歸之。涿州志

原 通會在郡中，上有庭堂，幕次左鼓右鐘，於以安民警盜。春秋降雨，郊原隴畝，濃雲密靄，一望不分，郡中之佳景也。涿鹿記

增 行宮在州城南里許。涿州志

〔臣等謹按〕涿州行宮，乾隆十六年恭建。正殿恭懸皇上御書額曰繡野迎薰。聯曰：春色芳菲入圖畫；化機活潑悟魚鳶。西軒内額曰黄圖攬勝。聯曰：農桑宛繪邠風景；遊豫還同夏諺情。觀風樓額曰觀風自近。聯曰：雨暘時若天休應；風日恬和物象舒。又曰：山容積雪融和盎；物象熙春詄蕩披。皆御書。

增 乾隆十三年御製涿州行宮作 千山遠作屏，一水清而抱。堦墀足松石，節棁無山藻。省方適静憇，汲古資幽討。不獨容膝安，已覺悦心好。涿鹿正面南，塔影秋雲表。

增又御製涿鹿覽古詩 燕雲易水帶晴川，涿鹿城南鞚客鞭。村指樓桑聞賸碣，河流挾活始通船。挾活河久淤塞，前歲經高斌奏請疏濬，今始通舟楫。道元故宅詢遺老，子幹荒墟靄暮煙。省識同然公道在，千秋名勝以人傳。

〔臣等謹按〕涿州行宮御製諸詩，謹繹有關紀述者恭載卷内，餘不備録。

原汪元量涿州詩 盧溝橋下水泠泠，落木無邊秋正清。牛馬亂鋪黄帝野，鷹鸇高摩涿州城。柳亭日射旌旗影，花館風傳鼓吹聲。歸客偶然舒望眼，酒邊觸景又詩成。湖山類集

原何中涿州道間雪霽作 昨日飯良鄉，今指涿州城。此路有終去，安能緩車聲？平野散寒景，流輝起浮英。濛烘遠樹密，落削僵柳明。羖䍽共鴉牧，團瓢忽雞鳴。殊方雪初霽，予抱孤賞情。胡爾同車人，苦云路難行？知非堂稾

補洪適使回至涿鹿詩 回首燕然日再西，一杯相屬使軺歸。殘花媚野不妨好，倦鳥投林自在飛。可惜光陰銷客枕，不嫌塵土染征衣。大明退直清和日，已約梯雲訪翠微。盤洲集

補胡曾涿州詩 涿鹿茫茫白草秋，軒轅曾此破蚩尤。丹霞遥映祠前水，疑是成川血尚流。詠史詩

補石瑶涿郡詩 二水争流繞郡南，郡城東望五雲含。風生帝子樓桑里，月射桓侯浴馬潭。古俗多年猶慷慨，廢臺無客更遊談。津郵日日鳴鉦鼓，看盡行塵擁使驂。熊峯集

補陳孚涿州詩 晨發白溝河，薄暮宿范陽。殘城無雉堞，枯木鳴白狼。回首望中原，日落煙茫茫。天低鶻没處，彷彿見太行。緬懷昭烈帝，八尺鬚眉蒼。平生漢社稷，志欲爲高光。惜哉不得就，越在天一方。里人亦何知，牲酒奠樓桑。車蓋不復見，但有秋草黄。我來已千載，誰復悲興亡。天明登車去，塵霧沾衣裳。觀光集

補吴天泰涿州詩 寂寂樓桑村下路，王孫販履竟何之？豫州若向幽燕起，子幹應爲帝者師。星帶草堂集

原楊士奇涿州行 四郊茫茫沙草白，青山迢遥亘西北。涿州百里近都門，北來南去無晨昏。道邊郵亭連古堠，時平不置官軍守。土牆茅屋盡耕屯，半插青帘賣新酒。牛車轔轔衝早寒，争先稾秸輸縣官。少年家家便騎射，雉兔如林不論價。由來意氣傾山岡，邂逅相逢肯相借？伐石爲碑記古人，淒涼遺刻百年存。摩挲三嘆憶盛德，路人爲指樓桑村。東里集

原劉溥賦得涿鹿送邱伯純作 平生愛訪古，走馬游四方。金臺南去百餘里，乃是涿鹿古戰場。軒轅騎龍上天去，鼎湖何處秋茫茫。蚩尤死後幾千載，青山蜿蜒至今在。當時妖霧久銷沉，空餘易水東歸海。海水變桑田，天地幾翻覆。

龍爭虎鬭且莫論，卷起飛塵縱雙目。三晉在西齊在東，北京正在天之中。金樓玉殿仰頭看，日月照耀開鴻濛。萬國朝宗必經此，舁金載玉何匆匆？紫荆崔嵬雁門固，塞斷蕃兵往來路。一錐古塔河間城，千仞層冰海邊戍。下馬促沽酒，洗我磊落懷。扶桑矗天起，泰華隔雲排。手攀北斗發長嘯，鳳凰飛上青雲叫。酣來道上送歸人，借問歸人可同調？官亭齊和遠游篇，燕姬嬌笑弄鵾絃。不將寶劍舞秋月，且贈珊瑚白玉鞭。草窗集

原 黄仲昭曉次涿州作　青山冉冉夕陽浮，緑樹微茫見涿州。白雁聲寒燕塞晚，丹楓葉落薊門秋。漁舟蕩漾歸沙浦，畫角淒涼起戍樓。黄帝蚩尤征戰地，眼前贏得水東流。未軒集

原 何景明涿鹿道中作　高城鬱莽蒼，永路多荆棘。日氣夕以陰，游氛浩無極。城邊古時邱，宿草蔓於域。樹木何蕭蕭，狐狸鳴其側。訪古思軒轅，嶔崟何由陟？伊昔奮龍戰，明明庶邦式。神馭飄鼎湖，烏號緬元德。遺蹤邁荒野，盛烈存茲國。誰云勘亂功，不俟干戈力。風雲變俄頃，明晦固難測。薄暮窮林中，惄焉長太息。大復山人集

原 周廷用涿鹿道中作　涿鹿雲黄草樹深，燕京風物晝陰陰。河山尚擁軒皇陣，臺榭虚憐郭隗金。雨過涼生高鳥喚，天低日落暮蟬吟。腐儒未有干時策，敢向泥塗嘆陸沉？八厓集

原 李瓚次涿鹿作　故鄉杳不見，歸路亦沾巾。匹馬燕山外，孤城涿水濱。鶯花從客久，風雨渡河春。底事南亭柳，毿毿青向人。珠樹館集

增 曾棨涿鹿道中詩　遠樹孤城出，高原四望遥。山從平地起，雪到暮春消。細草承雕輦，垂楊拂御橋。愁連易水上，風色正蕭蕭。涿州志

原 劉懿無訟堂記　大德辛丑，大都葛侯叔茂來爲州牧，扁其廳事曰無訟。涿爲天下肩閭，覲獻京師者咸取路焉。歲時迎餞，民役繁劇爲最，牧守必才能者任之。侯下車首建斯堂，蓋有志乎民者也。同上

原 州治在城東南隅。涿州志

原 州儒學在州治西南，創於唐建中間，金元因之。明正統元年知州朱巽修之，金問爲作記。隆慶辛未，知州沈坤復修之，申時行爲作記。同上

〔臣等謹按〕州學，唐貞元中，盧龍節度劉濟所建，金黄久約記云，舊廟本在南城東南隅，是年刺史高公移置南城西南隅，康莊之左，即今儒學所在也。韋稔碑及金元明碑記皆在廟中。

原范陽郡新置文宣王廟碑，韋稔撰文，張澹行書，貞元五年二月立，在今涿州。金石文字記

原唐韋稔涿州新置文宣王廟碑 天下郡縣，悉有文宣王廟，而范陽郡無者何？范陽本幽之屬，右碣石，左督亢，流水經其前後，有林麓陂池之利。至於闤闠井肆之大，關梁襟帶之固，自河達燕，其比不過一二。先朝次列縣之級第爲望，領户萬，流庸附占者如之。兵興人拚，兹又獨阜。且倍幽之南百里而遥，居鄚之陰二百里而近，磅礴周廣，隱然名區。大曆初，詔剖幽之范陽、歸義、固安爲州，因涿郡之地，題爲涿，第爲上，以范陽爲治所，縣遂爲州治矣。然此爲邑者，率以多故，未遑建置。春秋釋奠，蓋伺州之已事，假籩豆寄升降於故階。迨今幽州盧龍節度觀察等使、工部尚書、御史大夫彭城劉公，建中初假道州縣，操長是邑，覩兹遺闕，喟然嘆息，顧其寮曰：學所以知君臣父子之義者，昔在三代，皆鄉里有教，兩漢以降，罔不述用三德，矧今朝廷頒宗祀之詔，郡縣畢置清廟，溥崇明祠，今州廷大張，縣署悉陳，而至聖先師時享無所，豈導人重道之意乎！彼劉琨創祭器爲禮，范寗養生徒興化，皆所以達萬類而朝宗至禮也。吾宰三百里，作人父母，必權興斯廟，以爲人紀。乃視縣前近里之爽塏，心規其制，口劃其地廣狹之量，平廬舍之區，發其居人，直以官俸，給於瓦木丹鐵之費，匠人作徒之要，又以家財散之，人不知役，廟條云構。聖賢之像備，饋奠之器具，庭除肅然，黎元翕如，皆不待施而悦，不待教而變。於是置食錢二百萬，徒三千員，洙泗之風集於期月。時公年始弱冠，方剛之日，克明古訓，君子是以知公奉若典謨，其將來者大矣。令廣平宋晙方，介直之士也。倚法不削，憂公如私，以能名自薊縣而來遷政，率由舊履，公之躅守而勿失。覩公之爲政而不及。學舍異文翁之後，罔或繕修；琴堂挹子賤之風，恒餘踴躋。歌詠不足，願言發揚。見求微詞，以載貞石。其所書者止於創州置廟之實，卽夫子懋緒隆德，蓋存諸史册，且溢於古人之口，豈予頑童敢記頌焉！銘曰：振穨周室，警寐殷楹。曠千百年，炯作世程。大唐御極，致治昇平。六五函三，是執與京。聖王既興，夫子乃貴。苴茅列爵，建廟崇位。蘋蘩截海，聾瞶革思。春誦夏絃，於焉辨志。惟范之陽，巍巍建邑。朝命有作，州庭乃立。廟革新題，一堂升故級。縣寀寄奠，生徒罷習。崇崇大賢，昔歲臨兹。匪頒勞役，克就嚴祠。美矣像設，森然具儀。風化之源，一至雍熙。斷斷伊人，恪居所職。食蘗苦志，戴星任力。瞻我宏規，闡我明德。爰琢琬琰，阼階之側。涿州志

原金黄久約涿州重修文宣王廟碑記 范陽舊有夫子廟，在城東南，唐貞元五年盧龍節度劉公所建。遼統和中始移置於此。年禩緜遠，將就傾圮。前爲守者，非無意於更新。徒以州治當南北之衝，四方行旅，取道往來，十率八九，使客冠蓋旁午，晨夕疲於應接。又案牘簿書視他州爲繁，日不暇給。故視以爲餘事。大定二十三年冬，汾陽郭侯豫自尚書郎出殿是邦，下車之初，以令從事，伏謁祠下。既而周覽庭宇，憫其敝陋，愀然變容，退而歎曰：爲政之先，獨不在於斯乎！矧聖天子在上，闡彌文，緝墜典，凡所以尊禮先儒，誘進多士，纖微畢舉，發於誠心。而州近在畿甸之内，廼不能助宣風化，況疏遠者哉？於是命工繪圖，亟議改築，計所當費約用錢二十餘萬。卽日移文計司，久乃得報，減三分之二，止得其一。既不足於用，方左籌右度，未有以爲計。其僚有顯武將軍梁敚先者，爲主倉庫官，毅然以身任其責，造黄堂而請曰：敚先，里人也，上世以儒學取功名，享爵位。小子不肖，亦幸賴先人餘蔭入官，秩

登五品。迹所由來，非治心行己仰遵先師遺訓，何以臻此？今廟在鄉里，廢毁如是，貽使君憂，心實恥之。願因斯時，會里中一二大姓及子弟之業儒者，各出私財以佐用度。侯聞其言而義之，卽爲割月俸，并諸贖鍰，盡付之，授之以成，須厥效於後。起二十五年夏四月二十日癸丑，訖五月八日庚寅，總爲屋十有八楹，制度大小廣狹，悉因其舊。榱棟之腐橈者撤而易之，垣墉之頽靡者築而起之，階戺之缺罅者甓而完之。薅薙荒翳，塗塈漫漶，中奠廟室，旁列東西兩序，以達於大門，庖廩齋舍，各有次第，皆備無缺。工募於民，厚與之直，役夫則用胥靡之徒，豐其飲食，皆不戒而勸。舊圖六十二從祀弟子及前代名儒之像於殿陛十哲塑像之後，則改繪於兩廡。諸費除官給外，獨用錢四十餘萬，皆出於衆人之樂輸，非有所畏迫勉强而然者。落成之日，公私改觀，父老稱贊，咸謂不有刊勒，何以視久遠？侯乃遣人走京師，遺書故人須昌黄久約爲記，而系之以銘。銘曰：卓哉素王，百世之師。出逢周衰，大道蔽虧。立言著行，是訓是彝。有國有家，政行令施。祇率軌範，永作表儀。生爲至人，没有嚴祠。衮舄煌煌，巍然面離。春秋奠薦，著令攸司。范陽遺宫，有年於兹。日毁月壞，風雨弗支。郭侯下車，經之營之。去故取新，付託疇咨。允毅梁君，造請以辭。願幹茸事，惟公之爲。市財傭工，費鉅不貲。弗足於公，競捐其私。屹然崇成，曾靡愆期。學者用勸，祀事以時。之德之功，去益見思。後來之人，尚敬勿隳。涿州志

原元蔡欽涿州重修孔子廟碑　皇元受命，首重斯文，尤嚴祀典。天下郡邑，許建廟學。追王者之封，加大成之號，其崇奉之道至矣。涿，古之名郡，城之巽隅故有廟學，自唐貞元歷金大定，興建顛末，先儒石刻，俱有可徵。至元二十一年，御史趙天爵按部至州，憫其荒陋，割月俸，倡率郡寮，因故基創造殿宇。翰林侍讀學士李公謙已嘗文諸石，樹於廟廷。迨今幾六十年，緜歷歲久，而塈塗剥落，梁棟腐敗，弗蔽風雨。州治路當南北輻輳之衝，使賓旁午，朝迓暮送，事急政繁，未遑葺理。至元庚辰，東安張珪以廕補官，由大寧簿來判是州。視政未幾，總府聞其才幹，選徵赴都，命主郡牧芻藁。出納有方，秋毫無犯。事竟還州，拜謁宣聖廟廷，顧其傾圮，慨然興嘆曰：廟學者善教化，正彝倫，人材攸出，首善之地，國家之所崇奉，致有崩摧，瀆神莫甚焉。知斯州者不得不任其責。於是謀於監郡浩爾齊，同知州事都爾蘇，幕賓吕忠、王元孝，以暨范陽屬官監邑令簿，咸悦兹舉，各捐己俸以倡於首，郡之文儒衆吏，多士秀民，聞風慕義，樂輸私帑，雲集影從，翕然助之。保定張德輝，博文碩儒，適主郡校，始終其役。凡木石瓦甓之用，悉酬之以善價。至於民傭匠藝之工，亦皆給之以厚值。會計所費，餘數千緡，一毫未有擾於大農者。卽涓吉日，率作興事，榱題桷棟，朽者撤而易之，罅者補之完之，傾圮者正之，漫漶者飾之，殿制巍然，宏敞壯麗，十倍前規。經理聖門賢廡，講室齋厨，次第一新，非復疇昔之可比也。繼而房山王慶來賓州幕，展禮庭下，覩其廟貌尊嚴，甚稱敬仰。然而傳道先師配享位列尚或失序，其於奉祀之禮，情文不能無相戾者。乃遵成憲，捐金募匠，增塑郕公、沂公之容，改飾復聖、亞聖之像。歲春秋、月旦望獻享釋，籩豆之列，升降之儀修舉。是役也，經始於至正辛巳之秋，畢成於壬午之夏。釁衈禮成，校官張德輝偕幕官張鵬翼，持安陸府教授郡儒王良所狀興造之蹟，謁文於欽，以誌歲月。欽謝不敏，其請益堅。謹摭其實而謂之曰：廟學廢興，固其時也，亦在守土之官嚮意與否耳。方今文軌渾同，皇仁一視，惟務博選賢良以充守令。期布宣風教，興學養士，變革民俗，以底雍熙之治。今通判張侯，職居倅貳，能以斯文爲己任，其用意有過人者。幕官王君，秉心樂道，繼成善績。矧其寮屬又皆卓越之才，炳炳相望，契

會一時，恪勤官次，不負委任，深體聖上崇儒重道之意。雖王事鞅掌，簿書期會之煩，而拳拳於風化之源，振弊改作，同濟事功，爲悠久之計，觀政於斯，可謂知所先務矣。昔漢唐文翁常衮之化，何以異於是？故爲一言以敍作新梗概，以爲後來師帥於民者勸。銘曰：大哉孔子，垂教無疆。百王軌範，萬世綱常。堯舜文武，祖述憲章。漢唐而下，歷代褒揚。聖皇御極，化被遐荒。訖武宗文，吾道彌彰。加號大成，誕告多方。涿設廟學，肇於有唐。金源作新，記石載詳。至元重建，經歷星霜。剥落墍塗，腐橈棟梁。葺理興思，前政靡遑。張侯至止，顧瞻徬徨。愀然改容，既懼且惶。亟謀敬修，僉言允臧。悉捐俸金，輦木陶甎。郡耆士民，樂輸贊襄。補罅易壞，榱桷斯卬。屹然邃宇，崇彼穹蒼。王君繼至，樂道心良。兖郕沂鄒，配享升堂。於穆睟容，冕服煌煌。春秋釋菜，宮懸樂張。禮器嚴陳，牲幣芬薌。肅儀獻酌，逢掖蹌蹌。通祀罔極，亦孔之光。美矣儒風，隆哉郡庠。學者趨向，日就月將。宏構落成，咸歌循良。鑱石勒銘，永紀不忘。同上 按：浩爾齊，蒙古語吹笳人也，舊作忽林赤。都爾蘇義見前，舊作秃魯沙。今俱譯改。

〔臣等謹按〕州志碑記目，州學建自唐貞元五年，有韋稔撰記。金大定二十五年重修，有黄久約撰記。元大德五年重修，有李元禮撰記。至正二年重修，有蔡欽撰記。明正統八年重修，有金問撰記。成化十八年重修，有劉珝撰記。嘉靖三十八年重修，有楊淪撰記。隆慶六年重修，有張元忭撰記。萬曆四年重修，有田汝麟撰記。十一年復修，有申時行撰記。崇禎二年重修，有朱大啓撰記，本朝康熙中重修，有曹封植撰記。文不備録。而原書所採州志州學一條，多略有誤，因附詳於此。

增元何伯琦涿州儒學藏書記 自畿甸至於海隅，皆有學，學必有師，而世之爲吏者，或不知學政所宜修，師或不知修其所宜教。於是無以厲其民人，而道藝不得興焉。蓋得其所教，雖窮陬昏蔽之俗，猶可與易，矧近在邦畿以接道德之光華者乎？夫先王之道具於經，三代而下政之治亂著於史。後之立言者違是不足以名世，而學者亦無以正心術而成士君子之材。龔君仁實爲涿州儒學正，顧瞻學宮經籍猶闕，於是捐俸市書，以資學者之講習。凡得經史共若干卷，裝潢整飭，籤帙鮮好。州士大夫咸以爲美，遂構屋大成殿之西序庋儲之，丌閣齊平，披繙考緝，靡不宜稱。嗚呼！聖賢之遺言非獨使人玩思爲干世取禄之具也，設科取士，其制蓋曰詢於鄉以觀其行，考諸經以驗其學，較辭華於采覈之博，論政務於舉措之宜，其術精且詳矣。使從事者果能盡如其説，則人材寧有不足之嘆哉？龔君典教是州，既蓄書以待學者，又得賢大夫爲之鼓舞，苟得美質持行之士，克力於愛親敬長之實，由是而討論問辨以求聖賢之學之傳，知本末始終，觀感興作，以致其極，而底於成，庶可謂無愧於其職矣。若使以先哲典籍學校所宜有，尊而棄之以爲觀美，則非予之所望乎州之士也。因爲記，勒諸石以勗來者。州志

增明金問涿州重修文廟碑 涿爲京輔郡，學校之設非直外廱比也，其英才出而致用宜不減於異時。而禮殿倫堂，凋敝弗稱。國家遴選賢良以惠幸兹土，政聲卓卓，前後相望，而未有作興之者。宣德初，姑蘇朱侯巽來守是邦，既展謁廟下，卽有志於修復，事每敚於所急，久未就緒。上卽位，制詔學校有司宜加勸勉。侯曰：任師率之責，而於教養之地闕而弗圖，何以奉揚文治以淑邦人乎？迺率僚佐出私帑以爲師生倡，州人之樂從禮義者亦相資焉。以正統元年夏四月肇功。殿堂門廡齋廬庖庾楝桷之橈腐者，以堅良易之，弛於上者，密而覆之，圮於下者，平而甓之，黝昧於其間者，皆藻繢而涣澤之。聖賢像設又皆嚴飭而炳絢之。告成於秋七月，庭榮室疏，侈然增觀。既而監察御史涇川程君富以學校之在圻内者奉命專督，謂侯兹舉不可使無聞於後。逮正統己未冬，學正王君穩請文以壽諸石。夫爲學之道治其心而已。蓋心之實體通乎天地，而酬酢萬變通乎神明，舍是而他求，則無以成致用之功，而亦非聖賢之學矣。探事物之賾而必審夫天理人欲之機，驗日用之常而必篤於忠君孝親之實。精思力踐，期不失其本心焉。故取士之法，本操履以求其志節，考經訓以觀其學術，於治事之要以懿其展濟，於適用之文以究其才華，必有以得於聖賢之微，心學之懿，而後謂之有成。夫如是則雖載高位，享重禄，乘美策良，蔭重席厚，非幸也，宜也。若夫冒虚名以厠文學之場，飾浮辭以班掄擇之列，而於道有未聞，學有未得，伥伥然惟進取是務，亦獨何哉？詩曰：濟濟多士，克廣德心。此亦泮宫落成而頌禱之辭也。故予得與諸君子誦之，有志於學者可不深思於此哉！同上

原涿鹿衛在州治西北，永樂七年建。涿鹿左衛在州治西，永樂八年建。涿鹿中衛在左衛西，永樂十一年建。方輿紀要

〔臣等謹按〕涿鹿三衛設自明永樂年間，本朝初年，以涿州三衛並良鄉興州衛、香河營州衛合爲一衛，設守備一。至康熙二十八年悉行裁省。

欽定日下舊聞考卷一百二十八

京畿 涿州二

原 范陽郡有獨鹿鳴澤。通典

原 獨鹿山在州西十五里下有鳴澤。漢元封四年，由回中北出朝那蕭關，歷獨鹿鳴澤，從西河還，即此。方輿紀要

〔臣等謹按〕獨鹿鳴澤，今其地名陶家屯，土阜巋然，其下常有積水，土人傳以爲即獨鹿鳴澤。

原 石虎岡在州西五十里。涿州志

〔臣等謹按〕石虎岡今無考。

原 山上有二石虎。元混一方輿勝覽

原 龍安山在州西五十里。涿州志

〔臣等謹按〕據大清一統志，龍安山時有雲氣騰繞如龍，山蓋以此得名，今隸房山境。

原龍安在郡西四十里。回巒繚繞，深谷逶迤，自下而上，有紀有堂，雨過則嵐光欲滴。涿鹿記

原龍安，大房諸山之支隴也。方輿紀要

原涿州西北五十里有惡峪，漢世已有此名，盧它人封惡峪侯是也。峪中雲氣瀰漫，四時不絶。長安客話

〔臣等謹按〕惡峪，據兩漢刊誤補遺，即亞谷，今已無此稱。惟考涿鹿記云，崿峪在郡西北五十五里。或因字音相近，今昔傳聞，互有訛異，未可知也。

原史記亞谷侯，漢書作惡谷。鄭康成釋書大傳，謂惡爲亞，劉原父謂古亞惡二字通用。兩漢刊誤補遺

原崿峪在郡西北五十五里，草木榮茂。涿鹿記

原盤坡在郡西北三十里。坡有上中下，西爲表而東爲裏，儼若畫屏，夕陽西墜，紫緑萬狀。同上

原駝羅口在州東北。宋雍熙中圍涿州，遼主隆緒由駝羅口應援，即此。方輿紀要

〔臣等謹按〕駝羅口今無可考。

補王次仲隱居范陽，變篆籀之體，始爲隸書。秦始皇既定天下，三詔之使入秦，不至，

復命使以檻車載之。次仲忽化一大鳥，翻然出車。使者驚拜曰：無復命，必見誅，惟神人憫之。鳥徘徊空中，拔墮三翮，使者得之以進。始皇悔恨，因名其地爲落翮山。真仙通鑑

原 灰洞在涿北燕南，兩旁皆高岡，路極狹，無風而塵土坌積，咫尺不辨人物。石湖集

原 范成大灰洞詩　塞北風沙漲帽簷，路經灰洞十分添。據鞍莫問塵多少，馬耳冥濛不見尖。同上

原 涿水東北與阪泉合，其水導源縣之東泉。魏土地記曰：下洛城東南六十里有涿鹿城，城東一里有阪泉，泉上有黃帝祠。晉太康地理記曰：阪泉亦地名也，泉水東北流，與蚩尤泉會，水出蚩尤城，城無東面。魏土地記稱涿鹿城東南六里有蚩尤城，泉水淵而不流，霖雨并則流注阪泉，亂流東北入涿水。水經注

原 涿，流下滴也。説文

原 涿水出涿鹿山，世謂之張公泉，東北流經涿鹿縣故城南，王莽所謂褫陸也。黃帝與蚩尤戰於涿鹿之野，留其民於涿鹿之阿，卽於是處。水經注

〔臣等謹按〕涿水，諸書所記，其説各異，謂其源出涿鹿山者，水經注與方輿紀要也。謂其源出范陽縣西土山下者，寰宇記也。謂從大同得勝堡入者，名勝志也。按：酈道元乃涿人，其所著書於涿尤宜詳核可信。但涿之爲國、爲郡、爲州、爲縣，沿革不一，卽今所謂涿城建自唐，而唐以前，水道之在城東西南北，皆不能懸擬。又

水之遷徙不常，今昔殊軌。茲謹據大清一統志所載並録之以備考。

[原] 涿郡南有涿水，北至上谷爲涿鹿河，其支流塞外，謂之涿耶水。十三州志

[原] 涿水東北逕涿縣故城西，流注於桃。應劭曰：涿郡故燕，漢高帝六年置，其南有涿水。劭又云：涿水出上谷涿鹿縣。按涿水自涿鹿東注㶟水，㶟水東南逕廣陽郡，與涿郡分水。漢高祖六年，分燕置涿郡。涿之爲名，當受涿水通稱矣。水經注

[原] 桃水東北與洹水會，水上分淶水於良鄉縣之桃水，世謂之北涉溝。故應劭曰：洹水出良鄉，東逕垣縣故城北。史記音義曰：涿有垣縣。漢景帝中元三年，封降王賜爲侯國，王莽之垣翰亭也。水經注

〔臣等謹按〕據大清一統志，拒馬河在涿州西北，自淶水縣流入與琉璃河合，即古桃水也。河流自十度村至碣石店，歷經十度，亦名十度河。然古拒馬河水至淶縣北，折而南，其東分爲桃水。今拒馬河直至州北，淶水之故瀆亦絶，與古不同矣。洹水即今胡良河，在涿州北十里。

[原] 桃水東逕涿縣故城北，王莽更名垣翰。晉太始元年改曰范陽郡，今郡理涿縣故城。城内東北角有晉康王碑，城東有范陽王司寇虒廟碑。水經注

〔臣等謹按〕晉康王碑及范陽王司寇虒廟碑無考。餘詳前卷。

原桃水出涿縣故城西南奇溝東八里大坎下，數泉同發，東逕桃仁墟北。或曰因水以名墟，則是桃水也。或曰終仁之居，非桃水也。按地理志，桃水上承淶水。此水所發，不與志同，謂終爲是。水經注

原巨馬河出代郡廣昌縣，淶水東過遒縣北。同上

原遼聖宗統和四年，宋將曹彬、米信北渡拒馬河，與裕悦休格對壘，南北列營長六七里。五月，戰於岐溝關，大敗之，追至拒馬河。遼史

原燕京留守蕭孝穆，乞於拒馬河接宋境上置戍長巡察。同上

原開泰七年，沿巨馬河宋界東西七百餘里，特置戍長司一員巡察。同上

原至元二十一年四月，涿州巨馬河決，衝突二十餘里。元史世祖紀

原至治元年七月，滹沱河及范陽縣巨馬河溢。元史英宗紀

增乾隆七年御製過拒馬河詩 十里瓊瑤一色白，馬蹄踏碎人未惜。行行策渡拒馬河，滑笏春流初弄碧。亦有流澌如半璧，珠璣灑落噴灘石。誰能弔古論興亡，但覺光陰如過隙。此河幾度亂流過，前歲今春原不隔。興來還似坐玉京，豪咏心情那減昔？溪頭舴艋未易呼，渡口車輿頗填積。似展江干積雪圖，燕氏文貴留真蹟。

增乾隆二十九年御製過拒馬河詩 拒馬來迴度，輿梁亘卧波。近山原野潦，挾水遂成河。水經

注以拒馬河即淶水故瀆。水盛則長津洪注，水耗則通波潛伏。今故瀆亦絶而不續，自附近山谷諸流滙注，始湍激成河。興利非容易，籌安竟若何？迤東注沽淀，疏導可延俄？河流下會琉璃、白溝諸水，東注直沽，方命大臣等勘治淀泊，源流疏導，實廑疇咨長計也。

〔臣等謹按〕拒馬河御製詩，恭載有關紀述事實者，餘不備録。

原傅若金拒馬河詩　落日蒼茫裏，秋風慷慨多。燕雲餘古色，易水尚寒波。岸絶船通馬，沙交路入河。行人悲舊事，含憤説荆軻。傅與礪詩集

原姚廣孝拒馬河詩　大河擬長淮，湍急去如瀉。未足限南北，猶能拒戎馬。牛馬顧其瀕，蛟龍蟄其下。洶湧拍遠天，漫演散平野。中流漁子多，兩岸居人寡。從來燕趙間，紛紛戰争者。以兹壯其國，固舍曾不舍。河伯願揚靈，終古保民社。逃虚子集

原林根拒馬河作　拒馬河邊驛路長，蜚胡口外又斜陽。春光已過六十日，不見花枝空斷腸。野橋集

原易水逕出范陽縣故城，秦末張耳、陳餘爲陳勝畧地，命燕蒯通説之，范陽先下，是也。水經注

原督亢陂在幽州范陽縣東南十里，逕五十餘里。括地志

原方城有督亢亭。郡國志

原督亢，膏腴之地。劉向別録

原督亢溝上承淶水於淶谷，引之則長潭委注，遏之則微川輟流，水德含和，變通在我。東南流逕逎縣北，又東逕涿縣酈亭、樓桑里南。水經注

原督亢澤苞方城縣，縣故屬廣陽，後隸於涿郡。郡國志曰：縣有督亢亭。孫暢之述畫有

督亢地圖，言燕太子丹使荆軻齎入秦，秦王殺軻，圖亦絶滅。地理書上古聖賢冢地記曰：督亢地在涿郡，今故安縣南有督亢陌，幽州南界也。風俗通曰：沆，漭也，言平淫淫漭漭無崖際也。沆，澤之無水，斥鹵之謂也。其水自澤枝分，東逕涿縣故城南，又東逕漢侍中盧植墓前。同上

原 督亢之田在燕東，甚良沃，欲獻秦，故畫其圖而獻焉。史記索隱

原 盧文偉説刺史裴儁，按舊迹修督亢陂，溉田萬餘頃，人賴其利。儁修立之功多以委之。北史

原 裴延儁轉平北將軍、幽州刺史。范陽郡有舊督亢渠，徑五十里。漁陽燕郡有故戾陵諸堰，廣袤三十里，皆廢毁，多時莫能修復。時水旱不調，民多饑餒。儁謂疏通舊迹，勢必可成。乃表求營造，遂躬自履行，相度水形，隨力分督，未幾而就，溉田百萬餘畝，爲利十倍，百姓至今賴之。魏書

原 齊孝昭皇建中，平州刺史嵇曜建議，開幽州督亢舊陂，長城左右營屯，歲收稻粟數十萬石，北境得以周贍。隋書食貨志

原 督亢陂在范陽縣東南十里。郡國志云：陂見有海龍王神祠在焉。太平寰宇記

〔臣等謹按〕州東南十五里今有海神塘村，村南有海龍神廟。

原 陂舊有亭，遺址高丈餘，周七十步。土人掘其處，尚多古瓦礫金錢。長安客話

增 乾隆二十二年御製督亢陂攬古詩　督亢廣衍舊膏腴，計使荆軻獻地圖。持短入長奚濟事？害成延禍竟亡軀。馬遷作史失辭駁，劉向傳經具政模。引水開田言則易，推行得當竟誰乎？

〔臣等謹按〕督亢陂御製詩，恭載首見之篇，餘不備録。

增 董其昌督亢道中作　誰知燕地有西湖，沃壤長堤督亢圖。爲問黄金臺上客，得尋説劍酒人無？涿州志

增 袁中道督亢道中作　斷橋流水卧枯楊，千里飛沙草木黄。督亢如何稱沃美，荆軻圖去致秦王。同上

原 亭南有月池廣三頃，其形如月。方輿紀要

原 月池在郡西南二十里，約數十源，泓以成溪，灣以成池，斗折蛇曲，縠迴輪轉，清瑩洞澈。每秋清氣爽，芰荷盛開，鷗鷺浮沈，錦鱗游泳，可謂游觀之盛所矣。涿鹿記

〔臣等謹按〕月池在州西南十五里房樹村之西，今池已涸，惟窪地數頃。有小廟，碑文剥落不可考，相傳爲月池寺舊址云。

增 乾池在涿州西十五里，其地窪下，爲衆流所歸，然未嘗盈溢爲患，一名百尺乾。大清一統志

原 柳河在州南南務里，泉四時不竭。涿州志

原 范陽陂在范陽城西十里，方一十五里，俗亦謂之爲鹽臺陂。水經注

〔臣等謹按〕范陽陂今無其名，惟州城西南多引渠灌田，疑卽所謂陂者。又按方輿紀要，稱范村在州西南，今亦無此村名。

【原】范水在州南，自易州淶水縣流入境，下流合於巨馬河。（方輿紀要）

【原】范水在州西南，水北曰陽，范陽郡名以此。（名勝志）

【原】武遂津北對長城門，謂之汾門。史記趙世家：孝成十九年，趙與燕易土，以龍兑、汾門、臨樂與燕，燕以葛、武陽、平舒與趙，卽此也。又謂之梁門，易水東分爲梁門陂，在范陽城西南十里。（元混一方輿勝覽）

〔臣等謹按〕梁門陂，今城西南無此地名，但考文天祥經劉先主故宅詩云：我過梁門城，樓桑在其北。則在南宋時猶存其名，實爲涿之故跡矣。

【原】巨馬水又東，酈亭溝水注之。水上承督亢溝水於遒縣東，東南流歷紫淵東。予六世祖樂浪府君自涿之先賢鄉爰宅其陰。西帶巨川，東翼兹水，枝流經通，纏絡墟圃。匪直田漁之贍可懷，信爲游神之勝處也。其水東南流，又名之爲酈亭溝。（水經注）

〔臣等謹按〕酈亭、先賢鄉，皆無考。又州志載州西南十五里有紫池堡，或卽紫淵遺跡，今亦莫詳其處。

【原】紫水其泥亦紫。（幽都記）

原 挾河水出良鄉縣西甘泉源東谷，東逕西鄉縣故城北，王莽之移風也，世謂之都鄉城。又東逕良鄉城南，又東北注聖水，世謂之挾活河。水經注

〔臣等謹按〕據大清一統志，挾河一作俠。又水經注，俠河世謂之挾活河，蓋俠挾二字通用也。

原 涿水源從大同得勝堡入至老班溝，一之淶水縣，一之涿州，沙水俱活，東西不定，故謂之挾活水，又謂之聖水也。督亢亭州南一帯至新城，皆是。其北乃涿水所入，盧文偉修爲陂，故道猶存。名勝志

原 挾河自房山縣東南流與胡良河合。明一統志

原 挾河在縣西北二十里，亦名巨馬河。方輿紀要

〔朱彝尊原按〕挾河或謂源自大同邊界入，或謂源出良鄉房山，或云卽聖水，或云卽巨馬河，難以臆定也。

原 胡良河在州東北二十里，源出房山縣大安山東麓，流入州境，又南與挾河合流入良鄉縣界，注於琉璃河。方輿紀要

原 湖梁在郡北十里，垂楊樹堤，蒲葦夾岸，曉月升時，漁榔欸乃，樵夫牧子，逍遥於廻塘曲渚之間，不少佳致。涿鹿記

〔臣等謹按〕胡良今志亦作湖梁。

原 萬曆甲戌，有詔發帑金爲橋涿之胡良渡，大司空朱公衡力争。又建玉女祠於涿，以内帑二千召司空修之，司空又争。太后爲武清治第，費以數萬，司空稽故事，多所裁抑，太后頗銜之。穀城山房筆麈

增 巨馬河橋在涿州北郭外，又胡良橋在州北十里，俱明萬曆初建，各長三十餘丈。大清一統志

增 巨馬河橋在涿州北門外，又胡良河橋在涿州北十里，俱明萬曆二年敕建。高廣各二丈，長三十餘丈，皆甃以石，錮以鐵錠，大學士張居正碑記。畿輔津梁志

原 張居正敕建涿州二橋碑　涿州北有河二：自西山諸泉來者曰胡良河，距城七里。自紫金關外鐵崖巢入者曰巨馬河，距城二里。每伏秋水發，洶湧暴至，行旅走避不及，歲漂溺常數百人。聖母慈聖皇太后念之。會州民有奏乞建橋者，聖母自以宫中供奉金募工。一夫不役於民，一錢不取於官也。司禮監太監馮保舉内官監太監劉濟，工部尚書朱衡舉郎中易可久、賀幼殊督工，乃以二年正月興工，五閲月而告成事。胡良河橋一，巨馬河橋一，高廣各二丈，長三十餘丈，皆甃以巨石，錮以鐵錠。費不過七萬，役不過數月。往嘉靖間建琉璃河橋一，費三十餘萬，兹二橋之費不當四之一，而堅緻精工乃過之。太岳集

增 永濟橋在涿州北郭外。大清一統志

〔臣等謹按〕永濟橋舊名拒馬河橋，明萬曆二年建，十六年重修，天啓六年復修。後河舍橋南徙，本朝乾隆二十五年，奉旨於舊河橋南移建新橋，凡九空，延築石堤，下涵洞二十有二，舊橋頹廢者改葺爲堤，下爲涵洞一十有八，橋堤共長二百丈有奇，賜名曰永濟，並御製重修涿州石橋記恭載卷内。

增御製重修涿州石橋記　徒杠輿梁，月令所著，則橋之設與夫毁而修，乃王政所必先，而非浮屠氏漫舉因果利人所可同日語也。涿州爲畿南要郡，萬方玉帛，諸生計偕，以及官吏商賈攜孥負販之徒，往來所必經。郡城北，胡良、拒馬二河滙焉。明時各就其上建橋。顧北方之水流無定，橋建而河徙。橋乃跨陸，河則仍資舟楫，與無橋同。庚辰春，允地方大吏請，於舊橋南移建九空新橋，仍築石堤，下爲涵洞廿有二，屬之城北門。其舊橋之頹廢者葺之，改爲涵洞十八，以洩夏秋霖潦。通新舊橋堤長二百丈有奇，至八月而工成。大吏請爲碑記以記歲月。其辭曰：涿之城誕拱皇京。胡良、拒馬自西東注，厥初跨河橋，營其所不合，橋短而堤長，北方水流無恒。及齧堤，堤敗，橋反陸置，往來之人嗟行潦以徂征。隳者扶之，堙者疏之，俾水有就下之路而不與堤爭。斯王政之一端。以就舊材，亦不大費司農。或曰宫闈布施，或曰璫豎威福，緬遺跡猶致恨夫前明。君何爲者乃若是焉，宜彼社之屋，吾於是凛殷鑒而兢兢。

增乾隆二十六年御製永濟橋詩有序　范陽郡古，梯航並輳燕都；督亢陂遥，襟带斜聯涿水。葺勝朝之廢軌，咨疆吏以傳馨。昨者鐫珉紀事，具見大端。兹焉行仗成詩，重賡七字。

蜿蜒長橋跨涿河，重修工竣此經過。多疏涵洞防秋漲，已看洪川吸衆波。萬國共球兹會極，九瀛壺嶠始盈科。輿梁亦可通爲政，君子名言憶勇軻。

（臣等謹按）永濟橋御製詩，恭載首見之篇，餘不備録。

原 琴高者，趙人，以鼓琴爲宋康王舍人，行涓彭之術，浮游冀州涿郡間二百餘年。後辭入涿水中取龍子，與弟子期之日，皆潔齋候於水旁，設祠屋。果乘赤鯉來，坐祠中。旦有萬人觀之。留一月餘，復入水去。列仙傳

（臣等謹按）今州境有琴高池，詳見御製詩，恭載卷内。

補 琴高執笏於宋康。抱朴子

原 琴高既仙去，設祠奉之，時乘赤鯉來享。神仙傳

增 乾隆十八年御製琴高池詩 古蹟是誰徵，菁池乍泮冰。浮波見赤鯉，想像個人乘。涓彭術已就，汗漫游燕趙。叶至今風浪聲，猶作水仙操。

（臣等謹按）琴高池御製詩，恭載首見之篇，餘不備録。

原 至治二年九月，作層樓於涿州鹿頂殿西。元史英宗紀

（臣等謹按）層樓、鹿頂殿，無可考。

原 華陽臺在州城内西北隅。涿州志

（臣等謹按）華陽臺今廢，惟城西北有窪地十餘畝，中有土阜高數尺，周數十步，土人指爲臺之遺址。又北門之西有土隆然附城而上，高於城丈許，俗呼爲烟墩，或謂

卽華陽臺，然俱無可取證。

原舊傳燕丹與樊將軍置酒華陽館，出美人奇馬，卽此處。長安客話

原荆軻與太子游東宫池，軻拾瓦投鼃，太子捧金丸進之。又共乘千里馬，軻曰，千里馬肝美。卽殺馬進肝。太子與樊將軍置酒於華陽臺，出美人能鼓琴。軻曰：好手也。斷以玉盤盛之。燕丹子

原展臺在州西南二十里，相傳燕昭王展禮賢士於此。長安客話

〔臣等謹按〕展臺今爲村名，其地有土臺，高二丈許，東西廣九丈，南北袤十二丈有奇。舊有佛寺，今廢。

原西鄉廢縣在州西北二十里，漢置屬涿郡，後漢省，或謂之都鄉城。方輿紀要

〔臣等謹按〕西鄉廢縣在州西二十里長溝村北，有土城遺址，土人呼爲古城，或卽其地。但無碑記可考。

原西鄉侯國莽曰移風。漢書志

原故廣陽國城漢置，今廢。故城在今范陽縣西南。太平寰宇記

〔臣等謹按〕州西南十八里松林店西偏有城遺址，然無碑記可考。

原廣陽城在州西南十五里，後漢封劉良於此。涿州志

原昭烈帝廟在樓桑村，建於唐乾寧四年，金承安初重修，黃華老人有記。明洪武初更新之，至弘治二年，知州事張遜重構殿三楹，旁翼二配殿。同上

原樓桑里，昭烈之舊里也。水經注

原漢昭烈宅在涿州樓桑村，昭烈在民間所居。有桑層蔭如樓，因曰樓桑，今尚在，其下留題甚多。燕山叢録

增涿州西南十五里道右大桑高十丈，層蔭如樓，其蔭百畝，漢昭烈故居桑也。昭烈兒時與宗中兒戲桑下，指謂帝王羽葆，後因名村，千五百年矣。椹大倍於恒桑，實時，土人相餽遺也。桑側昭烈古廟，唐乾寧四年建者，前將軍關、桓侯張配焉。像不君臣坐列而兄弟列，象其側陋時也。帝京景物畧

原樓桑村在涿州西南十五里，云是漢先主故宅。村故有三義廟，祀漢先主，而以關侯、張侯配焉。長安客話

原先主少孤，與母販屨織席爲業。舍東南角籬上有桑樹生，高五丈餘，遥望見幢幢如小車蓋，往來者皆怪此樹非凡。三國志

原涿人李定云：此家必出貴人。漢晉春秋

原先主少時與宗中諸小兒於樹下，戲言：吾必當乘此羽葆蓋車。叔父子敬謂曰：汝勿妄

語，滅吾門也。〔三國志〕

原 蜀先主廟碑唐郭閼撰正書，乾寧四年立石，今在涿州樓桑村廟中，文已剥蝕。〔金石文字記〕

〔臣等謹按〕州志，唐乾寧四年碑乃郭筠撰，金石文字記偶闕其名耳。

增 乾隆二十二年御製漢昭烈廟詩　春秋氏族著承堯，嗣服中山瓞派昭。鼎一足三成帝業，牛黄腹白應童謡。欲信大義心資亮，還定全秦志類蕭。千載樓桑尚遺恨，其如安樂自逍遥！

增 乾隆三十年御製樓桑村二首　漢室王孫志本雄，指桑寶蓋詡諸童。可憐不及春陵業，二世偏安祇蜀中。豫州一旅得成軍，見説英雄獨使君。千載枌榆猶故社，誰稱李定與周羣？

〔臣等謹按〕昭烈廟、樓桑村御製詩，恭載首見之篇，餘不備録。

原 金王庭筠涿州重修漢昭烈帝廟碑記　仁者未必成功，成功者未必仁。仁者之心以仁仁天下，不仁者之心以仁濟其私。故善論人者，論其心之何如而成敗不與。以仁濟其私者，發於其言，見於其事，亦仁也。蓋竊仁以欺天下。夫竊仁者是有大不仁根著於心。然竊仁易窮也，而根著於心者卒不可掩。天下之人莫不腹詈臆唾。雖一時成功，旋與草木同腐矣。仁者之心不以其身其家而以天下，故天下之人亦相與謳歌戴仰，願以爲君，雖生無成功，天下之人莫不嘆息，至後世猶喜稱道。精爽在天，能推其仁心用之不已，施之不竭，呼吸而雲雨，咄嗟而風霆，咫尺萬里，朝夕千載，此理之自然，無足怪者。先主，仁人也。當陽之役，不以身而以民，永安之命，不以家而以賢。雖不能如其言，要之其心如是而已。有厚天下之心，必饗天下之報，至今天下之人猶嘆息其無成，而喜稱道之，涿之人又祠而奉之，宜哉！涿，先主之故家也。廟距州西南十里而遠。庭有石，乃刺史婁君延重修，記唐乾寧四年也。則血食於此舊矣。歲久屋老，纔庇風雨，今年夏四月，里民始議增葺。於是富者以資，巧者以藝，少者走以服其勞，老者坐以董其功。稍完治中堂，新作門屏，又作兩廡，配祀元臣，諸葛孔明、關雲長、法孝直在東，龐士元、張翼德、簡憲和在西。既成，具興廢歲月乞文於庭筠，將以刻諸石。庭筠曰：五季兵火之餘，室廬焚蕩殆盡，而廟貌巋然獨存，悍夫暴客過堂下，斂兵肅跽不敢犯。則其仁之入於民深矣。大哉仁乎！蘊於心，充於天地，被於萬物，蓋有不與死而俱亡者。幽而爲神，其遺澤殘烈施及天下後世，以達其生平未厭之心，必矣。豈獨私乎一鄉哉！祠而奉之者，特其鄉人之情耳。庭筠既書其事，復作歌遺之，使迎送神，佐其鼓舞以樂之。其辭曰：舜禹不可作兮，古猷日潰。盜取盜守兮恬不怪。仁人起兮，力砭其廢。志天下兮，豈獨爲漢計？大統未一兮，時已逝。奄爲神明兮，陟配上帝。何紓我憂兮，仁及異世。彼曹丕兮，死爲妖彗。握長鋏兮，載芟載劚。燕山之陲兮，范水之裔。平疇如砥兮，惟神之豐沛。鬱幢幢兮羽葆蓋。悵離樹兮今安在？記兒時之舊事兮，想亦爲之一慨。神之去來兮，蒼虬翠駟。粲華裾兮，鏘鳴玉佩。絙瑟而吹籥兮，紛羣音之繁會。牲肥酒香兮，神其飫醉。來雲席帟兮，回風滿旆。將而送兮百拜。民不忘兮遺愛。驅螟蝗兮疫癘。時雨暘兮屢歲。俾富康兮耆艾。民德神兮，事之無替。吉金貞石志

【原】元郝經涿郡漢昭烈皇帝廟碑　涿郡爲昭烈帝里，故其廟祀尤盛。涿故燕國，古多豪傑之士，歌謡慷慨，借交報讎，遺風尚在。每言曹魏篡漢之事，莫不欷歔流涕，想見昭烈君臣。其父老過其祠下拜謁而致奠者，朝夕不絶。其歲時祀事，合沓走集，不遠千里，指示樓桑故居，徬徨不忍去。廟在涿郡南十里而近，自隋唐五季遼金以來，皆即故居代爲增葺。其正殿當中山靖王之後昭烈像，設衮冕南向。其佐命將相則列於兩廡，左則諸葛亮、龐統、法正、許靖，右則關某、張飛、趙雲、馬超。位序崇敞，有法制焉。廟故有碑，金翰林應奉王庭筠詞，推明昭烈之志，論議文采，近世所無。然猶題爲先主，名號有未正焉。按春秋左氏傳，稱先主者，大夫稱其先大夫之辭，生則稱主，没則稱先主，非帝王之號也。魏晉私記以昭烈父子爲僭僞，故稱蜀不稱漢，以昭烈爲先主，安樂爲後主。至陳壽作志，即以漢與魏，使昭烈父子與劉璋共爲蜀志。其後著書者皆以魏爲正統，惟宋司馬光更蜀爲漢，初曰漢中王，即位曰漢主，崩則曰漢主殂，追稱則曰漢昭烈帝，而亦不以正統歸之。至建安朱熹始奪黄初之統以章武繼漢焉。或者又以爲族屬疏遠，不能紀其世數名位，猶宋高祖稱楚元王後，南唐烈祖稱吴王恪後，此又從而爲之辭者也。後世之致疑，未若孔明之傳信，曰：將軍既帝室之胄，信義著於天下。又曰：霸業可成，漢室可興。爲帝胄使興漢室，當是之時莫不以昭烈爲漢帝，曹氏爲漢賊。豈至於後世而欲以一己之私反之哉？故正其名號曰漢昭烈皇帝。榜其殿而系之以詩曰：高祖造漢，拯民塗炭。世祖戡難，民適思漢。兩都二祖，垂四百年。昭烈之興，死灰復然。難於二祖，百折不沮。倉皇奔走，衆纔一旅。豈悌仁厚，民心是歸。必得國士，乃可有爲。既挾熊虎，復起卧龍。電掃漢南，雷震江東。蹙操扼吴，據有梁益。遂取漢中，興王立國。高皇之起，始實在此。拓定中原，貽於孫子。漢賊不並，顧豈偏安？丕豈其敵？誅讎弗難。天不假年，僨軍崩殂。不能致討，還於舊都。顧命孔明，伊周之事。不私其子，天下大計。琅琅格言，最以爲善。三代君臣，乃今復見。宗臣流涕，效死出師。游魂倀鬼，折敗不支。巘巖返照，有光燭天。既絶之統，復一再傳。三君一仁，三起三滅。廟食帝里，至今不絶。燕山之陽，涿水湯湯。篤生異人，復一高光。杜鵑不來，桑猶在寢。刻詩廟門，萬世是諗。陵川集

【原】郝經書黃華涿郡先主廟碑陰作 稱道孔明獨有杜少陵，論著昭烈復見王黃華。君臣一體始無媿，蜀相祠望樓桑家。磊落昨因應詔過燕南，青林一簇啼鳶鴉。簫鼓寂寞春社散，廊廡慘淡昏龍蛇。西南一碑刻蒼玉，每讀輒止驚咨嗟。一片恢復心，始終於仁無少差。當陽之言永安命，三代聖王何以加？仲謀雄畧祇僭僞，阿瞞詭譎空奸邪。論議到此真不欺，文采絢縟森芳葩。書法二王作真行，得意頗勝如時花。歌謠慷慨燕趙義士風，但恨不能完漢軍敗崩三巴。百匝細讀立復坐，不覺午日傾簷牙。徬徨欲去不忍去，饑馬更繫枯荆楂。東夷何以得此人？日出之國王氣韜朝霞。滅遼服宋帝諸夏，禮樂制度無疵瑕。家世章廟布衣臣，貴冑鼎族來幽遐。春深徑渡鴨綠江，太行山巔高挂浮海槎。風流儒雅冠當代，碧雲玉樹裁烏紗。漢魏以來無此作，作詩爲向諸生誇。同上

【原】王寂涿郡先主廟詩 當年竹馬戲兒曹，笑指樓桑五丈高。故國神遊得無恨？壞垣風雨夜蕭騷。中州集

【原】周昂涿州先主廟詩 暗粉陳丹半在亡，短垣殘日共悲涼。不須古碣書綿竹，自有荒村記葆桑。塵土衣冠曾繫馬，歲時歌舞亦稱觴。不應巴蜀江山麗，能使英靈忘故鄉。同上

【原】文天祥經樓桑劉先主故宅作 我過梁門城，樓桑在其北。元德已千年，青烟繞故宅。道旁爲揮淚，徘徊秋風客。天下卧龍人，多少空抱膝。吟嘯集

【原】陳孚謁先主祠作 古廟千年後，桑陰滿涿州。亂山空北向，大火已西流。遺恨三分國，英雄百尺樓。里人牲酒奠，想像衮龍浮。觀光集

【補】王惲謁樓桑昭烈帝廟詩 百里燕南道，山河繞帝宮。荒村仍故里，喬木幾秋風。簡册經綸在，丹青户牖空。寥寥千載下，伏臘祀攸崇。秋澗集

【原】傅若金涿州樓桑村先主廟詩 孤村縹緲見靈祠，廢宅蒼茫失故基。蜀魄夜還風滿蓋，涿人朝祭雨霑旗。璽文定復歸寒水，桑影猶疑覆短籬。終古鄉閭有遺恨，衣冠空想漢威儀。傅與礪詩集

【原】頓鋭樓桑廟迎神辭 帝子降兮范之陽，恍臨睨兮舊鄉，山蒼蒼兮水泱泱。神之來兮驂駟虬，玉鸞鳴兮啾啾。雲車兮羽蓋，樓桑陰兮蔽芾。牲既肥兮酒香，繐帷施兮雕玉牀，荃高坐兮樂未央。又送神辭 帝子去兮安之，違桑梓兮心孔悲。白帝城兮永安宮，魚之復兮蠶叢。巫陽雲雨兮洞庭風波，雖信美而非吾土兮，矧蛟鰐與黿鼉。歸來兮歸來，其樂兮如何！鷗汀集

【原】沈自邠樓桑先主廟詩 赤伏符難再，三分志未伸。江山千古恨，祠廟百年新。事業歸龍戰，飛揚憶虎臣。廟以關侯、張侯配食。枯桑非舊日，灑淚向南旻。沈修撰集

【原】譚貞良謁樓桑先主廟詩 系出中山近，名從小沛聞。卜鄰占李定，望氣得周羣。象叶黃龍瑞，符仍赤帝文。全家頻脱險，一旅忽能軍。名士收諸葛，英雄獨使君。志寧摧百戰？力已限三分。淚盡髀生肉，魂歸棧入雲。枯桑遺廟折，野火斷碑焚。繫馬靈風至，題詩塞日曛。枌榆存舊社，絃管尚紛紛。狷石居遺稾

欽定日下舊聞考卷一百二十九

京畿 涿州三

原 去樓桑村三里爲酈村，酈道元故居也。名勝志

〔臣等謹按〕今樓桑村北三里許有道元村。

增 乾隆二十七年御製題酈道元故居詩 注水經曾卌卷成，紫淵勝處最分明。果然在涿惟言涿，地附青雲也立名。

〔臣等謹按〕酈道元故居御製詩，恭載首見之篇，餘不備録。

原 桃水首受淶水於徐城，合於聖水，始滙范水，城西桃莊以此名。名勝志

原 桃莊在州西北一里，張桓侯舊里也。涿州志

〔臣等謹按〕州西舊有桃莊，已没入河，水中高處尚傳爲桃莊遺址云。桓侯舊里在州西南十里忠義店，有專祠在官路東。距廟數武有石碣二：一曰桓侯故里；一曰桓侯故井，井已湮。又黄圖雜志云：侯廟有二：一在城内，一在城外。今城内無專祠，

城南郭有遺址而已。

補 涿州張桓侯廟有二：一在城内，一在城外。黄圖雜志

補 陳懿典涿州重修張桓侯廟碑略　漢車騎將軍張侯專祠在蜀，涿州其所生之鄉，州有廟舊矣。方侯之從先主起也，間關百戰，艱險周旋，身陷陣瀕危者數矣。而卒以志興復，九死不回。及與諸葛亮泝江定蜀，三分鼎建之業，開拓爲多。作鎮巴西，破張郃之衆，曹操逡巡引退，不敢復窺漢川。庶幾哉可與關侯争烈矣！而侯氣吞吴魏，方勃勃未已，乃竟死帳下兵卒之手。其志鬱而未伸，其精爽必有不可磨滅者。則侯之有廟以奔走其鄉之父老子弟宜已。然侯非獨勇烈茂也，蓋亦有君子之風焉。當搶攘中，士皆從强大就功名，侯獨依先主共事草昧。孔明一出而居其上，黄馬後起與並列。關侯猶待費司馬之解，而後釋然。侯則退無後言。又嘗降級而釋嚴顔，此尤雄鷙者所難，而侯獨能之。以勞定國，以死勤事，侯誠合乎祀典者矣。吏隱齋集

原 盧植故宅在州東十五里，地名盧家灤，土壤肥饒，子孫世居焉。名勝志

〔臣等謹按〕盧植故宅無可考，州境亦無盧家灤地名，惟城東南四里許有小村，名盧家莊，多盧姓。

原 盧氏姜姓，齊文公子高，高孫傒，食采於盧，濟北盧縣是也。其後因以爲氏。田和篡齊，盧氏散居燕秦之間。秦有博士敖，子孫家於涿水之上，遂爲范陽涿人。裔孫植子毓，三傳生諶，諶五子勗居巷南，號南祖，偃居北，號北祖。唐宰相世系表

增 仙風坡在州北十二里。舊志：安樂窩，宋邵康節先生居此。今爲仙風坡。涿州志

〔臣等謹按〕元歐陽元涿郡名賢碑記云：邵雍，其先涿人，今州西北十餘里有邵村，謂即以安樂得名。又州西北十五里宣封坡舊有木坊，書邵子講易處。據此則仙風係

傳訛，應從歐記作宣封爲是。

增乾隆十五年御製安樂窩詩 前者周程後者朱，同歸何碍却殊途。深知天地理數蘊，不作語言文字儒。試想安貧樂道趣，常依月到風來湖。嘯臺近在烟霄裏，異世芝蘭結契無。

〔臣等謹按〕安樂窩御製詩，恭載首見之篇，餘不備録。

原金將完顔和卓、監軍愛新蘇赫以步兵萬二千人糧車五百輛援中都。舒穆嚕明安將三千騎往擊之，遇於涿州宣封塞，獲蘇赫，和卓遁去，盡得其輜重。元史本傳 按：和卓，滿洲語美好也，舊作合住。愛新，滿洲語金也，蘇赫，斧也，舊作阿興鬆哥。今譯改。

〔臣等謹按〕據州志，宣封塞卽宣封坡。

原范村在州西南。宋宣和四年童貫伐遼至高陽關，遣种師道總東路兵趨白溝，辛興宗總西路兵趨范村。既而興宗至范村，爲遼人所敗。方輿紀要

原州西南三十里岐溝，宋時置關，以備遼者。長安客話

原岐溝距涿州西南四十里，亦曰奇溝，又曰祁溝，唐末設關於此。晉王存勗天祐十年遣周德威出飛狐攻燕，與鎮定兵會於易水，進攻祁溝關，下之，遂圍涿州，守將以城降。宋雍熙三年，曹彬、米信等與遼將耶律休格戰於岐溝關，敗績，彬等夜渡巨馬河，南趨易

州。休格領精騎追及，溺者不可勝計。宣和中，亦嘗設關於此以備金。方輿紀要

〔臣等謹按〕岐溝關，州志稱在州西三十里，有土城環村之南北西三面，當是其遺址。

原關在巨馬河之北，自關而西至易州六十里，由巨馬河而東至新城縣四十里。通鑑注

原燕昭王臺在州西南五十里。涿州志

原臺東有三峯，甚崇峻。騰雲冠峯，高霞翼嶺，岫壑沖深，含烟鎖霧，耆舊言燕昭王求神仙處也。元混一方輿勝覽

原昭佑靈惠公廟在州城東南隅。涿州志

原元夏以忠昭佑靈惠公廟碑記　涿郡城東南隅有古冢巋然，世傳以爲清河張公之墓。公諱秀，仕唐爲馬軍兵馬使、司寇大將軍、檢校太子詹事、安東副都護兼御史中丞。郡人麗其塋而祠之，目曰金甲將軍。歲致祈禱，尚矣。又云：墓嘗圮，得金明昌六年石刻，紀後漢將軍没於是邑而葬焉。其稱清河則一，而或漢或唐，則異。圖牒湮廢，莫決其孰是孰非也。天曆年間，近關不守，已而嬰城得全，人指以爲神之功。有司白於上，始封爲靈惠侯。乞靈者日益廣，神異亦日昭著，不可殫紀。至正十九年己亥春，妖寇侵軼畿甸，京師戒嚴，徵調方殷，遠邇騷動。時諸將貪暴，師冗無律，數百里内掠人爲糧，郡邑率自殘毁，惟涿未破。暨將矯命利其有，以三月戊午遽入據之，民之膏其鼎鑊者日以千百計。居十有五日而去。人咸謂非神陰遣之，必靡有孑遺矣。請增秩於有司以答其貺。命未及下，諸軍之接壤而屯者相比，歲饑餽餉不繼，將以兵叛，冀飽於涿者非一日。明年庚子四月己巳城陷，雖晡至夕遁，然剽掠焚蕩憯甚，驅以負荷者男女無算，又將割烹之，莫不露禱祈善返。越三日，歸者餘五百人。又以爲非神之力不及此。申前之請益虔，中書下其議太常，遂加昭佑之號，而易爵以公。命下，郡人割牲釃酒以告。范陽尹鄭公，侈其事，屬命記之。且曰：吾赤子幸存，神賜也。嗟夫！天地儲精，得五行之秀者爲人。其有聰明正直卓然不同於流俗者，則能立功名於當世，垂事業於方來。故其殁也則爲明神。漢人所謂生封侯死廟食者是已。且人之以禍福聽於神者，亦衰世之志也。天道福善禍淫，神豈能私予奪於其間哉？因其有神而禱之，尚足以繫其遷善悔罪之心，庶幾率德改行焉爾。祭法曰：能禦大災者祀之，能捍大患者祀之。公之血食於兹土也，非所謂能禦大災捍大患耶？聰明正直，固

不容以小智窺之矣。雖然，神依人而壹者也。向使顛連無告，祈哀於迫切之際，而不因有以全之，則將死徙無遺，又何以得今日齋明盛服以承祭祀如此其嚴乎？鄭君大庸欲誌之於不朽者，豈徒以揭其報貺之虔，殆著其民前日之感而勸其民後日之無或怠也。予前掌教於郡，悉其顛末，故次第其事而書之。同上

增東嶽廟在北關玉女祠右。上同

補涿州北關東嶽廟，規制敞麗，萬曆二年，慈聖宣文皇太后勅修，有張居正碑。留素堂集

增張居正東嶽廟碑記　泰山爲羣嶽長，古之帝王莫不秩祀之。記所稱出雲爲風雨，民所取財用者也。是其威靈顯著，功德廣大，不惟惠及於一方而已。且位在東方，職司善惡，冥運陰隲，可以左右人主賞罰之柄。肹蠁徵應，由來遠矣。涿州之北隅有東嶽廟，成化戊戌，純皇帝命官鼎建，拓地增宇，迄今九十餘禩矣。廟貌圮敝，神將弗享。今上嗣登大寶，祗奉聖母慈聖皇太后慈命，特出帑金於胡良、巨馬二河各建一橋，以利濟往來之衆。又以廟近於橋，爲涿人所依，遂竝神廟一新之。命司禮監太監馮保督理，內官監太監劉濟董工。財不取於賦調，役不假於官師，人心競勸，再閱月而告成。中爲顯應之殿，翼以司命炳靈，左右又各爲配殿一，以祀嶽神，東爲慈光廣翊宮以祀東嶽仙妃。凡殿寢門闥亭觀廊廡，規制藻飾，視舊有加，而冕服帷帳幡幢供器以安神靈者罔不畢具。落成之日，涿人奔走欣躍，瞻眵動色，遠來祈祐者咸袚除齋慄，無敢弗欽。神靈奠安，景貺昭答，濟濟翼若。青都臨於近輔，磐石移於京邑，信羣望之會宗，方輿之勝境也。夫大造之運歸於無朕，顯於有赫。后土所載，無不有人，則無不有神司之。君人者爲民則設官以治，治之有弗能移者，則藉神道以默相其間。自生民以來，未有廢此者也。今聖主用大道爲治，天下嚮風，文德四洽，遠人來歸，若無事於神者，乃猶以懷柔之典有舉不廢，倘亦神道設教之意歟！今靈惟德馨，仰篤慈佑，以保翊聖躬，福庇下民，俾淳風沕穆，億千萬年。則禦災捍患，允符祀典，不爲黷矣。工竣，謹奉命記其顛末，勒聲詩以告成事。辭曰：東方曰仁，萬物資始。神惟岱宗，實主張是。有赫威靈，周流六虛。涿鹿之原，惟神所居。琳宮峩峩，肇禋自古。弗涓弗除，神不安處。惟皇御極，懷柔百神。祗奉慈命，用圖厥新。既建虹橋，遂作神宇。拓其堂基，施及廊廡。真儀崇設，靈官景從。珪幣醪醴，式蕆國容。惟神聰明，保茲皇祚。握圖膺籙，如山之固。敷錫下民，時雨時暘。無有作慝，敢干天常。泰山巖巖，京邑翼翼。勅辭麗碑，垂祀萬億。涿州志

增佑濟龍神祠在涿州永濟橋東南。大清一統志

〔臣等謹按〕佑濟龍神祠，乾隆二十六年奉旨重修，祠內恭勒御製碑文，恭載卷內。

增御製重修涿州佑濟龍神祠碑文　庚辰春，命大吏重修涿州永濟橋。橋東南故有龍神

祠，歲久並就隊剥，飭工斥而新之。越辛巳，西巡旋蹕，省視落成，則行者利往來，居者時蓄洩。善夫人事集而神貺臻，數典庶無闕也。議禮家謂龍之祀自史記朝那龍湫始顯，其文不秩於三代。殊不知經訓所載，山川能興雲雨，致神物，以爲民茈者，民必祈而報之。近至一坊一庸，尸祝索饗惟恐後。矧涿郡地列望緊，當九畿之會，而胡良、拒馬二水渟涵歕欲，用衍潤我神皐，其必有以默相之也固宜。或者疑有明已來水汎而橋圮，匪一昔矣，神將奚妥焉？諗之曰：神依無在無不在，曩者祠與橋雖廢，而神之精爽固無不在也。今者橋與祠成，而必曰在是，是猶未知神之無不在也。然橋若祠煥然一新，顧弗致精乎。其所式憑，以蘄所爲佑且濟者，其可乎哉！夫修廢舉墜，不可以人事未集，而壹聽諸神，其又可以神妥於斯而不益懋夫人事耶？則輿梁爲政之句，足深長思已。繼自今，若蓄洩在居者，往來在行者，尚其善保厥成以永孚於神庥而可哉！橋記緣起已詳，茲因祠石請文，書以揭之如此。

原 智度寺在城東北隅，剏自唐時，有舊碑刻。其後即雲居寺，俱有石基浮圖。名勝志

原 魏允中九日陪王郡判登涿州智度寺塔作　悲風涿鹿散吹笳，實刹凌空貯法華。杖履天人穿百磴，樓臺畿甸俯千家。登高興好難逢菊，懷土愁深已及瓜。最是大夫能作賦，山川搖落不須嗟。伯仲連璧集

補 城東三里普壽寺浮圖高十丈，石基高二丈，周圍二百步，涿郡山川之勝，一覽俱在目前。名勝志

〔臣等謹按〕普壽寺一名清涼寺，在城東北三里，地名北臺。浮圖、石臺俱存。又寺中有萬曆時碑記，傳爲宋太祖毓靈之所云。

原 城西南二十五里佑聖寺古槐，有紫藤纏其上。名勝志

〔臣等謹按〕佑聖寺在岐溝北城下，古槐、紫藤今無。

補 涿州有靈椿寺，寺中椿樹一本，大不可量，枝榦茂盛。凡樹影皆隨日月升沉以爲邪正，而椿影早暮未嘗少移，故以名其寺。宦遊紀聞

〔臣等謹按〕靈椿寺與樹今俱無考。

增 福聚寺在涿州北俠河村，康熙四十四年賜額。大清一統志

補 范陽鳳池院尼童子年未二十，濃艷明俊，頗通賓游。創作新眉，輕纖不類時俗，人以其佛弟子，謂之淺文殊眉。清異録

〔臣等謹按〕鳳池院今無考。

原 崇元觀在涿州治北。明一統志

〔臣等謹按〕崇元觀俗呼黃柏觀，已廢。其地有殘碑二：一額題崇元廣化岳真人道行碑，元劉賡撰文；一額題真大道教張真人道行碑，元吴澄撰文，俱剥蝕。其所云岳真人，疑卽道園學古録所云真大道第八代師岳真人也。

補 真大道第八代師曰岳真人，諱德文，涿州人。始涿有童謡云，涿有八岳。父老莫之解

也。後真人號岳祖，蓋其徵云。道園學古録

【原】紫陽觀在州城内，唐邊洞元修真於此，白日上昇。明皇御製褒詞立碑。名勝志

【補】邊洞元者，范陽女子。幼而高潔，仁慈好善。每霜雪凝沍，鳥雀飢栖，必求米穀以餵之。歲月既深，鳥雀望而識之，或飛鳴前導，或翔舞後隨。年十五，白其父母，願得入道，父母未之許也。既笄，誓以不嫁，奉養甘旨。數年，丁父母憂，毁瘠不食，幾至滅性。服闋，詣郡中女官，請爲道士。治機杼紡織，晝夜不懈。性亦好服餌，往往爲藥所苦，嘔逆吐痢，至於疲劇，亦無所怨。一旦有老叟負布囊入觀賣藥，衆問賣者何藥。叟曰：大還丹，服之，長生上仙。叟面目黧黑，形容枯槁，行走傴僂。衆笑曰：既服之長生，何憔悴若此耶！逡巡暴風雷雨，衆驚悸，稍稍散去。叟曰：此間有女道士，好行陰德，絶粒多年者，何在？或指其院以示之。叟入院，徑至洞元前曰：此有還丹大藥，能服之乎？洞元驚喜延坐，問藥須幾錢。叟曰：所值不多，五十萬金耳。洞元曰：窮窘無錢，何以致藥？叟曰：勿憂，子自幼及今，四十年矣，三十年來積聚五穀，餉飼禽蟲，以此計之，不啻藥價也。即開囊示之，藥丸青黑色，大如梧子者二三斗，令洞元自探之。洞元所得三丸，叟曰：此丹服之，易腸换血，十五日後方得升天，乃中品也。又於衣裾中解一合子，大如錢，出少許藥如桃膠狀，亦似桃香。叟於井中汲水調此，令吞

之。謂曰：子宜處臺閣之上七日，可以升天，當有天衣天樂來迎矣。須臾雨霽，叟不知所之。於是洞元告人曰：吾不欲居此，願登門樓之上。時樓猶扃鎖，語未終，已騰身而上矣。一郡之内，觀者如堵，太守僚吏遠近之人皆禮謁焉。洞元告衆曰：中元日可來相别。衆乃致齋大會，七月十五日辰時，天樂滿空，紫雲蓊鬱，縈繞觀樓，衆仰見洞元升天，幡旌羅列，直南而去。午時雲物方散。太守具以奏聞。是日巳刻，大唐明皇居便殿，忽聞異香紛郁，有青童四人導一女道士，年可十六七，進曰：妾幽州女道士邊洞元也。今日得道升天，來辭陛下。言訖冉冉而去。乃詔問所部幽州，亦驛騎馳奏，與此符合。勅其觀爲登仙觀，樓曰紫雲樓，命校書郎王瑞敬之爲碑以紀其事。墉城集仙録

〔朱昆田原按〕廣異記以洞元爲冀州棗强縣女道士，所載上昇事亦不同。夾漈鄭氏編藝文略有邊洞元升天記一卷，從靈佑宫檢道藏，未得其書，不知記中主何説也。

原 涿州境東南有漢盧植墓，土人呼爲南臺。金王寂詩：南臺故址今頹然，漢盧植墓疑相傳。植，涿人，先主嘗從受學者也。長安客話

原 盧植以初平三年卒，臨困勅其子儉葬於土穴，不用棺槨，附體單帛而已。建安中，曹操北討柳城，過涿郡，告守令曰：故北中郎將盧植名著海内，學爲儒宗，士之楷模，國之楨榦也。昔武王入殷，封商容之閭；鄭喪子産，仲尼隕涕。孤到此州，嘉其餘風。春

秋之義，賢者之後，宜有殊禮。亟遣丞掾除其墳墓，存其子孫，并致薄醊以張厥德。後漢書

〔臣等謹按〕州志載盧植墓在州東河村，長安客話亦云在州境東南，士人呼爲南臺。今城東南四里許盧家莊稍北有荒阜，徑丈餘，高三尺許，土人指爲盧植墓。墓旁有石半没土中，亦無字跡可考。

【原】范陽粉水口有一墓，石虎石柱，號文將軍冢。晉安帝隆安中，閭邱南陽將葬婦於墓側，是夕從者數十人，皆夢云，何故厄人以自安。覺説之，人皆同。雖心惡之，恥爲夢迴。及葬，但鳴鼓角爲聲勢，聞墓上亦鼓角及鎧甲聲。及至墓，死於墓門者三人，卽瘞之。後閭邱爲楊佺期所誅，人以謂文將軍之祟。太平廣記

〔朱彝尊原按〕粉水不見地志諸書，疑卽汾門之譌。

〔臣等謹按〕粉水口文將軍墓今無考。

【增】袁天綱墓在涿州東北浮落岡。大清一統志

【增】李淳風墓在州東北向陽里。涿州志

【原】竇禹鈞墓在州西團柳村。同上

【原】禹鈞仕後周爲諫議大夫，五子皆登第，馮道贈詩：燕山竇十郎，教子有義方是也。今

涿州西二十里有禹鈞墓，人呼爲十郎冢。長安客話

〔臣等謹按〕州志，今團柳村北有河形，舊名康河，北岸上有荒邱，微有甃形，空缺處望之不盡。其後有小穴，以瓦石投之，鏗然有聲。土人呼爲十郎冢。今考墓前石碣，爲明正統時太監竇吉祥墓，惟碣文内稱吉祥爲宋學士儀九世孫，葬於康河之陽祖塋之次云。

原竇諫議禹鈞，嘗因元夕往延慶寺燒香，於後殿階側拾得銀二百兩，金三十兩，遂持歸。明旦清辰詣寺守候失物主，須臾見一人涕泣至。公問所因，其人具以實告曰：父犯刑至大辟，徧懇至親，貸得金若干，將贖父罪。昨暮以一相知置酒，酒昏忽失去，今父罪已不復贖矣。公驗其實，遂與同歸，以舊物還之。范文正別集

原竇氏同宗及外姻，貧困有喪不能自舉，公爲出金葬之，由公葬者凡二十七喪。親戚故舊遺孤有女未能嫁者，公爲出金嫁之，由公嫁者孤女凡二十八人。相知窘困由公活其族者數十家。及公之亡，有持心喪三年者。同上

原禹鈞五子：儀、儼、侃、偁、僖。儀至禮部尚書，儼禮部侍郎，皆爲翰林學士，侃左補闕，偁左諫議大夫、參知政事，僖起居郎。同上

原竇儀尚書本燕人，家法整肅，尚書每對客，卽二侍郎、三起居、四參政、五補闕皆侍

立焉。談録

原盧景裕，字仲孺，小字白頭。專經爲學，居拒馬河，將一老婢作食，妻子不自隨從。北史

原光熙元年五月，范陽國地燃，可以爨，此火沴土也。晋書五行志

補太宗泰常七年九月，温泉出於涿鹿。人有風寒之疾，入者多愈。魏書靈徵志

原盧文偉善營理，家素貧儉，因此致富。北方將亂，文偉積稻穀於范陽城，多所賑贍，彌爲鄉里所歸。及韓樓據薊城，文偉率鄉閭守范陽，樓平，除范陽太守。北史

原北齊天保八年，議徙冀、定、瀛無田之人，謂之樂遷，於幽州范陽寬鄉以處之。隋書食貨志

〔臣等謹按〕寬鄉今無考。

原周宣政元年，幽州人盧昌期、祖英伯等聚衆據范陽反。詔宇文神舉率兵擒之。齊黄門侍郎盧思道亦在反中。賊平見獲，解衣將伏法，神舉素欽其才名，乃釋而禮之，即令草露布。後周書

原遼神册六年十二月，太祖圍涿州，有白兔緣壘而上，是日破其郛。遼史太祖紀

補太宗既平太原，遂觀范陽，得汾、晉、幽、薊之馬，凡四萬二千餘匹。截江網

補天聖中，侍御史知雜事章頻使遼死，遼無棺櫬，轝至范陽方就殮。自後遼人常造數漆

棺，以銀飾之，每有使人入境，則載以隨行，至今爲例。夢溪筆談

原遼於開寶七年，涿州刺史耶律琮以書遺雄州孫全興，願講好於朝廷。八年，遣款附使克實克慎思奉書來聘，自是乃通使矣。職官分紀 按：克實克舊作克沙骨，今從八旗姓譜改。

原雍熙三年三月辛巳，曹彬克涿州。乙酉，曹彬敗遼於涿州南，殺其相和斯。宋史本紀 按：和斯，蒙古語雙也，舊作賀斯。今譯改。

原宋宣和四年，金將郭藥師以州降，賜郡名曰涿水，升威行軍節度。宋史志

補金人以山後諸郡不可守，即移兵山前。是時太祖經略山後諸州皆平，自紫荆關領兵大入攻涿州，州兵殊死戰，晝夜急攻四十餘日，拔之。魯國忠武王行録

原蘇子由爲賀遼生辰國信使，在元祐四年八月，子瞻有詩送之。既至，國人每問大蘇學士安否。子由經涿州，寄詩曰：誰將家譜到燕都，識底人人問大蘇？莫把聲名動蠻貊，恐妨他日卧江湖。子瞻得詩次韻云：氊毳年來亦甚都，時聞鴂舌問三蘇。那知老病渾無用，欲向君王乞鏡湖。聞曩時有刻石於使館者，今無存矣。辛齋詩話

補衞公膚敏使金，至涿州，與沃哩布遇，請相見，問其儀，以例對。公笑曰：所謂例者，非趨伏羅拜乎！皇子雖貴，人臣也。使者雖賤，亦人臣也，兩國之臣相見而僭君，是一國二君也，不祥莫大焉。乃長揖而入。浮溪文粹

原涿州舊有塔在桑乾河中，名鎮河塔。嘉靖元年塔崩，内有古錢，皆飛空如蝶，自後河水不時汎溢。（長安客話）

〔臣等謹按〕鎮河塔址今亦無考。

原嘉靖元年，涿州修村塔倒，内有古錢，皆飛空如蝶。塔在桑乾河中，俗謂之鎮河塔，塔壞，河不時泛溢。（燕山叢録）

原盧宗道性麤率。將赴營州，於督亢城陂大集鄉人，殺牛聚會。有一舊門人醉言疏失，宗道令沈之於水，後坐酷濫除名。（北史）

原世廟末，涿州樓桑廟旁農人王某，田間石磙傳自上世，忽有賈胡過視，欲購以十金。其家疑不聽。賈既去，其兄弟以失價相詬，斧破之，中空涵水一盂而已。清洌異常，不省所用，置神堂，婢竊飲之，數日膚潤面腴，髮黑如漆，通知未來事。其姑家相距百里，曰：姑家火發，已及奥室。又曰：家牛生犢，母子當弗活。已而果然。聲聞於外，遠近填門。部使者表聞，中使下迎，婢忽不見。（耳譚）

欽定日下舊聞考卷一百三十

京畿 房山縣一

【原】房山縣在涿州西北四十里，東至順天府一百二十里。本良鄉、宛平、范陽三縣地，金大定二十九年，始置萬寧縣以奉山陵，明昌二年改奉先縣。方輿紀要

〔臣等謹按〕房山縣，明因元舊，屬涿州，本朝屬順天府。

【增】房山縣在順天府西南九十里，東西距二百二十二里，南北距八十二里。東至良鄉縣界十二里，西至易州淶水縣界二百四十里，南至涿州界三十二里，北至宛平縣界五十里，東南至固安縣治九十里，西南至淶水縣治一百里，東北至宛平縣治九十里，西北至宣化府保安州治二百里。大清一統志

【原】劉因過奉先縣詩 閏遼分宋統，此志亦雄哉！置縣名猶在，因山勢已摧。百年元魏史，千古汝南哀。華表鶴應有，悲風海上來。劉靜修集

【原】元至元二十七年，改爲房山縣，屬涿州。方輿紀要

【原】房山本良鄉之昌黎里。清類天文分野之書

原漢有房山侯，蓋亭鄉侯之屬。元始以名縣，金之萬寧縣遺址在縣治西。名勝志

原房山城創於金大定間，垣高丈餘，圍一千四百四十步。方各有門，東曰朝曦，南曰迎恩，西曰仰止，北曰拱極。明隆慶間始甃以石，縣治在城西南隅。涿州志

原房山舊是土城，隆慶己巳，知縣事李琮采石甃之，增崇至三丈。房山縣志

原元房山縣尹朱禮去思碑，馬守恕撰文。房山縣志

增馬守恕縣尹朱公去思碑略：自古治國家者，以愛民爲本。由朝廷而路府，以路府爲親於民也；由路府而州縣，以州縣尤親於民也。今縣尹秩同三代子男，漢考治行尤異，唐試書判理人策。迨至聖元，妙選守令，爲當今急務，內外皆許保舉，能者超陞擢用，否者罰及舉主。可謂考察勸課之有術，任賢愛民之美意也。夫房山乃京輔劇縣，得撫治之道獲乎上，悦其民，不負選保委用者，其惟朱公與！公名禮，字節文，大都開陽里人也。未冠之年，喪父事母，孝著鄉里，學問優長，修潔謙遜，明習文法，辭理閒雅。自宣徽院擢用，轉留守司掾，調司獄司官，歷有能績。選京倉使，羨餘糧二千一百石。欽遇明詔，選保守令，內外交章薦舉，吏部銓注從仕郎房山尹兼管本縣諸軍興學勸農事。公下車之日，發號施令，興利除害，嚴禁吏卒，革去擾民之弊。慈愛百姓，凡有所頒賦役，置簿比驗貧富，科攤均平，而民不敢稽緩其限。田界審其侵奪者經正之，獄訟察其可疑者明辨之，户婚久未決者隨判之，盜賊有未獲者催捕之。孝弟事於父兄者勸賞之，豪猾橫於鄉里者威振之。撫治踰月，民心大悦。至正五年冬十月，中興庫提典引校尉數員稱資政院委官和買木炭，逐年節次不下十數萬斤，侵漁百姓，結舌吞聲，無可審訴。公審知其弊，赴上陳告，蒙擬本院合屬收買，其他怙恃權勢者聞之，相戒絕不敢以非禮犯也。是年獵者百餘人，指稱飛放，偏擾鄉民。公問之曰：此縣偎山傍嶺，並無水泊，何嘗有天鵝鶬鴰飛落耶？獵人無辭，出縣互勸曰：朱縣尹有愛民之誠，在任之時勿入房山之境。至正八年四月大旱，公齋戒沐浴，率僚屬耆老告天祈雨，不旬日，甘澍應。秋七月，螟傷稼，公徧禱神祠，越明日，螟蟲盡抱草木而死。是秋穀大熟，民賴以濟。春勸農桑，藝種得時，栽植有法，勉勵勤謹，諭戒游怠。冬遇農隙，設立學校，使民讀書，教知禮義。比及三年，田無荒蕪，盡皆開闢。民有流移，咸來復業。廳宇寂然，絕無爭訟。囹圄空虛，盜賊屏息。非才之過人遠甚，孰能若是乎？一旦鄉邑耆宿孫榮王祥等會議曰：朱公來則施仁愛之風化，去則民思其德澤，雖古良吏無以過矣。宜樹豐珉，表其異政。僉曰：固所願也。於是進義副尉白紙坊大使杜仲嚴、儒學教諭王賢詣予，以文爲請。不得已依行狀之實蹟，謹繫銘曰：賢哉朱公，性賦忠勁。家傳清白，身修心正。歷仕京都，選擢邑令。下車之初，宣布明命。均賦省刑，興利除病。威振權豪，仁愛百姓。夏旱拜祈，甘澍隨應。合境懽忭，耄倪歌詠。秋螟傷稼，禱神致敬。天感至誠，栽蟲盡屏。戒農勿惰，化民無競。盜

息獄空，訟簡廳静。一方遺愛，百里流慶。杜召德齊，龔黄名並。耆宿樹珉，以紀善政。勸勉將來，永爲鑑鏡。同上

原 儒學在縣東南隅儒林坊，創於元延祐間。同上

原 魏必復房山建學碑 聖元大一統，憲章百王，尊禮孔聖，加崇大成徽稱，丕作新廟，亹亹穆穆，而又欒備禮嚴，誠惟首善新民以警風天下。房山奠邦畿，既載宅朔方，距都城百里，任土置縣，肇金源六葉，隸名京畿曰奉先。朝廷因兹山改名，距今餘百載，迄未有先聖先師祀。至元甲午，僉徽政院弭禮，於時筵員中省幕，卜縣巽方，償隙地，廣袤贏敏者再，始潛心經度。禮，縣人也。大德改元，俾直學料顯旬、監縣雅勒呼、宰宋世昌、簿楊政、尉茂巴爾斯、主吏鄭惟良咸自誦此，則我職敢不敬應。於是庀工蒧役，禮偕縣人知湘潭州張汝楫輪楮幣以倡。是年正殿成，明年神門成，又明年祁人劉仲勉工塑像，設大成，巍巍南面，垂旒被兖，兖鄒兩公、十哲序位左右侍，準古範陶祭器作器室，春秋釋奠一如監學通祀儀。大德甲辰，宰王傑、簿史忠、尉蕭雲實隘殿地，後不稱，繼續二畝有奇，搆明倫堂，傑作治甚力，甫畢，及瓜。延祐改元春，宰王元恕念惟兩廡未備，考之故事，從祀闕，今歷年所，禮謂宜亟作治，不爾待後視今猶今愴前也。卽與捐俸入疏平昔交同志以相厥事，合楮幣餘三千緡，屬監縣明安達、宰元恕、簿拜珠、尉張彦澤起兩廡庖湢内外門壝未備者。先是詔罷不急役，議者謂方春事東作，宜弛廟繕修。令與監縣已下相勵曰：教化國家急務，風俗本原，奈何廢弛？矧是役也，歛弗及民，杇者梓者，悉讎傭以直，陶者斤者，悉物賈以售。兹俾遂事則勸民以禮，勉吏以義，孰敢忽諸？於是趨者胥徒隸，兵咸入役身涖之，不兩月，焕然就叙。繪從祀七十二、大儒二十四、新祔十賢儼像，攝齊東西，其冠冕服黼黻並取式監學，應圖合禮。廟門夾兩翼致齋室内外，按圖制悉具，登降有度有數。士子覩廟事畢，掌石局事張彬亦縣人也，目擊心悦，欽服美事。礱碑廟庭，請以是役前後發心之誠，作用之勤，具載金石，貽後人勿替。今之功其勸善有在矣。涿州志 按：雅勒呼，滿洲語肉糟盆也，舊作牙忽。茂，蒙古語不善之謂也，巴爾斯即巴爾虎也，舊作木八剌。達，滿洲語爲首之稱也，舊作答。今俱譯改。拜珠舊作伯住，今對音譯改。

原 文靖書院在房山縣西南七十里抱玉里，元里人總管趙密、宣德府教授賈壤嘗從容城劉因游，歸以其學教鄉人，乃建書院立祠祀之，因以見其學之所從來。元賜額曰文靖書院，國子祭酒蘇天爵爲記。寰宇通志

〔臣等謹按〕文靖書院已廢，今縣有雲峯書院，乾隆十八年知縣邱錦建。

原大防山在良鄉縣西北三十五里，山下有石穴，又有小防山，與大防山相近。太平寰宇記

〔臣等謹按〕防山之防亦作房。

增雍正八年正月二十日鳳凰集於房山之溝山峯。大清一統志

增乾隆十八年御製望大防山作歌　太行連延西南來，千支萬派紛紆迴。房山於此獨稱峻，拔地秀擁金堂開。盧水带左拒馬右，伏流不敢争谿走。我從長途直北望，蘢葱佳氣干牛斗。梵宫琳宇棲嶔嵜，辟邪瓦埋行殿基。春風萬樹花張錦，憶昔金源全盛時。半壁江山蹟始發，海陵遷建實唐突。至今修葺賸二陵，其餘荒草尋飄忽。行將酹酒臨寢園，昭德懷古予心存。聖人穹碑揭日月，拱讀義盡休重論。本朝修復金太祖、世宗陵。聖祖御製碑文以前者我師克取遼東，故明惑於形家之説，疑與本朝王氣相關。天啟初，拆毁金陵，劚斷地脈，又建關廟於其地，爲厭勝之術。不思修德勤民，而移咎於異代陵寢，其舛謬實足貽譏千古云。

〔臣等謹按〕大房山御製詩，恭載首見之篇，餘不備録。

原防山上有仙人玉堂。隋圖經

原房山在涿郡西北五十里，北接居庸，東抵漁陽，西連紫荆，所謂幽燕奥室也。涿鹿記

原房山本中條之麓，其山峻而且闊，望之明秀異常，宛然如室。房山縣志

原大防嶺山下有石穴，東北洞開，高廣四五丈，入穴，轉更崇深。穴中有水。耆舊傳言：昔有沙門釋惠彌者，好精物隱，嘗篝火尋之。傍水入穴三里有餘，穴分爲二，一穴

殊小，西北出，不知趣詣。一穴西南出，入水逕五六日方還，又不測窮深。其水夏冷冬温，春秋有白魚出穴，數日而返。人有採捕食者，美珍常味，蓋亦丙穴嘉魚之流類也。水經注

〔臣等謹按〕隋圖經云，防山上有仙人玉堂，或卽水經注所稱石穴者也。

【原】孔水洞在大防山東北，上有懸崖千尺餘，下有石窟濶二丈許，泉水從中湧出，深不可測。唐胡詹作記云：有人篝火探之，行五六日，莫究其源，但見仙鼠晝飛，赬鱗時現。圖書編

【原】房山東北懸崖間有石竇如門，中有積水，人往往聞絲竹音。有好事者乘篺秉炬而入，惟見石燕飛翔，赬鱗瀺灂，行五六日，無所抵，恐炬盡而出。金太和中，有桃花流出，其瓣徑二寸，俗呼爲孔水洞。燕山叢録

【原】房山有孔水洞，闊二丈許，深不可測。嘗有人秉火浮舟探之，隱隱聞作樂聲，懼而返。金太和中，忽見桃花流出。又有石經洞，爲隋静琬法師鑿石刻經處，以石門閉之，累代皆有碑碣。獅山掌録

【原】大房東北，懸崖千尺，石竇如門，竇内泉水沸湧。好事者嘗篝火乘桴探之，行五六日，莫究其源。長安客話

【原】孔水洞時有白龍出，輒化爲魚。開元間旱，每遣使投玉璧。金太和中，忽桃花流出，瓣如當五錢。帝京景物略

【原】頓鋭詩　石竇水拖練，靈源地絶塵。浪傳飛白鼠，無處隱頳鱗。入夏桃花盡，經春荇葉新。輕舠不可入，豈有避秦人？鷗汀集

【原】雲幪山直上皆石壁，下有水湧出，爲孔水洞，俗名水簾洞。舊有龍泉寺，唐大曆中建。今四壁刻劃佛像，更萬佛堂，醜惡甚矣。北游紀方

【原】孔水洞在房山東北，今譌爲雲水洞。方輿紀要

〔朱彝尊原按〕雲水洞在上方山。孔水别是一洞，孔水譌爲雲水也。

【增】留臺尖山在房山縣西二里，有泉石之勝。大清一統志

【原】龍城峪下有伏龍穴，有湯泉。名勝志

【增】房山下有聖水泉，山西南有伏龍穴，一名龍城峪。大清一統志

【原】唐房山湯記，張嘉貞撰，開元十五年四月立。輿地碑目

〔臣等謹按〕唐張嘉貞房山湯碑今無考。

【原】大石㟪在縣西南四十里黄龍山下，前産青白石，後産白玉石，小者數丈，大至數十丈，宫殿營建多採於此。石㟪下有塘，突出一泉，其水甚清，流灌稻田，米色如玉，人呼玉塘米。房山縣志

補嘉靖三十六年，修復殿工，命侍郎張舜臣、主事李鍵於大石窩采石。冬官紀事

增平峪山在房山縣西二百里，峪中平坦，有水環流石田百餘畝。大清一統志

〔臣等謹按〕縣志，今石窩已淪入水中。

增三角山在房山縣西二百里，山峯有三角。同上

原一堵牆山在縣西南四十里，石壁巉峭，高三百餘尋，長五百步，儼若版築，其下可容數百家。房山縣志

原紅螺山在縣西南四十里，卽幽嵐山，山勢崚嶒，諸峯羅列如劍戟，古刹存焉。涿州志

原紅螺嶮在上方山東三十里，循九龍峪，度八達嶺，入桃葉口，爲下嶮。過龍潭水有洞曰紅螺，爲中嶮。復上半里，其右松棚庵，再右觀音洞，爲上嶮。出嶮有嘉遯庵。嶮舊名幽嵐，一曰寶金山。帝京景物略

原桃葉口俗呼黄山店。燕都游覽志

〔臣等謹按〕桃葉口今在縣西南二十五里。

原般州山在縣西南四十里，上有般州山寨。方輿紀要

原山有二寨，石室環列。涿州志

原羊耳峪一名紅羊峪，在縣西北十二里，有大石，高二丈，其形似象，名象石。房山縣志

增中和峪在房山縣北十八里，山腰有湧泉，常流不竭。大清一統志

增三岔山在房山縣西北十五里，山巔平廣，約十餘畝，下有流泉三曲，狀如仰盆。三峯山在縣西北二十里，三峯並列，高插雲漢。同上

原黄山去縣三十里，上有玉室洞天。寰宇通志

〔臣等謹按〕黄山今在房山縣西北七十里，俗傳漢張良微時隱此，亦名張良洞。

原黄山店口在縣北三十里，又西六十里曰大谷，又三十里卽淶水縣北之乾河口也。方輿紀要

原玉室洞天在縣西北七十里，中有獨橋十八灘。房山縣志

原穀積山在縣西北五十里，峯巒突起，如積穀然，下有三石洞，名曰三學，中可容千人。方輿紀要

〔臣等謹按〕此洞皆石室，中可容四五十人。方輿紀要云千人，誤也。

增半壁山在房山縣北三十里，壁立千仞。大清一統志

增馬鞍山在房山縣北六十里，兩峯特起而中凹，上有龐涓洞。同上

〔臣等謹按〕縣志又有孫臏洞，與龐涓洞近。

原朝陽洞有二，形如連珠，相隔約十尋。俱疊石作坡，繚以短垣。山勢甚峻，從山腹轉而上，洞西有巖曰朝陽巖，石壁逾百仞，横亘里許，巖麓溪水色緑如鴨頭，産魚極美。

北遊紀方

原車營嶺小岡叠阜，起復連綿，居民以種杏爲業。環十數里，峯頭澗底皆是杏林。又東一小嶺，有杏約三百株，樹尤奇古，高者三丈，低者丈餘，狀如垂柳，繁花綴之，亦杏林之變態也。同上

原連泉山山巔有泉相連，在縣西北三十里。涿州志

原大安山龍泉河出焉。名勝志

原大安山在縣北八十里，山高險。薛居正曰：大安，幽州西名山也。方輿紀要

原岢羅陀在房山縣境，東有萬壽寺，俗呼天台寺，相傳寺有老僧，日誦佛萬聲，以豆記其數。久之每誦一聲，豆輒自躍過。人目爲豆兒佛。是時陳皇后浴於宮中，澡豆忽躍，心悸，有言及豆兒佛者，迺出金錢建寺焉。析津日記

原公鼐岢羅陀詩 一岡中斷水分流，茅屋乘岩萬樹幽。宛轉桃花堪問訊，莫教容易放漁舟。問次齋稿

原韓姑砦，俗呼韓繼村，有香光寺。寺右有唐寶積禪師塔，塔後爲大悲閣，萬曆二十二年賜藏經貯焉。北游紀方

增曾朝節勅建香光寺碑略 大都之西百餘里，房山之界，有山名茶羅頂，祖龍自花陀而來，至是特然孤出。南下爲伏龍岡，岡前萬家聚落，村曰韓姑。村之北有古刹基，俗呼爲少師園。據殘碑，乃唐寶積禪師所建，香光佛刹也。寺東有寶積遺塔，訛稱爲多寶佛塔。廣孝姚公，國初功臣，爵至少師，辭歸山林，隱於太湖之華嚴寺，朝廷恩賜香光花園，爲其別業，久而荒廢。萬曆戊戌，奉命重修，始事於二十六年春，告成於二十八年秋九月。房山

縣志

原由韓姑砦而西，從小徑入孤山口普濟寺，道旁有元應公禪師道行碑，又有僧塔甚多，不能遍覽也。國門近游録

原唐順之普濟寺詩 宛轉雲峯合，微茫鳥路通。閒來竹林下，醉卧石房中。陰磵泉先凍，陽崖蕊尚紅。攀蘿探虎穴，憩石俯鮫宮。上客思留帶，山僧不避驄。夜深清嘯發，流響入寒空。荊川集

原自普濟寺西行，有村名別院，田中一碑，勒元色辰庫魯克皇帝旨二道，碑末書虎兒年月日，碑陰爲護持天開中院記，集賢侍講學士中奉大夫魏必復撰文并書，昭文館大學士榮禄大夫集賢院使廉簡題額。循村又西數里爲歡喜臺。國門近游録

原魏必復天開中院碑陰記 天開古名刹，在房山之麓，規制始於漢，歷晉隋唐迄五季，盛於遼，廢於金季之兵。至元十年，歲次癸酉，應公禪師始來住持，次建栗園寺，次建皇后臺東西兩寺，次建涿州設濟寺，規模莊嚴，擬於天開。又建中院於寺南沙河，按據上游，創水碾三以給衆僧日饌費。至元二十七年，世祖皇帝聞而嘉之，特賜聖旨護持。應公既示寂，遺教弟子趙顯仁住持。延祐三年二月，特授聖旨宗主大天開上方中院設濟等寺前後綸命，顯仁鐫之琬琰。延祐四年，歲次丁巳，秋九月。

增孤山口在房山縣南五十里，涿易二州分路處。大清一統志

原循孤山口而西，峯橫澗束，澗上側徑如古牆趾。人行村落十二三里，至下接待庵。兩壁巉截，中隱一罅，旋折東西，望一平處，曰歡喜臺。行二里過兜率門一里，得石級，以升毘盧頂。庵寺百餘，有藥師殿、華嚴龕、珠子橋，又半里則上方寺矣。寺左一峯高百丈，峯下泉曰一斗泉，峯之有名者大小摘星峯、望海峯。帝京景物略

原自歡喜臺拾級而升，凡九折，盡三百級，始達毗盧頂。上有寺百二十，丹碧錯落，嵌入巖際，蒔花種竹，如江南人家。徐文長集

原孤山口西行約十二三里，行篋游騎寄頓下接待院。歷枯磵二里許，至山門，榜曰兜率禪林。又里許，上石梯二百餘級，磵旁皆飛瀑宿痕。挽鐵綆而上，是爲上接待院。倚壁皆僧舍。又半里入上方寺，左有一斗泉，帖石山房十笏以奉大士。下有文殊洞、上普賢洞，外又有雲水洞、華嚴洞、朝陽洞。游業

原孤山普濟寺、歡喜臺、接待庵、上方兜率院，皆萬曆初太監馮保修築，各有碑。兜率殿後刻四十二章經，置於壁，筆法遒整，不知倩何人書也。國門近游録

原上方寺一名兜率寺，鑿石爲磴，攀鐵索而上，絶頂有泉如斗，汩汩不窮，旁有修竹千竿，清冷逼人。燕都游覽志

補上方兜率寺有蘋果園，園中蘋婆果二株，入秋結實甚繁，山僧不忍摘。果既熟，暈青紅色，絶可愛。法華經，妙莊嚴王言如來唇色赤好如蘋婆果，可謂善於喻物者矣。韞光樓雜志

〔臣等謹按〕兜率寺蘋婆果樹今尚存。

原由兜率寺西南行，過十方院。其旁僧塔甚衆，中一塔特高，嵌有碑，題曰六聘山天開

寺懺悔上人墳塔記，金朝議大夫乾文閣大學士知制誥賜紫金魚袋王虛中撰，布衣賈溉書。文稱師諱守常，族曹姓，易州新安府人。禮六聘山鐵頭陀爲師，住持本山三十年，所度白黑四衆二十餘萬，以咸雍六年遷化。塔建於大安己巳姑洗月，末書涿州邵師儒鐫。國門近游録

原 昆盧頂之右有一斗泉。望海峯左有大小摘星陀極高，峯後有雲水洞，奇邃特甚，至山腰則一百二十寺，一一可指數。長安客話

原 摘星嶺在府西，高入雲霄。記纂淵海

原 光啟時，遼入侵幽州，劉仁恭窮師踰摘星山討之。唐書

原 阮旻錫上方山記 度盧溝，循房山而西，到接待亭，一望皆丹崖翠壁，游者捨騎扶笻，逕旋步折，得稍平處爲歡喜臺。前登兜率門，兩峯壁立，中砌石級，鐵鎖高垂，凡三轉至昆盧頂。山中爲刹七十有二。寺之古者曰兜率，創自隋唐，多華嚴師遺跡。峯之岐處爲朝陽洞，傳有白猿聽經於此。洞中二泉，澄泓可鑒毫髮。山塢旱龍潭，龍去潭枯，然纖塵不入。峯最尊者爲齋星陀，華嚴於此齋星。曰摘星，訛耳。僧巢其巔下，如飛鳥然。燕山紀游

原 孤山口東八里有東南西北甘池四村，亦謂之長溝谷。西村之北水從石壁出，凡七竇，羅注爲池，上有河北將軍廟，既無碑記，不知爲何神也。土人言池中生魚止一目，而涿州相近有水生魚重脣，其味皆絶美，然不多得。水從石橋過，橋下荇帶，冬月青翠可翫。按酈善長注水經，有甘泉水出良鄉西山，東南逕西鄉城西而南注，疑卽是水也。村東北行數里爲皇后臺、黑龍潭，其北卽六聘山。山有天開寺，寺中有元碑三：其一從仕

郎翰林國史院典簿順聖魏必復撰并書，至元二十八年立，末書石局副使李文秀鐫；其一香山永安寺住持沙門惠川福珪撰并書，後至元三年四月立；其一石經山雲居寺住持沙門西源洪注撰并書，至正十二年立。又有陀羅尼石幢，字多磨泐，無歲月可考。國門近游録

〔臣等謹按〕六聘山在縣西南三十里，俗亦稱緑屏山。

原 僧福珪六聘山天開寺重建碑記略 國門之西，兩舍之地，有山曰六聘。中有伽藍曰天開，燕易間一鉅剎也。自後漢迄有唐，經五代歷遼金，廢興難具載。云天開者，以寺前山谷天然開闢也。吉金貞石志

原 六聘山在房山縣西三十里。明一統志

原 大房山南，晉霍原隱處。名勝志

原 淶水北逕小釁東，又東逕大釁東，蓋霍原教授處也。徐廣云：原隱居廣陽山，教授數千人，爲王浚所召。雖千古世懸猶表二釁之稱，既無碑頌，竟不知定誰居也。水經注

原 霍原，字休明，燕國廣陽人。元康末，與王褒等俱以賢良徵，累下州郡，以禮發遣，皆不到。後王浚稱制謀僭，使人問之，原不答。浚心銜之。時有謡曰：天子在何許，近在豆田中。浚以豆爲霍，收原斬之，懸其首。諸生悲哭，夜竊尸共埋殯之。晉書

補 霍原少有志力，叔父坐法當死，原入訟獄代之，楚毒倍加，終免叔父。年十八，觀大學行禮，因留學焉。貴游子弟聞而重之。初，原以賢良徵，累下州郡以遣，皆不到也。王隱晉書

【原】許猛爲幽州刺史，素服霍原之名，將詣之。主簿當車諫不可出界。猛歎恨而止。原山居積年，門徒百數，燕王月致羊酒。册府元龜

【原】盧道將爲燕郡太守，下車表樂毅、霍原之墓而爲之立祠。魏書

〔朱彝尊原按〕六聘山見於遼史，見於寰宇通志及明一統志。近時士子多守廣輿記爲兔園册，削去不載，人遂略焉不考。康熙癸丑，登上方山，見兜率寺南十方院東有金大安中懺悔上人墳塔。後十四年，復遊上方，於孤山口西麥田中見有元延祐間所樹碑，則集賢學士魏必復所撰，稱此地爲六聘山天開寺下中院。又於甘池村北數里訪天開寺，尚存。蓋當日寺僧管業，其地甚廣，天開乃其下院，孤山則下中院，兜率爲上方，而總名之曰六聘山天開寺。六聘之義，地志不詳，疑卽霍原教授之地。舍原之外，無人足以當之矣。

【補】劉因詩　西山霍原宅，古跡猶可稽。重吟豆田謠，愁雲落崩崖。知幾在明哲，何事紲塵羈？君觀括囊戒，無盈庶無虧。靜修集

【補】北砦，雙厓峭立，澗流其中，老樹千章，瀑泉三疊，注爲龍潭。一禪宮，一道院，臨厓相望。觀中有無名子題壁詩云：壁色壓潭黑，林光漏日明。傳聞老龍臥，不敢濯吾纓。不知何年人作也。奥室記

【補】自上方山麓折而西，至北砦，雙厓如門。琳宮梵舍對峙左右。老樹攲斜，交蔭磵谷，

寒葉盈尺，人行薮薮有聲。流泉三疊鳴空山中，注而爲池。土人戒勿濯手，濯則龍怒，雷電且至。竹垞文類

原甘池村東北十五里村曰瓦井。過村有小庵，中有元時石幢，字多磨泐。去庵百步，有僧塔七，其一大書榮禄大夫守司徒侍中宗主某大師靈塔字，其餘六塔皆有銘，棘荆繞之，字小不能讀也。塔旁有石幢二，又有石鐘一，鐘上亦有銘，乃至元中物。國門近游録

增甘泉水在房山縣西北。大清一統志

原甘池在孫家岡北石將軍廟前，泉凡七孔，平地趵突，流爲長溝。土人言廟下穴中有一目魚，長可四寸，每於清明日出穴戲游，見者以占豐稔。北游紀方

原挾河出縣東南中涜谷，流入涿州界。方輿紀要

〔臣等謹按〕挾河在縣東南三十里，與涿州良鄉交界，發源縣之青龍潭東歸公村，河亦名夾河。

〔又按〕房山縣河道有由境内發源者曰半壁店河，曰長溝河，曰韓村河，曰犇流河，曰雅河。其半壁店河上流，一自西域寺出者爲西域寺河，一自白玉塘出者爲白玉塘河。白玉塘河至獨樹村會西域寺河注半壁店，歸挾河。其長溝河自上方山逕甘池等村，歸挾河。其韓村河上流，一自禪窩水出逕婁子水、瓦井等村，一自青龍潭逕龍門

口村，至南章村，匯爲韓村河，亦歸挾河。其㳘流河上流有四：一自茶樓頂經山口等村者爲壩兒河；一自牛口峪馬跑泉經顧册等村者爲涼水河；一自西北荆山經塔窪紅寺等村者爲西沙河；一自沙峪溝經歇息岡北折而東者爲東沙河，至坨頭村東，四水交匯爲㳘流河，歸琉璃河。其雅河自河西村逕南公村入良鄉界。有由境外發源者曰拒馬河，曰大石河，曰啞叭河，曰順水河。其拒馬河自紫荆關來入房山境張坊村，至上灘村東分爲二：一名風水新河，由正子營西歸淶水縣；一爲東拒馬河，由正子營東歸涿州拒馬河。其大石河自宛平柳林入房山境長草村，東南歸琉璃河。其啞叭河自宛平檀柘寺入房山境石甫村，至怪它村歸良鄉界。其順水河自宛平太倉嶺馬蹄泉入房山境北歸良鄉界。此房山縣水道之大概，謹附録於此。

欽定日下舊聞考卷一百三十一

京畿 房山縣二

原聖水東逕玉石山，謂之玉石口，山多珉玉燕石，故以玉石名之。水經注

原迴城水源出良鄉縣西北玉石山，東流經縣北四里，又南流入范陽縣界。郡國志

原十度河在縣之西南，曲折旋繞，由十度村至石嵎店，歷經十度，故名。卽拒馬河之上流也。房山縣志

原涿州永泰軍有大房山、六聘山，涿水、樓桑河、横溝河、禮遜河、祁溝河。遼史

原杖引泉在縣西南六十里，泉水湧出，匯而成溪，流經涿州東頭，入胡良河。方輿紀要

〔臣等謹按〕杖引泉今湮塞。

原公村在縣北三十里，廣陽水所出，經廣陽故城與鹽溝水合，入桑乾河。有胡良河自縣北來注之。名勝志

原六山河自黑龍關來，東南入琉璃河，上有半壁山，壁立千仞，石罅古柏蒙茸，然長不

滿二尺。其西山半一小竇曰辟穀洞，峭絶不可上。北爲背陰洞，對山望其東，有正覺洞。北游紀方

〔臣等謹按〕六山河因黄山、穀積山、半壁山、辟穀山、張良洞、正覺洞、朝陽洞諸水所會，故名。

增 琉璃河源出房山縣西北，東南經良鄉縣西南，又東南逕涿州東，又南入保定府新城縣界，即古聖水也。大清一統志

〔臣等謹按〕大清一統志，琉璃河源出房山西北黑龍潭及孔水洞，俗名蘆村河，入良鄉縣始名琉璃河。范成大集中謂之劉李河，宋敏求入蕃録謂之六里河。

原 黑龍潭在縣北五十里。元至正中，京師大旱，遣留守都事薩里默色禱之，大雨霑足。涿州志　按：薩里默色義俱見前，舊作薩理彌實。今譯改。

原 宣德十年五月，天久不雨。房山民言縣北七十里有龍潭，歷宋元以來禱雨輒應，上命遣官祭之。明宣宗實録

原 歐陽原功創建黑龍潭廟碑記　房山之大安山，山之上有龍湫，深不見底。以勢度之，下徹山趾。世相傳有黑龍君居之。至正十年，歲庚寅，夏五月至六月不雨。銀青榮禄大夫中書平章政事綽斯戩，奉詔留鎮京師。召京尹縣令等官偏走羣望，又率僚屬詣在京名寺觀咸禱焉，雨不至。平章公憂之，歸家，露香禱於庭，左右曰：房山有黑龍潭，禱雨輒應，盍往扣之？公遣留守司都事薩里默色舉香幣行，仍戒有司遣价貳玉虚宫十一代真人張公門徒明道洞微大師畢輔貴偕往。既至，輔貴等瀝平章公閔雨之誠於龍。明日，龍見靈異。觀者喜曰：雨之徵也。既而大雷電以雨，圻甸方數百里皆霑足，槁苗盡起。及秋，五穀胥熟。於是父老以龍君未有祠，請作新廟以彰神庥。輔貴願募衆財，馮

潭依山，疊石築壇，高二丈許，廣可二百餘步。因壇爲廟，中作正殿三間，東西屋如之，外爲神門，設闌楯臨潭上，中塑龍神像，服飾如貴者儀。旁列雷雨部諸神，次及祀神之庖，守祠之舍，内外偕作，經始於十年之秋，落成於十二年之冬，費楮帛五萬三千緡有奇。十四年夏六月，京師又踰月不雨，公復遣薩里默色禱如前，將行致公之意，以廟記屬某。時某感暑下痢，連日病不能興，聞命强起而默禱曰：龍君即致甘澍已時菑，當力疾以償諸責。十三日壬寅往禱，丙午大雨，己酉又大雨，自是雨大集，是歲有秋。都人每雨見風雲雷電皆起西南自房山來，知爲龍君所致。薩里默色竣事還以喜雨告，某疾亦稍甦，乃記之曰：天有三垣，帝座所在，諸星環之。國有京城，天子所居，百神衛之。房山密邇燕都，多深山修谷，實生神龍，疏附奔走，居百神之先，理之必然也。且京師天下之本，盛夏兼旬不雨，舟漕不旣，物賈日翔，四方輻輳者憂之。又旬日不雨，饑饉疾疫將作，居民憂之。鬭訟盜賊滋蕃，朝廷有司憂之。一雨而百姓四方安。故房山之龍能雨京師，有功於國甚大。禮記祭法曰：山林川谷邱陵能出雲爲風雨見怪物皆曰神，有天下者祭百神，諸侯在其地則祭之。新廟之作，於祭法爲宜。或曰：社壝而不宇，今廟焉以居龍何？曰：地載神氣，神氣風霆，風霆流形，庶物露生，社欲其露處以受生氣也。龍者天之生氣，能爲膏澤以生萬物者也。其質爲陽，陽動必靜，靜必伏藏，宇以棲神固宜。又曰：肖龍象以人何？曰：龍有變化不測之神，人而爲龍，龍而爲人，古今多有之。異時褒崇之典請於大廷，議於奉常，爲侯爲公，衣冠牲幣，祀號祭式，必視人爵。廟也像也，揆之事理皆宜。平章公蒙古克呼氏，國初以來元勳世臣之胄。其父祖子孫羣從昆弟，丞相、御史大夫接踵不絶於朝。故其體國也切，其愛民也深，其禱神也能竭其誠。乃作迎享送神詩，俾工歌其辭以祀，并刻之石。辭曰：龍胡爲兮山之鼇。風氣固密兮岡巒綢繆。龍奉命兮宅阻幽，扈帝室兮拱神州。神州兮盛夏不雨。相臣憂兮奉牲醑。牲肥兮醑香，龍來歆兮不遑處。大震電兮從元冥，雲飛繳兮雨建瓴。雨優渥兮年穀熟。年穀熟兮神州足。神州足兮萬邦福。龍盤桓兮此有屋。龍欻起兮安之。乘靈和兮薄希懿。風雨旗兮絶天河。滃元雲兮揚素波。帝曰勞女兮復女居。新廟翼翼兮山盤紆。房之山兮雨之府。鼓坎坎兮巫屢舞。澤我民兮萬萬古。國有秩兮食兹土。圭齋集　按：克呼，蒙古語牆也，舊作怯烈。今譯改。

原李濂房山詩　陰雲孀孀黑龍灣，瑶草丹崖不可攀。越客漫誇天姥勝，漁陽還有大房山。嵩渚集

原防水出良鄉縣西北大防山南，東南流逕羊頭阜下，俗謂之羊頭溪。房山縣志

原白帶山在范陽縣北四十里。太平寰宇記

〔臣等謹按〕羊頭阜即羊頭岡，見大清一統志。

原般州山西南十里爲石經山，山之東爲石經洞。方輿紀要

原房山縣西南四十里有山曰白帶，山生芯題草。又曰芯題山，藏石經者千年矣。故曰石經山，亦曰小西天云。北齊南嶽慧思大師慮東土藏教有毁滅時，發願刻石藏閟封岩壑中，坐下静琬法師承師付囑，自隋大業迄唐貞觀，大涅槃經成。其夜山吼，生香樹三十餘本，六月水浮大木千株至山下，搆雲居寺焉。唐明皇第八妹金仙公主修之，洪武二十六年又修之，正統九年又修之。山上雷音洞高丈餘，四壁刻經，四柱刻像，前石有扉，維以開閉，几案瓶鑪皆石，臺有欄横與堂亘。堂左洞二，右洞三，堂下洞二，皆經。唐迄元，代有續刻，經目列石幢。人傳洞，火龍所穿也。山下左右東峪寺、西峪寺。西峪寺後香樹林，香樹生處也；夢堂庵，唐夢堂師居處也；林後，琬公塔也。萬曆壬辰，達觀和尚靓像設衰頹，石版殘蝕，率僧芟除，啟洞拜石經。石下有穴，藏石函一尺，上刻大隋大業十二年歲次丙子四月丁卯朔八日甲子於此函内安置佛舍利三粒，願住持永劫，三十六字。發視，得小金瓶，舍利狀黍米，色紫紅。師聞於慈聖太后，迎入供養，函瓶以玉，外函複之，安置故處。僧憨山撰雷音窟舍利記刻之石。山多石碑。二隋碑：一仁壽元年王臣暕碑，一仁壽元年王邵碑。五唐碑：一開元十年梁高望碑，一開元十五年王大悦碑，一元和四年劉濟碑，一景雲二年甯思道碑，一太極元年王利貞碑。二遼碑：一趙尊仁碑，一天慶八年沙門志才碑。二元碑：一至正元年賈志道碑，一至正二年釋法真碑。山

半有庵曰半山庵。帝京景物略

（朱彝尊原按）漢書地理志，清河郡有𢘑題縣。顏師古注：𢘑，古莎字。

增 石經山在房山縣西南五十里，本名白帶山，亦曰𢘑題山，以山生𢘑題草也。大清一統志

原 獨樹村在縣西南五十里。房山縣志

原 出獨樹村四里，兩山對峙，外隘內豁。小溪中出石，參差如犬牙，水觸石流，潀潀有聲。沿溪行十里，有巨石數十横布水中，躡以渡，登平岡以望峯巒，不可勝數。中一山石火燄而草樹獨盛，詢知爲白帶山小西天之徑在焉。迤邐至山麓，壁立似不可登。徐望之，有磴道直上，及山半，有石室曰義飣廳。唐乾符中僧藏賁所建。折而東，鑿石爲道，廣不滿尺，横於山腹者一里，折而北，條石爲階，凡九十九級，級盡行百步，復有階如前，級差少。折而南有石堂東向，方廣五丈，曰石經堂。堂有几案鑪瓶之屬，皆以石爲之，下以石甃地使平。壁皆嵌以石刻佛經，字類趙松雪。中四石柱，柱上各雕佛像數百，飾以金碧。堂之前石扉八，可以啟閉。外有露臺，三面以石爲闌，設石几石牀，以爲游人憩息。禪房庖湢皆因巖爲之。堂左石洞二，右石洞三，復有二洞在堂之下，石經版分貯其中。始隋沙門靜琬，其徒道公等續之，至遼統和、金明昌間增刻，前後納洞中石凡七百餘條，有石幢記其目。每洞以石爲窗櫺，用鐵固之，石本之近窗者可以闚

見。其左洞有静琬貞觀八年碑記嵌於門上。洞北有石池石井，池廣七尺而深半之，井北有泉自竇中出，涓涓不絶。又有石龍王像，民禱雨則祀之。古木蒼藤，樛錯陰翳。由泉竇之南，緣小徑盤屈至山頂，有五石臺，臺上皆有白石小浮圖。其南二乃唐金仙公主所建，餘無題識，不可考。頂有巨石，後廣前鋭，平出於虚空者數尺，名曝經臺。下至堂中，左右見有碑十餘，其高大者則唐元和四年幽州節度使劉濟所建。西偏下五里許有雲居寺，亦静琬所刱。墀中列唐人建石浮屠四，皆勒碑其上：其一開元十年助教梁高望書，其一開元十五年太原王大悦書，其建於景雲二年者則甯思道所書，太極元年建者則王利貞書也。寺僧言後院中石刻猶多，在榛莽中，或立或仆，多唐時所刻。雙崖集

增 隋石經，開皇中釋静琬鑿石刻經，僅成大涅槃而卒。唐宋皆有續刻。唐雲居寺石浮圖銘，王大悦撰，開元十五年。唐雲居寺石浮圖銘，梁高望書，開元十年。唐涿鹿山石經堂記，劉濟撰，元和四年。遼雲居寺續鐫石經記，趙遵仁撰，清寧四年。遼雲居寺續秘藏石經塔記，沙門志才撰，天慶八年。元修華嚴堂經本記，賈志道撰并書，至正元年。元雲居禪寺藏經記釋法真撰，陳顥篆額，至正二年。天下金石志

增 静琬姓氏里居不可考。訪求名勝至燕涿山北白帶山，見峰巒靈秀，遂採石造十二部石經。自隋大業迄唐貞觀，大涅槃經成。是夜山吼，生香樹三十餘本。六月水漲，忽浮大

木千株至山下，因構雲居寺。明皇第八妹金仙公主增修。今香樹林後琬公塔存焉。（畿輔仙釋志）

原石經山，峯巒秀拔，儼若天竺，因謂之小西天。寺在雲表，僅通鳥道，曰雲居寺。迤南三里有石級，長里許，級盡東折爲雷音殿，四壁鐫梵語，悉隋唐人所書。復有洞七，卽知苑藏石刻處也。（長安客話）

〔臣等謹按〕雲居寺内恭懸世祖章皇帝御書文殊殿額曰別有洞天。皇上御書額曰慧海慈航。毘盧殿額曰慧海智珠。聯曰：林外鐘聲開宿靄；階前旛影漾晴暉。釋迦殿額曰耆窟香林。聯曰：石洞別開清淨地；經函常護吉祥雲。藥師殿額曰香雲常住。彌陀殿額曰金輪正覺。大悲殿額曰蓮臺淨域。小西天額曰見春亭。皆御書。乾隆十八年，御製初遊雲居寺詩並御製遊雲居寺卽景雜詠，恭載卷内。

〔又按〕長安客話所稱隋沙門知苑，隋圖經亦作静琬。

原幽州沙門知苑，精練有學識，隋大業中於幽州西山鑿巖爲石室，摩四壁以寫經。又取方石，別更摩寫，藏諸室内，每一室滿，卽以石塞門鎔鐵固之。時煬帝幸涿郡。内史侍郎蕭瑀，皇后弟也，性篤信佛法，以其事白后。后施絹千匹，瑀施絹五百匹。朝野聞之，争共捨施，故苑得成功。苑常以役匠既多，道路奔走，欲於巖前造木佛堂并食堂寖，而念木瓦難辦。忽一夜暴雷震電，明旦既晴，息山下有大木松柏數千，爲水漂積於道次。道俗驚駭，不知來處。苑乃使匠擇取其木，餘分邑里。邑里喜悦，助造堂宇，頃之畢成。苑所造石經已滿七室，以貞觀十三年卒，弟子繼其功焉。冥報記

原 智泉寺僧静琬見白帶山有石室，遂發心書經十二部刊石爲碑。隋圖經

原 石經貯於巖洞者七，地穴者二。洞以石門閉之，穴以浮圖鎮之。自隋唐迄元，碑碣森列。洪武二十一年正月，道衍奉命往觀，賦詩鐫於華巖堂之壁。雖未足彰琬師之幽光，庶以紀兹行之歲月而托不朽也。逃虚子集

增 乾隆十八年御製初遊雲居寺二十韻　明發事清遊，村烟淡靄浮。欲暄春旭麗，不冷曉風收。歷歷遵原陌，行行度野溝。杏含紅見遠，柳怯緑疑偷。近識花原未，明看枝已柔。問誰開謝墅？聞説是菟裘。過一山村，松竹瀟洒，問之，爲故尚書傅鼐别業。入谷蹊偏隘，尋逵騎半留。村民瞻露冕，緹士漫鳴騶。恍到琉璃界，紛迎雲水儔。行營剛廿里，古寺閲千秋。碑字傳貞觀，蓮經悟比邱。莊嚴信希有，名象許詮不？瀟灑坐精舍，檐楹揭素幬。藉因休衆倦，便以縱晴眸。僧進伊蒲饌，鶴彈梵唄喉。此來探勝賞，詎爲訪禪修？經洞猶雲表，崖途有瀑流。要憑窮一覽，未便更他投。曩者遥瞻企，佳哉今取酬。佛寧擅獨樂，我祇勵先憂。

增 又御製游雲居寺卽景雜詠　拈花微笑那傳心，般涅槃成離去聲。古今。可惜闍黎多附會，

未知大地是香林。右香樹林。唐刻涅槃經成，山爲三吼，因生香樹云。

雲居已據勝，概雲最佳致。踈軒納遠望，躋陟得清寄。流憩倚文榻，屬詠託遐思。籟聲泛金石，塔影落空翠。分付舍利光，記予乃初至。右概雲軒

竹樹葱翠間，峯腰瀉玉乳。山靈泉必靈，名言傳自古。抱珠守蒼龍，雲氣時吞吐。流爲功德水，香積悅法侶。何當合膚寸，徧作春郊雨。右石井

預慮昌黎論，先爲二酉藏。義都兼半滿，世已閱隋唐。扃鑰真稱固，法輪豈繫常？擬方杜元凱，猶覺欠周防。右石經洞 隋僧靜琬藏經處。

空閣凌飛崖，虛舟意彌在。英英忽滿谷，依稀泛雲海。右崖舫

絶峭忽畝平，牝洞依陽巘。何年耆闍窟，中闕三車典？空色難爲方，喧寂信皆善。大士坐如如，萬劫法輪轉。隨喜欣始遇，於斯會不淺。右聲輪洞

搏壁思少徐，孤亭恰逢此。騁望無端倪，棲神冥議擬。春從何方來，踪跡無可指。忽見桃始華，輒以名亭子。右見春亭 山崖有亭，初無名，忽見桃花始開，因以名之。

土門通細逕，絶頂憑陵高。石經藏洞底，將曝毋乃勞！天龍不禁笑，安名慣爾曹。右曝經臺。

〔臣等謹按〕雲居寺御製詩，謹繹有關紀述者恭載卷内，餘不備録。

原姚廣孝題石經山詩 峩峩石經山，連峯吐金碧。秀氣鍾芯題，勝概擬西域。竺墳五千卷，華言百師譯。琬公懼變滅，鋟筆寫蒼石。片片青瑶光，字字太古色。功非一代就，用藉萬人力。流傳鄙簡編，堅固陋板刻。深由地穴藏，高從巖洞積。初疑神鬼工，迺著造化迹。延洪勝汲冢，防虞猶孔壁。不畏野火燎，詎愁苔蘚蝕？茲山既無盡，是法寧有極？如何大業間，得此至人出？幽明獲爾刊，乾坤配其德。大哉洪法心，吾徒可爲則。逃虛子集

原薛蕙詩 翠巘雙林合，丹梯一徑懸。洞門窺地底，石室與天連。文字開龍藏，金銀布梵筵。茲山實靈異，吾欲托栖禪。西原集

【原】蔣山卿詩 金筵初布地，玉宇舊藏經。石室青霞護，松門白日扃。洞銜多宿霧，巖俯四垂星。未厭探奇意，虛疑入窅冥。南泠集

【原】張循占登小西天石經寺作 摩圍西望渺塵沙，天竺重開帝梵家。十里雲盤蒼石磴，千峯露濕白蓮花。山懸寶象秋宜月，洞鎖靈文夜有霞。聞説叢林堪卓錫，願從初地轉三車。嘉樹齋集

【原】幽州石浮圖銘，甯思道書，景雲二年四月立。又石浮圖頌，王利貞文，太極元年四月立。金石文字記

【原】王利貞易州石亭府左果毅都尉薊縣田義起石浮圖頌 詳夫釋氏大慈，能仁廣運，一揮惠劍，則結嶽峯摧；暫駕寶船，則流海波息。若迺豐牛步坦，香象登津，福祉夙昭，解行先備。非功德修淨，其有與於此乎！浮圖主石亭府果毅田公者，孝乎惟孝，忠爲令德。秉武腰文，遊仁踐義。富潤石室，貨積銅山。保性里閈，榮足知止。尊崇法門，福求無上，奉爲七代先亡見存太夫人合家大小敬造石浮圖七級，釋迦像一，菩薩神王等一鋪。爾其索寶幽谷，獲琰崇巖。異濟北之神期，匪河西之馬瑞。歘焉構迴，不日而成。狀雀離之從天，猶多寶之湧地。虬簷霧舉，寶鐸風吟。睟容如在，神儀儼若。炅朝日以舒鑒，爍幽宵以放光。與惠日而長懸，同定水之無竭。贊歎功德而述頌云：惟佛與佛，法所皆空。能仁富智，廣度多功。有清信士，産積豐崇。檀波羅密，琬琰雕礱。輪高擢露，鐸迴吟風。睟穆如在，與天地終。福霑一切，于何不隆！和州歷陽丞王利貞文，弟燕州大雲寺僧智崇，妹明度寺尼護念，弟義冲陪戎副尉上柱國，弟義隆昭武校尉上柱國雍州興國府右果毅都尉，合家供養。吉金貞石志

〔朱彝尊原按〕包咸論語注：孝乎惟孝，美大孝之辭。今碑文亦同此讀。

【原】雲居寺石浮屠銘，梁高望書，開元十年四月立。金石文字記

【原】梁高望易州新安府折衝李公石浮屠之銘 夫至道潛運，不言而化成；大象孕靈，不宰之功遂。斯則神元妙賾，雖日用而莫知；況耳目不該，豈視聽之能識？由是給園多士，競赴緇林；方丈比邱，咸歸奈苑。有想非想，住法非常樂之宗；色空卽空，生滅豈菩提之果？於是清信士易州新安府折衝都尉李文安，遊心正覺，妙達苦空。知勞生之有涯，設津梁于彼岸。迺于范陽縣西雲居寺爲亡妻河東郡君薛氏敬造石浮圖一所。旁求琬琰，荆岫爲之獻琛；遠召良工，班輸以之呈巧。盤螭隱伏，與雲峯而相交；靈鳳將翔，共陽烏而接翼。飛空七級，狀多寶之移來；騰虛四迴，疑衆仙之涌出。兼以山含萬象，地蘊靈奇。蓮沼澄光，似猴池之浴日；松枝引籟，若祇樹之吟風。衆妙難名，約敷厥美。冀同拂石，萬劫兹山。銘曰：麗哉弘璧，出矣崑山。磨礱不日，神儀婉然。亭亭淨域，峩峩給園。光浮十界，色照三天。衆妙功德，莫惟斯重。鏤鳳旁矯，雕龍上聳。買地有巢，福田無種。利益潛通，存殁偕奉。易州府遂城縣

書助教梁高望書，開元十年四月八日。易州志

原寺門右石浮屠銘，太原王大悦撰并書，立於開元十五年二月。燕都游覽志

原王大悦石浮圖銘序畧 建浮屠於門右者，鄭氏字元泰，范陽人。木易燼滅，土亦塵散。石之永贍，惟其有恒。緊法之堅，念兹無替。銘曰：高塔峩峩，示延遐矚。多生攘攘，動善羣觸。兹設兹利，無礙無疆。其福豐衍，其資廣長。彼石惟堅，我性亦定。永永不滅，視以知正。吉金貞石志

原山頂石浮圖後記，王守泰行書，開元二十八年四月立。金石文字記

原王守泰記山頂石浮圖後，大唐開元十八年金仙長公主爲奏聖上，賜大唐新舊譯經四千餘卷，充幽府范陽縣爲石經本。又奏范陽縣東南五十里上垡村趙襄子淀中麥田莊并果園一所及環山林麓，東接房南嶺，南逼他山，西止白帶山口，北限大山分水界，並永充供給山門所用。又委禪師元法歲歲通轉一切，上延寶曆，永福慈王，下引懷生，同攀覺樹。粤開元二十八年庚辰歲朱明八日，前莫州吏部常選王守泰記，送經京崇福寺沙門智昇、檢校送經臨壇大德沙門秀璋、都檢校禪師沙門元法。吉金貞石志

原涿鹿山石經堂記，唐節度使劉濟撰，元和四年立。燕都游覽志

原碑後有節度押衙銀青光禄大夫檢校國子祭酒兼監察御史上柱國姚可矩弟攝歸順州參軍可恭盧龍節度驅使官可質，咸通十三年四月題名。國門近游録

原劉濟涿鹿山石經堂記 我唐十有一葉，皇帝繼明昭宣，光被四海，神人以和。逮今己丑歲，凡五祀矣。方隅守臣樂其休明，天地大德，罔知攸報。濟封内山川有涿鹿山石經者，始自北齊，至隋沙門静琬，睹層封雲跡，因發願造十二部石經。至國朝貞觀五年，涅槃經成。其夜山吼三聲，生香樹三十餘本。其年六月，瀑水浮大木數千株於山下，遂構成雲居寺焉。既而玄宗開元聖文神武皇帝第八妹金仙長公主特加崇飾，遐邇之人增之如蟻術焉。有爲之功，莫此而大。濟遂以俸錢爲聖上刻造大般若經，以今年四月功就，親與道俗齊會石經峯下。飦等香積而法雲靄空，會同華嚴而花雨滿地。金篆玉版，燦如龍宫。神光曜日，宇宙金色。於是一口作念，萬人齊力，岩壑動，鸞鳳翔，或推之，或挽之，以躋於上方，緘於石室。必使刦火燒而彌固，桑田變而不易。或資聖壽，壽願比於崇山；緘於石經，經願延於沙界。鴻祚景福，聖壽無疆。幕府衆君子同稱讚之。時元和四年四月八日記。吉金貞石志

原唐雲居寺主律大德神道碑銘，灊江棲夷子何籌撰，盧龍節度驅使官張景琮書，并篆
額，咸通八年丁亥歲十一月四日建。國門近游録

原何籌律大德道行碑畧　大德諱真性，涿郡范陽人。元和中廉察使相國彭城劉公慕其高行，亟請臨壇。曁太和九祀，
方伯司徒史公之領戎也，益傾南望之誠，兼陳北巷之敬。奇香異藥，上服命衣，使命往來，難可稱計。以其年季秋
示寂於本寺東院，上足仲說、恒智、鑒真、惠增、志千、文展、寶定等七人，感師之教，焚棺於碧岫之陽，起塔於
清流之左，議刻貞珉，紀其盛德。俄屬先朝大興沙汰，寺皆毁廢，僧遁林巖，洎佛法重興，屢更星歲，七人之内，惟
寶定存，乃與寺主僧弘信再
議崇立焉。吉金貞石志

〔朱彝尊原按〕碑稱廉察使相國彭城劉公者，節度使濟也。其曰方伯司徒史公者，留
後元忠也。

原王正燕山雲居寺碑　雲居寺東一里有高峯，峯之上十餘步有九室，室之内有經四百二十萬言，本自靜琬始厥謀，歷
道暹諸公成其事。佛宇經廚，僧坊鐘閣，材惟杞梓，砌則琳珉。古檜星羅，流水環繞。闕堤相望，門闥洞開。風俗
以四月八日共慶佛生，凡水之濱山之下，不遠百里，預饋供糧，號爲義食。先是，庚午年，寺主謙諷和尚爲門徒時，
僕自皇后臺披褐來遊，論難數宵，以道相得。自兹一别，僕以職倅於瀛，掌記於武定，廉察於奉聖，陟在憲臺，還
在諫署，佐兹邦計。迨今十五年，復會於兹寺。和尚建庫堂一座，五間六架，廚房一座，五間五架，轉輪佛殿一座，
五間六架，暖廳一座，五間五架。又化助前燕王侍中蘭陵公建講堂一座，五間七架。又化助公主建碑樓一座，五間
六架，并諸腰座。次建飯廊一十三間四架，次又建東庫四間五架，次建梵網經廊房八間四架，次蓋後門屋一座，餘
有捨短從長，加朱施粉，周而復始，不可殫論。乙丑歲，天順皇帝御宇之十五載，丞相秦王統燕之四年，泰階平格，
澤明八風，草偃四海。鏡清和尚慶此得時，懇求作記。僕以謙諷等同德經營，協力唱和，結一千人之社，一千人之
心，春不妨耕，秋不廢穫。立其信，導其教，無貧富後先，無貴賤老少，施有定例，納有常期，貯於庫司，補兹寺
缺。寺不壞於平地，經不墜於東峯。稽首靈巖，載銘貞石。鹽鐵判官
朝議郎行右補闕賜緋魚袋王正述，前鄉貢進士鄭熙書。房山縣志

原沙門智光重修雲居寺記　應曆十四載，寺主謙諷，完緝一寺，結邑千人，請右補闕瑯琊王公正作碑，頃因兵火，遂至
傷缺。補闕子諸行宫都部署判官都官員外郎賜紫金魚袋教念先人遺跡，出俸錢再修。以釋智光乃考之執友也，故命
刊述勒之。時睿德神畧應運啓化承天皇太后至德廣孝昭聖皇帝御
極之二十三年，統和乙巳歲八月丁丑朔十一日丁亥記。同上

〔朱彝尊原按〕王正、智光二記共勒一碑，碑額篆書重修雲居寺一千人邑會之碑，一稱結一千人之社，一千人之心，一稱完葺一寺，結邑千人。近年京城發地，得仙露寺石函，記後有千人邑三字，尼曰邑頭尼，覽者疑是地名。合此碑觀之，則知千人邑者，社會之名爾。天順皇帝者，遼穆宗尊號。丞相秦王者，重元爲南京留守也。遼史，聖宗初卽位，羣臣上尊號曰昭聖皇帝，統和元年六月，上尊號曰天輔皇帝，五年四月，上尊號曰至德廣孝昭聖天輔皇帝，二十四年十月，上尊號曰至德廣孝昭聖天輔皇帝。今碑建於二十三年，尊號無天輔字，是則二十四年十月以前聖宗尊號但云至德廣孝昭聖皇帝，如碑所記。至二十四年，乃合元年尊號天輔字以稱之，否則二十四年所上之號與五年無異，何用羣臣復上乎？竊疑史有誤也。

【原】沙門志才涿鹿山雲居寺續秘藏石經塔記　古之碑者，用木爲之，乃葬祭饗聘之際所植一大木，而字從石者，取其堅久也。秦漢已降，凡有功德政事亦碑之，欲圖不朽，易之以石。雖失其本，從來所尚，不可廢焉。浮圖經教來自西國，梵文貝葉，此譯華言，盡書竹帛。或邪見而毁淫，或兵火而焚爇，或時久而蠹爛，孰更印土求諸與？有隋沙門靜琬深慮此事，厲志發願，於大業年中至涿鹿山，以大藏經刻於貞珉，藏諸山竇。大願不終而奄化。門人道公、儀公、暹公、法公，師資相踵，五代造經，亦未滿師願。至遼，劉公法師奏聞聖宗皇帝，賜普渡壇利錢續造，次興宗皇帝賜錢又造，相國楊公遵勗、梁公潁奏道宗皇帝賜錢，造經四十七帙，通前上石共計一百八十七帙，已厝東峯七石室内，見今大藏仍未及半。有通理大師，緇林拔秀，名實俱高。教風一扇，草偃八紘。其德餘業俱載寶峯本寺遺行碑中。師於茲山寓宿，有續造念興，無緣慈，爲不請友。至大安九年正月一日，遂於茲寺放開戒壇，士庶道俗入山受戒，巨以數知，方盡暮春，始得終罷，所獲錢施乃萬鏹，付門人右街僧録通慧圓照大師善定校勘刻石。石類印板，背面俱用鐫經兩紙，至大安年錢已盡，功且止，碑四千八十片，經四十四帙，題名目録刻如左。未知後代誰更繼之。又有門人講經沙門善鋭念先遺風，不能續扇，經碑未藏，或有殘壞，與定師共議募功。至天慶七年，於寺内西南隅穿地爲穴，道宗皇帝所辨石經大碑一百八十片，通理大師所辨石經小碑四千八十片，皆藏瘞地穴之内，上築臺

砌甎建塔一座，刻文標記石經所在。房山縣志

增遼趙遵仁碑畧　燕郡之有五郡，民最饒者，涿郡首焉。涿郡之有七寺，境最勝者，雲居占焉。寺隋朝所建，號自唐代所賜。山在郡之西北五十里，寺在山之陽。寺之東有峯最高，故曰東峯。峯頂上有石室七焉，經貯是室。先是，太平七年，會故樞密直學士韓公紹芳牧是州，因從政之暇，命從者遊是山，詣是寺，陟是峯，暨觀遊間，乃是石室内經碑且多，依然藏貯，遂召當寺耆秀，詢以初迹。代去時移，詢無知者。既而於石室間取出經碑，驗名對數，得正法念經壹部全七十卷，計碑二百一十條，大涅盤經壹部全四十卷，計碑一百二十條，大華經壹部全八十卷，碑二百四十條，大般若經五百二十卷，碑一千五百六十條。又於左右別得石記云：幽州沙門釋静琬精有學識，於隋大業中發心造石經一藏，以備法滅，遂於幽州西南白帶山上鑿爲石室，以石勒經藏諸室内，滿卽用石塞户，以鐵錮之。其後雖成其志，未滿其願。以唐貞觀十三年奄化歸真，門人導公繼焉。導公没，有儀公繼焉。儀公没，有暹公繼焉。暹公没，有法公繼焉。自琬至法凡五代，不絶其志。乃知自唐以降，不聞繼造，佛之言教，將見其廢耶！一省其事，喟然有興復之歎。以具上事奏於天朝，我聖宗皇帝鋭志武功，留心釋典，暨聞來奏，深快宸衷。乃命故瑜伽大法師諱可元提點鐫修，勘訛刊謬，補缺續新，琬師之志因此繼焉。迨我興宗皇帝之紹位也，孝敬恒專，真空夙悟。常念經碑數廣，匠役程遥。藉檀施則歲久難爲，費常住則力乏焉辦？重熙七年，於是出御府錢，委官吏貯之，歲析輕利，供書經鐫碑之價，仍委郡牧提點。自兹無費常住，無藉檀施，以時繫年，不暇鐫勒。自太平七年至清寧三年，中間續鐫造到大般若經八十卷，計碑二百四十條，以全其部也。又鐫到大寶積經一部，全一百二十卷，計碑三百六十條，以成四大部數也。都總合經碑二千七百三十條。清寧三年五月十二日，大寶積初成，郡守蕭公諱惟平召予謂曰：四大部經今續鐫畢，見聞之下，幸會攸難，願製好詞，以爲刊記。予罔媿孱蕪，直以爲記。清寧四年三月一日記。同上

增釋法真石經山雲居寺藏經記畧　元之有天下，列聖相繼，崇重佛法，琅函玉軸，列刻争輝。仁宗御宇，尤篤深信。萬幾之暇，躬親討論，鏤印經相，刱建招提，皆設官以董之。銀青榮録大夫中書平章政事闕禧宗闕等院使明埒克楝阿，時爲親信大臣，特承顧問。凡所以宏護佛氏，興隆三寶者，公蓋有力焉。聞房山之東峯有石經，厥績甚懋，而長老歸源雲公適任住持，公故臨觀焉。徘徊顧眺，愛其山水奇秀，寺宇静深，可爲皇家祈福之所。而藏教缺然，僧徒無以轉讀。歸以是奏。得經律論一大藏，藏於寺。厥後輔相累朝，大節益著，四海蒙德澤者蓋亦有年。當天曆初，公實預大策，以佐命元勳入中書領今職。其豐功盛烈，銘之鼎彝，大書國史。而眷眷佛門，爲之金湯，以護法爲己任。吾曹久知其所自矣。今住持長老行澤，號藏山，前以公疏勸請主京之竹林，竹林舊刹也。既積獘廢，公嘗爲奏得田五十頃以施，選名僧居焉。澤住持此四年，補葺罅漏，修飾寺塔，及退席而來是山，亦公之蔭，念無以旌厚德，具石乞文於予。予以山澤之臞，爲學孤陋，烏足以應來命？第惟山野開法之初，公實奏御，抑與藏山爲昆仲，義不得辭。同上

增賈志道重修華嚴經本記畧　至正改元夏四月，有高麗國僧名慧月者，因禮文殊大士於五臺，衲衣錫杖，幽然脱俗，經房山縣西鄉里東峯古刹，名曰小西天華嚴堂，其堂并華嚴經本等十二部皆石爲之，蓋有年矣。歲月綿延，住僧雲

至，堂摧經剥者有之，存基址焉。慧月留止於此，憫其石户摧圮，經本殘缺，幸遇資政院使資德大夫龍卜高公、匠作院使大夫黨珠申公，慧月拜禮，詳陳其事，公等允其言，布施淨財千餘緡，命慧月施勞董工，修石户經本，不月餘而俱修。至正改元夏五月初八日立石。同上 按：黨珠舊作黨住，今對音譯改。

原釋德清涿州石經山雷音窟舍利記畧 有明萬曆二十年壬辰歲，四月庚寅朔，十有五日甲辰，達觀可禪師自五臺來，送龍子歸潭柘。聖母慈聖宣文明肅太后聞之，遣近臣陳儒、趙斌等送齋供資。五月十二日辛未，攜侍者道開、法厲、如奇、如印等至石經山雷音窟，窟内有大業中静琬石刻經所，師見窟中像設攤敝，石經薄蝕，因命東雲居寺住持明亮芟刈之。是日光燭巖壑，風雷動地。翌日啟洞中拜石，石下有穴，穴藏石函縱横一尺，面刻大隋大業十二年歲次丙子四月丁卯朔八日甲子於此函内安置佛舍利三粒，願住持永劫，計三十六字。貯靈骨四五升，狀如石髓，異香馥郁。有銀函方寸許，中盛小金函半寸許，中貯小金瓶，如胡豆粒，中安佛舍利三顆，如粟米，紫紅色，如金剛開。侍者請至師所，師歡喜禮贊。既而走書付趙斌，以白内奏事。徐上聞聖母皇太后，太后欣然，齋宿三日。六月朔己丑，迎入慈寧宫，供養三日。乃於小金函外加一玉函，玉函外復加小金函，方一寸許，坐銀函内，以爲莊嚴。出帑銀五十兩，仍造大石函，總包藏之。於八月二十日丁未，復安置石穴，命沙門德清記其事。憨山文録

原萬曆中，香樹庵以浮糧苦累，日就淪落，幾爲勢家所没。慈聖皇后發帑金贖之。而黄太史輝、王太史肯堂復捐俸錢相助，遂復舊觀。燕都遊覽志

原東峪、西峪兩寺，石經洞之左右翼也。同上

原東峪寺門白楊成林，風氣慘裂，北臺如蓮花在水中央。東臺亦奇特，臺上石浮圖，唐金仙公主所建。五臺之外環以巨嶂，其石紋或類雨點，或類卷雲。瀟碧堂集

原從南臺而下，山麓間有寺曰西峪，寺東溪水濶可五丈，聲潺潺若風雨驟至。五臺僧皆穴處，遊人不可留，多憇此寺。長安客話

欽定日下舊聞考卷一百三十二

京畿 房山縣三

原金諸帝陵在縣西北二十里雲峯山下。涿州志

〔臣等謹按〕雲峯山金帝陵，本朝順治初，特設守陵五十户，每歲春秋致祭享，殿前碑亭恭勒世祖章皇帝御製碑文、聖祖仁皇帝御製碑文。乾隆十六年皇上命葺金太祖、世宗二陵享殿及繚垣，工竣，親詣展謁，並御製謁金太祖、世宗二陵詩，恭載卷内。

原金海陵煬王，貞元三年三月乙卯，命以大房山雲峯寺爲山陵，建行宫其麓。五月乙卯，命判大宗正事京等如上京，奉遷太祖、太宗梓宫。丙寅，如大房山，營山陵。六月乙未，命左丞相布薩思恭、大宗正丞哈布爾如上京，奉遷山陵。七月辛酉，如大房山。八月壬午，如大房山。甲申啓土，賜役夫人絹一匹。九月己未，如大房山。丁卯，上親迎梓宫於沙流河，親射麞以薦。十月戊寅，奠梓宫於東郊。己卯，梓宫至中都。丁酉，大

房山行宮成，名曰磐寧。十一月乙巳朔，梓宮發丕承殿。戊申，山陵禮成。金史海陵紀 按：哈布爾，蒙古語春也，舊作胡拔爾。今譯改。

原 正隆元年二月庚子，謁山陵。七月己酉，命太保昂如上京，奉遷始祖以下梓宮。八月丁丑，如大房山，行視山陵。十月乙酉，葬始祖以下十帝於大房山。閏月己亥朔，山陵禮成。同上

原 世宗大定二十一年，勅封山陵地大房山神爲保陵公。册曰：古之建邦設都，必有名山大川以爲形勝。我國家既定鼎於燕，西顧郊圻，巍然大房，秀拔渾厚，雲雨之所出，萬民之所瞻。祖宗陵寢，於是焉依。仰惟岳鎮，古有秩序，皆載祀典。矧茲大房，禮可闕歟！其爵號服章，俾列於侯伯之上，庶足以稱。今遣官備物册，命神爲保陵公，申勅有司，歲時奉祀。其封域之内，禁無得樵采弋獵，著爲令。金史禮志

原 大定二十九年，置萬寧縣以奉山陵。明昌二年，更奉先縣。金史

原 太祖葬睿陵。太宗葬恭陵。熙宗被弒，葬於皇后裴摩氏墓中。貞元三年，改葬於大房山蓼香殿。大定初，追上謚號，陵曰思陵。二十八年，改葬於峨眉谷，仍號思陵。海陵煬王葬於大房山鹿門谷諸王兆域中。大定二十年，降爲庶人，改葬於山陵西南四十里。睿宗於大定二年改葬於大房山，曰景陵。顯宗於大定二十五年十一月葬大房山。章宗卽

位，號曰裕陵。世宗葬興陵。章宗葬道陵。同上　按：費摩氏舊作裴滿氏，今從八旗姓譜改正。

補 金太祖葬地，號曰泰陵。太宗所葬之墳山，號曰豫陵。神麓記

補 金太祖陵曰睿陵，太宗陵曰恭陵，後改葬大房山，名仍其舊。苗氏所紀，特與史不同，或者其初擬名也。讀禮通考

補 金之先世卜葬於護國林之南。迨亮徙燕，始置陵寢。令司天臺於良鄉縣西五十餘里大紅山西大紅谷，曰龍銜寺，峯巒秀拔，林木森密。亮尋毁其寺，遂遷祖父改葬於寺基之上，又將正殿元位佛像鑿穴，以奉安太祖、太宗、德宗，其餘各隨昭穆序焉。金圖經

〔臣等謹按〕大紅谷，大金國志作大洪谷。

原 國初，祖宗葬於護國林之東。逮海陵徙燕，令司天臺卜地，得良鄉縣西五十里大洪谷曰龍城寺，峯巒秀出，林木隱映，遂築陵遷葬。於是惟熙宗葬於山陰。大金國志

補 金主亮離燕京，詣諸陵祭享，其俗相傳謂之燒飯天。海陵集

補 淳熙十五年十二月癸酉，諜報，金人制曰：朕惟熙宗孝成皇帝，以武元嫡孫受文烈顧命，作其卽位，十有五年。偃兵息民，中外安乂。而海陵庶人亮，包藏禍心，覬覦神器。陰煽姦黨，遂成篡逆。而又厚加誣詆，降從王封。亮既得志，肆其凶殘。不道之極，至於弑母。人怨神怒，自底誅滅。惟皇天眷佑於我家，肆予一人，纘承先緒，暴其

罪惡，貶爲庶人，仍黜其殯於兆域之外。仰惟熙宗號位宜正，是以間者稽合禮文，升祔太室，復加美謚，尊而崇之。惟是葬非其所，蓋嘗憮然。爰命有司，卜地涓日，奉遷梓宮。已於十月初八日備禮葬於思陵，庶幾有以慰在天之靈也。大定二十八年十一月日。熙宗卽亶也。思陵録

〔朱昆田原按〕此制，金史失載。

原 瑞雲宮在金太祖陵側，遺址僅存。涿州志

〔臣等謹按〕金史地理志又稱奉先縣有磐寧宮，今亦無可考。

增 世祖章皇帝御製金太祖世宗陵碑文朕惟自古膺圖受籙，咸有大功德於天下。其没也，弓劍之藏，後世重焉。匪特陰陽之所景貺，實亦遐邇之所繹思。故世代雖遥，崇禮不替。若聲教被於當年，園寢湮於異世。非所以昭德追遠也。朕撫有九有，於前代陵墓未嘗不惓惓於心，申勑所在，守護惟謹。惟金朝之陵在房山者，前我師克取遼東，故明惑於形家之説，疑與本朝王氣相關，遂劚斷其地脈。又己巳歲，我太宗文皇帝統師入關，念金朝先德，遣王貝勒大臣詣陵致祭。明復加摧毁，且建立關廟，爲厭勝之術。夫不達天命之有歸，而謬委靈於風水，移災於林木，何其誕也！金朝垂祚百有餘年，英主哲辟，實光史册。乃異代之後，兆域荒圮，祀典缺廢。撫今追昔，慨焉興嘆。金太祖、世

宗已經享祀帝王廟，其陵寢命地方官虔供春秋外，兹特諭禮臣耑官省視，修其頹毁，俾規制如初。并令有司時祭無斁。嗚呼！廟貌既崇，特景仰於往哲；封壤重焕，用昭示於來兹。爰勒貞珉，以垂不朽云爾。

增聖祖仁皇帝御製金太祖世宗陵碑文 朕惟聖王制祀，昭德報功。禮官陳儀，修廢舉墜。所以扢揚曩烈，光表前王。訪弓劍於遺墟，葺園陵於豐草。垂諸簡册，茂典彰焉。我國家纂受鴻圖，誕膺景命。下車伊始，爰命修祀前代陵墓。朕御寓以來，益深厪念。申勅有司，歲時展敬，於凡鞏護之道，無不備至。惟金朝房山二陵，當我師克取遼陽，故明惑形家之説，謂我朝發祥渤海，氣脈相關。天啓元年，罷金陵祭祀。二年，拆毁山陵，劚斷地脈。三年，又建關廟於其地，爲厭勝之術。從來國運之興衰，關乎主德之善否。上天降鑒，惟德是與。有德者昌，無德者亡。於山陵風水原無關涉。有明末造，政亂國危，天命已去。其時之君臣，昏庸迷謬，罔知改圖，不思修德勤民，挽回天意，乃輕信虚誕之言，移咎於異代陵寢，肆行摧毁。迨其後，流寇猖獗，人心離叛，國祚以傾。既與風水無與，而前此之厭勝摧毁又何救於亂亡乎？古之聖王掩骼埋胔，澤及枯骨。而有明君臣乃毁及前代帝王山陵，其舛謬實足貽譏千古矣。夫金朝垂祚百有餘年，英君哲辟，實光史册。天聰三年，太宗文皇帝統師入關，知金太祖、世宗二帝陵寢在兹，追念鴻烈，特遣王貝勒大臣詣陵致祭。蓋我太宗文皇帝訏謨偉畧，度越前王，乘輿所至，威德布昭，表遺徽而欽往哲，誠非常之盛事也。洎世祖章皇帝定鼎中原，隨享金太祖、世宗於歷代帝王廟，復命地方官春秋致祭陵寢，又諭禮臣耑官省視，修其頹毀，俾規制如初。朕纘承丕緒，緬溯前徽，特命所司，虔申禋祀，以昭繼述闡揚之意。嗚呼！梡嶡依然，景金源於往代；櫰樬宛在，溯蓼殿於當年。誌此遺風，勒諸貞石云爾。

增乾隆十八年御製謁金太祖睿陵詩 開國金源肇自東，一時攀附會雲風。丕承肆伐追遼帝，善任知人類沛公。史策鴻猷傳赫奕，睿陵佳氣鬱龍葱。建康前歲猶親奠，況復龍興渤海同。

增又御製過金世宗陵留句 牧擾樵侵不忍言，重瞻宰樹鬱陵園。金世宗陵在房山，近始命有司修建享殿，重加修葺。事殷不襲三分跡，稱姪何殊一統尊？君德已臻小堯舜，國風每溯舊根源。愛民勤政心無斁，景仰高山志所存。

〔臣等謹按〕金世宗陵修建享殿，並重加修葺，詳見御製詩注，謹編載卷内。金太祖陵同時修葺，詳前按内。

原儲巏大房金源諸陵詩 奉先西下亂山侵，澗道迴旋入暮林。翁仲半存行殿跡，莓苔盡蝕古碑陰。秋山春水風烟换，大定明昌德澤深。卻是宣和解亡國，穹廬黄屋恐非心。柴墟集

原賈島谷在房山縣西。内有石室，世傳爲島所居。明一統志

增乾隆十八年御製賈島故里詩 聞説閬仙里，依然在范陽。不因逢吏部，終是托空王。幸有遺編在，難尋宿學荒。一家言自就，僻瘦定何妨？

〔臣等謹按〕賈島故里御製詩，恭載首見之篇，餘不備録。

原房山縣石口村有賈島庵，云是島爲僧時所棲。負山臨壑，最爲幽勝。燕山叢録

原賈島墓在縣南一十里。明一統志

原島初祝髮於瀛州法善寺，後居房山西峪。峪有石庵，是島故宅。後舉進士授長江簿，卒於蜀，歸葬房山，墓在縣城南十里。長安客話

原弘治中，御史盧某訪唐詩人賈島墓，得斷碑於石樓村，乃闢地植碑，大學士李東陽别樹一碑記焉。帝京景物畧

〔臣等謹按〕李東陽賈島墓碑記無考。

原島初赴名場日，以八百舉子所業悉不如己，往往獨語，旁若無人。或鬧市高吟，或長衢嘯傲。韓愈與之爲布衣交，贈詩曰：孟郊死葬北邙山，日月風雲頓覺閒。天恐文章聲斷絶，再生賈島向人間。賈又吟病蟬之句，以刺公卿。公卿惡之，與禮闈議奏，島與平曾等風狂撓擾貢院，逐出關外，號爲十惡。後爲僧，名無本，入京，投蜀僧悟達國師院中，潛於鐘樓案下。宣宗微行，聆鐘樓有吟詠聲，遂登樓，於島案上取吟次詩欲看。

島不識帝，攘臂睨帝，遽於帝手奪之，曰：郎君何會耶！帝慚赧下樓。島尋追悔，欲投鐘樓。帝惜其才，亟詔釋罪。謂島曰：方知卿薄命矣。遂御札墨制除島爲長江主簿。勑曰：比者禮部奏卿風狂，遂且令關外將息。今卻攜卷軸，潛至京城，遇朕微行，聞卿高詠。覩其志業，可謂屈人。是用顯我特恩，賜爾墨勑。宜從短簿，別俟殊科。可守劍南道遂州長江縣主簿，仍便賫勑，乘驛赴官。大中八年九月七日。島自長江遷普州司倉，至老無子，因啖牛肉得疾，終於簿署。後程錡評事倅岳陽日，爲詩悼之，因創墓在岳陽山上。岳陽，普州地名，山下有岳陽池。鑑誡録

原賈島，字浪仙，范陽人。初爲浮屠，名無本，韓愈教其爲文，去浮屠，舉進士，不第。文宗時，坐飛謗貶長江主簿，會昌初以普州司倉遷司户，未受命，卒。新唐書

原島初赴舉在京，在驢上得句，引手作推敲之勢。時韓退之爲京兆尹，車騎方出，島不覺行至第三節，左右擁至尹前。退之遂與並轡歸，爲布衣交。後累舉不第，乃爲僧，號無本，居法乾寺。一日宣宗微行至寺，聞鐘樓上有吟聲，遂登樓，於島案上取詩卷覽之，島攘臂奪之曰：郎君何會此耶！宣宗既去，島知亟謝罪，乃除遂州長江簿，後遷普州司倉，卒。故程錡以詩悼之，有騎驢衝大尹，奪卷忤宣宗之句。唐遺史

原賈島太和中嘗跨驢張蓋，橫截天街，時秋風正厲，黄葉可掃。島吟曰：落葉滿長安。

求一聯不可得，不知身之所從。因衝京兆尹劉栖楚節，被繫一夕，釋之。又嘗遇武宗於寒水精舍，島尤肆慢。武宗訝之曰：令與一官。授長江簿，至普州司倉，卒。摭言

原韋莊奏請追贈近代人不及第者。孟郊、李賀、皇甫松、李羣玉、陸龜蒙、趙光遠、李甘、劉得仁、陸逵、傅錫、平曾、賈島、劉稚珪、顧邵孫、沈佩、顧蒙、羅鄴、方干諸人，俱無顯遇，皆有奇才。麗句清詞，徧在時人之口；銜冤抱恨，竟爲冥路之塵。伏乞宣賜中書門下，追贈進士及第，各贈補闕拾遺。同上

原長江在東蜀境内，賈浪仙冢於此處。雲臺編

原長江縣，賈島謫爲主簿，有墓在焉。方輿勝覽

原賈島墓在安岳縣。島遷普州司户參軍，卒，葬此。安岳有大雲山，昔有雍州李洞避朱泚之亂，入蜀隱此，鑿石爲洞，讀易其中，嘗師事賈島云。潼川州志

原新書謂島先爲浮屠，後舉進士。遺史謂後因不第乃爲僧。摭言謂吟落葉滿長安句，衝京尹劉栖楚節。遺史謂得僧敲月下門句，衝京尹韓退之節。新書謂文宗時坐飛謗貶長江簿。遺史謂奪詩卷忤宣宗，除長江簿。摭言又謂肆慢武宗。紛紛之論，不同如是。今集中載大中八年墨制，若是則島出仕於宣宗之時矣。考蘇絳所撰墓誌，則曰會昌癸亥歲，終於郡官舍。島既死於武宗之世，宣宗墨制疑後人所擬，以附會遺史之說。不然，則太

和誤爲大中，亦未可知也。野客叢書

【原】大中墨勅九十四字，舊刻石祠堂中。唐書傳云：文宗時坐飛謗，貶長江主簿。會昌初，以普州司倉遷司户參軍。墓誌亦記罹飛謗，解褐責授長江簿。會昌癸亥，終於普州官舍。蘇絳當時人，誌必不差。摭言載武宗時謫去，亦非也。然則大中恐是太和字，不敢輒改，俟知者辨之。紹興二年閏月辛卯，朝議大夫提舉江州太平觀平陽王遠跋。長江集附録

【原】唐鄉貢進士蘇絳撰島墓銘　君穿楊未中，遽罹飛謗，解褐責授遂州長江縣主簿。三年秩滿，遷普州司倉參軍。君性和茂，未嘗評人之是非。不食葷血，風骨自清。念持金偈，真枝至理。悟浮幻之莫實，信無生之可求。智矣哉！又善攻筆法，得鍾張之奥。所著文篇，滄然躡陶謝之蹤。以會昌癸亥歲七月終於郡官舍，未浹旬，轉授普州司户參軍。無子。夫人劉氏，承君遺旨，粤以明年三月擇安岳縣移風鄉南岡權妥，禮也。慮陵谷遷變，刊石紀時。長江集附録

【原】鄭谷長江縣經賈島墓作　水繞荒墳縣路斜，耕人訝我久咨嗟。重來兼恐無尋處，落日風吹鼓子花。雲臺編

【原】李頻過長江傷賈島作　忽從一宦遠流離，無罪無人子細知。到得長江聞杜宇，想君魂魄也相隨。梨岳集

【增】李東陽賈島墓詩　百里桑乾繞帝京，浪仙曾此寄浮生。葬來詩骨青山瘦，望盡荒原白草平。無地椒盤供廟祀，有人驄馬問村名。穹碑四尺標題在，詞賦風餘萬古情。茶陵集

（朱彝尊原按）賈島墓本在普州安岳縣移風鄉，蘇絳誌文足據，何光遠亦云墓在岳陽山上。岳陽，普州地名，則島墓在普州無疑。而鄭都官又有長江縣經島墓詩，祝和父亦稱島謫長江簿，有墓在焉。或長江與普壤地相接故爾。李頻詩：一宦終遐徼，千山隔旅墳。李洞詩：旅葬新墳小，歸魂故國遥。曹松詩：已葬離燕骨，難招入劍魂。

皆憫其遠葬於蜀。明一統志乃載入房山，蔣仲舒遂謂賈卒於蜀，歸葬房山，不知何所本也。

原 姚廣孝墓在縣治東北四十里太平里。明一統志

原 聖岡在盧溝橋西二十里，北有姚少師塔，塔前有御製碑文。右爲長羅寺司禮監太監王安墓，在其後。北游紀方

原 宣德元年五月，立故少師榮國公姚廣孝神道碑。初，廣孝卒，太宗皇帝親製碑文，命有司營葬，并樹碑神道。碑已具而文未刻。至是，其養子繼以請。上出永樂中御製文付之曰：其卽刻碑以成皇祖嘉念功臣之志。明宣宗實録

原 明成祖御製姚少師神道碑 朕惟商宗得傅巖之叟以佐中興，漢高用赤松之流以成大業。蓋天之生斯人也，豈偶然哉！惟我太子少師姚廣孝，蘇之長洲人。祖菊山，父妙心，皆積善。母費氏。廣孝器宇恢宏，性懷沖澹。初學佛，名道衍，潛心内典，得其閫奥。發揮激昂，廣博敷暢，波瀾老成，大振宗風，旁通儒術。至諸子百家靡不貫穿，故其文章閎麗，詩律高簡，皆超絶塵世，雖名人魁士，心服其能，每以爲不及也。洪武十五年，僧宗泐舉至京師，朕皇考太祖高皇帝一見異之，命住持慶壽寺。事朕藩邸，每進見論説，勤勤懇懇，無非有道之言。察其所以，堅確有守，積純無疵，朕益重之。及皇考賓天，而奸臣擅命，變革舊章，搆爲禍亂，危迫朕躬。朕惟宗社至重，匡救之責，實有所在。廣孝於時識進退存亡之理，明安危禍福之機。先機效謀，言無不合。出入左右，帷幄之間，啟沃良多。内難既平，社稷奠安。乃召至京師，命易今名。特授資善大夫太子少師。既又錫之誥命，祖考皆追封資善大夫太子少師如其官。朕命儒臣，纂修皇考太祖高皇帝實録，廣孝爲監修官，躬自較閲，克勤所事。嘗歸吴中，以所賜金帛悉散之宗族鄉人，其平生樂善好施，天性然也。永樂十六年三月，來朝北京，仍居慶壽寺。朕往視之，與語極歡。至二十八日，召諸門人，告以去期，卽斂衽端坐而逝。享年八十有四。朕聞之哀悼不勝，輟視朝三日，令有司爲治喪葬，追封榮國公，謚恭靖，贈以勳號。百司官寮暨畿内士庶，遠近傾赴，肩摩踵接，填郭塞衢，雖武夫悍卒，閭巷夫婦，莫不讚歎嗟咨，瞻拜敬禮，惟恐不及。凡七日，儀形如生，異香不散，卜地西山，礱石建塔。四月六日發引，靈輀飄灑，法幢旋繞，於以火之，心舌與牙堅固不壞，得舍利皆五色。其所養深矣。六月十一日乃葬，墓在房山縣東

北四十里。嗚呼！廣孝德全始終，行通神明，功存社稷，澤及後世，若斯人者，使其棲棲於草野，不遇其時，以輔佐興王之運，則亦安得播聲光於宇宙，垂功名於竹帛哉？眷惟耆艾，深切念懷。乃揚其功德之不可泯者，勒之金石，以詔來人。明成祖御製集

補 高尚書彥敬，西域人，善畫，青山白雲，甚有遠致。詩亦有唐人意度，有絶句云：無限紅塵隨馬足，春光更比路人忙。墳今在房山羊頭岡下。鐵網珊瑚

補 高尚書畫在元時推爲第一，臨川危素贈詩云：房山居士高使君，系出西域才超羣。河東張翥云：老筆精神如米虎，此山秀氣敵天台。鄱陽周伯琦云：西域才人畫似詩，雲山高下墨淋漓。聞尚書有墓在羊頭岡故西巖，姚庸詩有云：月射羊岡玉樹林，山齋猶在白雲深。今土人已無知其處者。查浦輯聞

原 易水出西山寬中谷，東逕五大夫城南。昔北平侯王譚，不同王莽之政，子興生五子，並避時亂，隱居此山，故其舊居世以爲五大夫城卽此。岳讚云：五王在中，龐葛連續者也。易水東左與子莊溪水合，水北出子莊關，南流逕五公城西，屈逕其城南。五公，謂王興之五子也。光武卽帝位，封爲五侯。元才北平侯，益才安喜侯，顯才蒲陰侯，仲才新市侯，季才唐侯，所謂中山之五王也。水經注

〔臣等謹按〕五大夫城基址今存，尚有五條道口。

原 范陽五侯寺，後魏有僧誦法華爲常業。初死，權斂堤下，後改葬，骸骨並枯，惟舌不

壞。法苑珠林

（臣等謹按）五侯寺今圮。

原五侯村在房山縣西南二十里。涿州志

（臣等謹按）五侯村今尚沿舊名。

原茶樓頂在縣西二十里，上有金章宗歇涼臺。房山縣志

（臣等謹按）茶樓頂，山名。金章宗歇涼臺，臺圮，尚存四石柱。

原縣東十里徐村有塔。房山縣志

（臣等謹按）徐村塔今圮。

原白犬村在縣西南七十里。房山縣志

（臣等謹按）白犬村疑是白帶村之訛。

原房山縣西南五十里有舜廟。涿州志

原隆陽宮在縣西南五十里。同上

原白雲窩在縣西南五十里，又五里斑竹寨有白雲寺。房山縣志

原亂塔寺近栗園村，在縣東北四十里。同上

原福勝寺在縣治東北，明洪武十五年建。同上

〔臣等謹按〕福勝寺今存。

原 弘業寺在縣西三里，有塔。房山縣志

〔臣等謹按〕弘業寺塔今圮。

原 磨碑寺在縣西南四十五里。涿州志

原 白水寺俗名大佛寺，在縣西北十二里，上元游人甚衆。房山縣志

〔臣等謹按〕白水寺又名興隆寺，成化元年重修，僧道深撰文，住持淨廣立石。

原 玄元觀在縣治西北隅。房山縣志

〔臣等謹按〕玄元觀今圮。

原 龍含峪在縣西二十五里，下有清和觀遺跡。涿州志

原 弋轂尹宗師碑 師諱志平，字太和，姓尹氏，萊州人。覲長春真人於栖霞觀，執弟子禮，又受易於郝太古。己卯歲，太祖皇帝遣劉仲禄徵長春真人，師爲勸行，北上時從者十八人，師爲之冠。繼真人主長春宮，尋葺大房山之真陽觀，更曰清和宮。謂侍者曰：爲我灑掃西堂，吾將逝矣。是夜曲肱而逝。中統二年，詔贈清和妙道廣化真人，門人撮其著述曰葆光集。甘水仙源録

原 龍門臺去縣二百里，上曰玉河臺，四面皆山，其下深澗莫測，南有龍王祠。寰宇通志

原 梁貞明三年秋，遼兵圍幽州，城中危困。李嗣源、閻寶、李存審步騎七萬自易州北行，踰大房嶺，循澗而東。嗣源與養子從珂將三千騎爲前鋒，距幽州六十里，與遼遇。遼兵驚卻，晉兵翼而隨之。遼兵行山上，晉兵行澗下，每至谷口，遼兵輒邀之。嗣源父

子力戰，乃得進至山口，遼以萬騎遮其前。嗣源躍馬奮檛，三入其陣，斬遼酋兵一人，後軍齊進。遼兵卻，晉兵始得出至幽州。通鑑

原宋端拱中，吏部尚書宋琪上疏請復幽燕，其畧曰：循孤山之北，淶水以西，挾山而行，援糧而進，涉涿水，並大房，抵桑乾河，出安禮寨，此是周德威收燕之路。然終宋之世卒未能復也。春明夢餘録

原劉仁恭倚燕强且遠，無所憚，意自滿，從方士王若訥學長年，築館大安山，掠子女充之。又招浮屠與講法，以墐土爲錢，斂真錢穴山藏之，殺匠滅口。禁南方茶，自擷山爲茶，號山曰大恩以邀利。唐書

增大安館在房山縣西北大安山，劉仁恭師事方士王若訥於此。大清一統志

原仁恭幸世多故，驕於富貴，築宫大安山，選燕美女充其中。又與道士鍊丹藥，冀可不死。令燕人用墐土爲錢，悉斂銅錢鑿山而藏之。已而殺其工以滅口。後人皆莫知其處。五代史

原仁恭慮幽州城不固，築館於大安山，曰此山四面懸絶，可以少制衆。其棟宇壯麗擬於帝者。通鑑

原仁恭有愛妾羅氏，其子守光烝之。仁恭怒，笞守光，逐之。梁開平元年，遣李思安攻仁恭。仁恭在大安山，守光自外將兵以入，擊走思安，乃自稱盧龍節度使，遣李小喜、元行欽以兵攻大安山，執仁恭而幽之。五代史

原統和十四年三月，鑿大安山，取劉守光所藏錢散諸五計司。遼史

原張庸，溫州人，精太乙數，順帝喜之，擢秘書少監。皇太子立大撫軍院，命庸團結房山諸寨，既降，庸守駱駝谷。衆潰，庸無去志，寨民李世傑執庸出降，不屈被殺。元史

原范陽盧文進，少從軍，身長八尺，姿貌偉異，名震燕薊。與莊宗屢戰獲勝。一夕忽敗，夜走馬墜澗中。纔及水，一躍而出。明日視之，乃郡之黑龍潭，絶岸高險，深不可測。文進知有神助己，氣復振。玉壺清話

欽定日下舊聞考卷一百三十三

京畿 良鄉縣

原 良鄉縣在府西南七十里。（明一統志）

〔臣等謹按〕良鄉縣，明屬順天府，本朝因之。

增 東西距三十二里，南北距六十里。東至宛平縣界二十里，西至房山縣界十二里，南至涿州界四十五里，北至房山縣界十五里，東南至固安縣治七十里，西南至涿州治七十里，東北至宛平縣治七十里，西北至房山縣界二十里。（大清一統志）

原 良鄉，漢縣，屬涿郡。（清類天文分野之書）

原 莽曰廣陽。（漢地理志注）

〔臣等謹按〕據述異記載，漢武帝時廣陽縣雨麥，則廣陽之名不始莽矣。

原 後漢仍曰良鄉。（良鄉縣志）

原 晉屬范陽國，元魏屬燕郡，北齊天保七年，省入薊縣，武平六年復置。隋屬涿郡，唐

聖曆元年，改固節縣，神龍元年，復爲良鄉。清類天文分野之書

【原】唐以不從安史之叛，改名固節。名勝志

【原】舊志，在涿州北四十里。後唐長興三年，移治於此。方輿紀要

【原】良鄉縣乃唐莊宗時趙德鈞所鎮也。幽州歲苦遼兵侵抄轉餉，乃於鹽溝置良鄉縣。許奉使行程録

〔臣等謹按〕鹽溝之鹽，通鑑亦作閻。

【原】遼兵既强，侵抄諸州皆徧。幽州城門之外，甲騎充斥，每自涿州運糧入幽州，輒伏兵於閻溝掠取之。及趙德鈞爲節度使，城閻溝而戍之，爲良鄉縣。通鑑

【原】遼屬析津府。遼史地理志

【原】金屬大興府。金史地理志

【原】元屬大都路。元史地理志

【原】明洪武元年，隸北平府。永樂元年，改北平爲順天府，屬焉。良鄉縣志

【增】黄新莊行宫在良鄉縣北五里。良鄉縣册

〔臣等謹按〕黄新莊行宫建自乾隆十三年，每歲爲我皇上謁陵駐蹕之地。

【增】乾隆十八年御製良鄉行宫晚坐詩　又駐行時蹕，蕭齋可意清。去來時屢易，今昔念交縈。習武遵前跡，均勞驗衆情。春雲傍晚重，希澤爲新耕。

〔臣等謹按〕良鄉行宮御製詩，恭載首見之篇，餘不備録。

增 郊勞臺在良鄉縣南三里。（良鄉縣册）

〔臣等謹按〕良鄉縣郊勞臺，乾隆二十五年建。時大將軍臣兆惠等平定準噶爾回部，奏凱於二月二十七日，皇上行郊勞禮。又乾隆四十一年大將軍臣阿桂等平定兩金川，奏凱於四月二十七日，皇上行郊勞禮。皆有御製詩，恭載卷内。

增 乾隆二十五年御製二月二十七日郊勞出征將軍兆惠富德及諸將士禮成紀事詩　京縣郊南親勞軍，圜壇陳纛謝成勳。出師本意聊嘗試，（西陲之役，始以厄魯特諸台吉率衆歘附，請兵甚力，我喀爾喀牧圉勢不可以錯處滋患無寧，及其鋒而偏師嘗試，特計因其地以撫之。故禡旗命將之典，概未舉行。語具乙亥告成碑記。茲準夷既平，而回中諸部以次戡定，實荷上蒼宗社鴻庥，非敢謂先時逆覩及此也。）奏凱今朝備禮文。釋甲弢戈罷征伐，論功行賞策忠勤。膝前抱見詢經歷，（國朝舊制，凡出征將領成功還者，行抱膝跪見禮以示優異，今卽遵行。）一瞬五年戚以欣。同心萬里那睽違？畢竟歡言賦采薇。勇將歸來兼福將，黻衣著得解戎衣。漫稱偃武修文日，恐卽嬉文恬武機。欽至寧誇暢和樂？持盈益勵慎幾微。

增 乾隆四十一年御製于郊臺迎勞將軍阿桂凱旋將士等成凱歌十首　郊臺仍是此郊臺，何幸重修盛事來？漫謂數年經契闊，精神注似日相陪。勳臣率拜列靈旗，（郊勞之儀，陳將軍參贊等得勝纛于臺上，朕親率成功將士及王公大臣等行禮。是時臺下鳴螺，鐃歌樂作。）軍士鳴螺赫武儀。樂奏鐃歌行抱見，（拜纛禮成，御幄次，將軍參贊趨至座前行抱見禮，各加撫慰，賜坐賜茶，猶循祖宗以來家法也。）詰戎家法萬年垂。己巳班師本受降，（非擒賊滅寇，故未行郊勞之禮。）庚辰郊勞典鴻庬。放牛歸馬予素志，凱獻何期此見雙？準部回城定五年，金川小寇亦如前。嘉予將士久敵愾，不覺對之增惻焉。地險加之衆志堅，促浸逆賊恃其地險碉堅，蟻衆齊心抗拒。其事雖小于平定西域，而逐步力戰而得，攻勦之艱，視前不啻數倍過之。林碉步步戰而前。小于昔事難過倍，慰意恒因意惘然。鑿穴而居避火器，終于面縛出蕃城。官軍圍攻賊巢，用大礮四面轟擊，賊衆皆鑿地而匿，以避礮火。今鼠竄垂破，逆酋膽落計窮，因率其弟兄甲爾瓦沃襍爾斯丹巴，並其兩土婦及助惡大頭人丹巴沃襍爾阿木魯綽窩斯甲尼瑪噶喇克巴暨兩喇嘛並大小頭目二千餘人，出寨跪捧印信，乞免誅戮，遂悉就擒獲。貪生螻蟻固如此，聚族將焚語豈誠？先是投出番衆，僉稱聞逆酋等，每言若官軍攻至巢穴，窘迫無計，卽相聚焚死，不肯爲官兵所得。彼時卽以番人之性最忌自戕，不過故作妄語欺飾，以圖狡脱，屢諭將軍等嚴防，今果不出所料。倏經于役五春秋，棧道崎嶇似坦郵。棧道雖險，較之金川則坦途矣。夾路花紅復柳緑，阿誰致悔覔封侯？脱却戎衣換吉衣，龍章示奬特恩稀。郊勞時將軍等俱甲冑覲謁，隨行奏凱而還，俾衆觀仰軍容之盛。入朝後始解甲易吉服。將軍阿桂實爲此事首功，特賜四團龍補以示優異。同心戮力還掄最，便解天閑賜六飛。將軍阿桂及副將軍豐昇額參贊海蘭察並賜御用鞍馬，乘以扈行。兵洗金川永不波，潢池跋扈竟如何？良鄉近遠多黎庶，歡喜都來聽凱歌。凱歌亦豈易爲聞？五歲辛勤勞衆軍。我實未曾安五夜，幾多憂慮與平分？

原 景泰元年十二月，築良鄉縣城。明景帝實録

原 弘治六年二月，兵部主事歐鉦上言：良鄉涿州在京師肘腋，止有土城而無石郭。正統末年，額森深入，如蹈無人之境。方今無事，宜豫爲之計。上命所司知之。兵部奏：鉦所言，守土大要，宜如奏行。從之。明孝宗實録

原 良鄉土城舊高二丈，隆慶中知縣事貴陽安上達增築之，高三丈二尺。東南北有甕城，

而西門獨缺。垂二十年，濟陽王道定來知縣事，遂完之。良鄉縣志

【原】傅逮述游賦 出北薊，歷良鄉。登金臺，觀武陽。兩城遼廓，舊迹冥芒。水經注

【原】李濂良鄉道中詩 春色南逾麗，蕭蕭旅思分。年芳摇樹影，晴彩蕩川文。沙雁衝車起，洲鶯隔岸聞。暮看霞氣近，疑是漢宫雲。嵩渚集

【原】陳邦瞻良鄉道中詩 作客三千里，聞雞戒早征。嚴程趨赤縣，王氣近神京。塔勢中天出，觚稜向日明。白頭思報主，莫動望鄉情。荷華山房稿

【補】陳孚良鄉縣詩 過盡長亭又短亭，燕京初聽曉鐘聲。呼童拂拭青藜杖，早挂琴書上帝京。觀光集

【補】又良鄉早行詩 西風黄葉館，曉起候鐘聲。驛吏張燈送，山童抱褥行。短笻秋萬里，長劍月三更。猶有鈞天夢，依稀繞禁城。交州藁

【原】彭輅良鄉道中詩 昔去經衰柳，今歸見早梅。朱塵飛不盡，白日黯難開。短劍餘孤憤，長歌動七哀。年年薊門道，空老洛陽才。比部集

【原】魏大中良鄉縣詩 彰義門西路，桑乾古渡分。長羈乘傳馬，不斷出關軍。沙白連荒戍，城黄壓暮雲。車牛徵到骨，募派底紛紛。藏密齋集

【增】縣學在治東南，明洪武五年建。大清一統志

【補】良鄉縣儒學在縣治東南。萬曆十八年，知縣事余鏜創社學六所：曰美化、曰厚俗、曰燕谷、曰舊店、曰交道、曰官莊。順天府舊志

【原】良鄉學宫故有李北海雲麾將軍碑。學官以其已斷，因修大成殿，琢爲柱礎，後更葺殿宇，雜置瓦礫。有南士見之，以告宛平令南陽李蔭，遣人輦致署中，起齋覆之。北海嘗書兩雲麾將軍碑，其一爲左衛將軍李思訓。此名秀，幽州人。燕山叢録

〔臣等謹按〕良鄉學署李秀碑，今字跡已漫漶。

原唐雲麾將軍李秀碑，李邕撰并行書，天寶元載正月立。明皇以天寶三年改年爲載，今此碑元年正月立而稱載，何哉？金石録

原李北海書以雲麾將軍碑爲第一，其融液屈衍，紆徐妍溢，一法蘭亭。碑刻在長安，今良鄉縣拓本遠不如也。墨池瑣録

原北海書逸而遒，米元章謂其屈强生疏，似爲未當。此碑是其得意者，雖剥蝕過半，而存者其鋩鎩凛然。碑在蒲城，楊用修謂已斷。正德中，劉遠夫御史以鐵束之，又謂已亡。朱秉器又謂良鄉亦有此碑。蒲城者，爲趙文敏臨書。今蒲城碑尚在，未斷，無有鐵束事。且蒲城，李思訓葬處；北海真蹟，的非文敏所能。良鄉本肥媚，文敏書無疑。石墨鐫華

原范陽李秀，唐明皇時以功拜雲麾將軍左豹韜衛翊府中郎將，封遼西郡開國公，卒於開元四年，葬范陽福禄鄉。碑刻於天寶元年。李北海有兩雲麾碑：一爲李思訓，在陝西；一爲此碑。其官同，其姓同也。此碑筆法遒逸，大勝陝碑。秦人趙子函著石墨鐫華，乃以爲一碑，且以此碑爲趙松雪所臨，誤矣。春明夢餘録

原趙渢良鄉縣學詩　儒宫宜地僻，竟日有餘清。殿古碑仍在，庭空草自生。風高時落木，雲重欲摧城。客興已瀟灑，秋堂更雨聲。中州集

原料石岡在縣治東三里。岡有古城五座，方圓棊布，岡頂有多寶佛塔，隋建。方輿紀要

〔臣等謹按〕古城址已廢。料石岡之料亦作燎。佛塔今尚存。

原 良鄉縣城東里許有石岡，石赤色如燎，可以取火，因名燎石岡。舊有佛塔，亦名塔岡。長安客話

增 多寶佛塔在燎石岡之東，相傳建自隋時。五級玲瓏。高十五丈，四面有門，階級環上。唐尉遲敬德修。良鄉縣志

原 金貞元元年，獵於良鄉，封料石岡神爲靈應王。初，海陵過此祠，持环珓禱曰：使吾有天命，當得吉卜。投之，吉。又禱曰：果如所卜，他日當有報，否則毁爾祠宇。投之，又吉，故封之。金史

原 袁宏道月夜登塔岡詩：秋山潋潋滴青霧，城外人家城裏樹。白埃一道衝紅亭，正是馬蹄離别處。中郎集

原 良鄉亦稱鹽川，因境内有鹽溝故也。鹽溝卽閻溝，發源自宛平縣龍門口，東南流，與廣陽水合。長安客話

〔臣等謹按〕鹽溝河發源自宛平縣龍門關，東南經良鄉縣陶村入永定河。舊傳其水可煎鹽，故名鹽溝。

增 廣陽水出小廣陽西山，東流逕廣陽故城北，又東，福禄水注焉。亂流至陽鄉，右注聖水。水經注

〔臣等謹按〕據大清一統志，今廣陽河自良鄉至石羊村三岔口歸牤牛河。又宛平境之籬笆河、房山境之黄管屯河、雅河，皆歸廣陽河。

增 廣陽河在良鄉縣東。大清一統志

增 廣陽河自房山縣公村境經良鄉縣南流入桑乾河。良鄉縣志

原 聖水出上谷東，過良鄉縣南，又東過長鄉縣北，又東過安次縣南。水經

〔臣等謹按〕聖水卽今之琉璃河。金史謂之劉李河，又作留李。宋敏求謂之六里河。名稱互異，其實一水也。

原 聖水南流，歷良鄉縣西轉，又南經良鄉縣故城西，王莽之廣陽也。有防水注之。水經注

原 琉璃河又名劉李河，在涿州北三十里，水極清泚，茂林環之，尤多鴛鴦，千百成羣。此河，大中祥符間，路振乘軺録亦謂琉璃河。唯嘉祐中宋敏求入蕃録乃謂之六里河。石湖集

原 良鄉縣南四十里有琉璃河，自房山龍泉峪流至霸州，入拒馬河。又胡良河自房山經涿州入此河，舊有橋，長數十丈，橋畔倚一鐵竿，長數十尺，蓋鎮壓之物。俗謂王彦章所遺鐵篙，謬也。其元恩、咸濟二坊，並世廟勑建。長安客話

補 琉璃河石橋之右有鐵竿倚焉，自扶闌至水底，約長五丈。土人目爲王彦章鐵篙，此不

經之談也。然是物不知所從來。按大都宮殿考，廣寒露臺石闌道旁有鐵竿數丈，上置金葫蘆三，引鐵練以繫之。今驗竿首有孔，疑卽其遺製。蓋物在禁中，莫有銷之者，或因河水汎濫，移此以鎮水怪，未可定爾。臆說

【原】琉璃河卽金史所載之劉李河。桑欽水經曰：聖水出上谷。孫汝澄曰：卽琉璃河也。燕都遊覽志

【原】元延祐四年，於琉璃河置巡檢司。方輿紀要

【原】永樂十六年七月，修順天府琉璃河橋。明成祖實録

【原】嘉靖十八年四月己亥，良鄉離宮成。初，帝命於良鄉琉璃河陽建立離宮，至是適成。庚戌，帝次良鄉御離宮。肅皇外史

【原】嘉靖二十五年九月，濬良鄉琉璃河，置橋其上，名其橋北曰仙積，南曰永明。明世宗實録

【補】王惲請起蓋良鄉縣南留李河橋梁事狀　竊見中都迤南，係四方官員客旅朝會經行驛程正路。近體知良鄉縣南十三里，有舊來經由留李河橋官道，南至涿州六十里。兵革以來，橋廢不行。目今靠西由繼陽套繞轉，至涿州七十五里，若經夏秋，河水泛漲，泥濘虛陷致使鋪馬客旅來往生受。兼繼陽套地形卑下，村坊遠窵，接連溝澮，屢常失盜，深爲未便。竊詳若依舊起蓋留李河橋道，不惟道路高平徑直，使鋪馬客旅往返近三十餘里，又免水潦泥濘之患，官民實爲兩便。伏乞御史臺備呈中書省行下相視，改正施行。烏臺筆補

【原】雷禮琉璃河橋堤記　良鄉縣迤南四十里，村名劉李，其地窪下，爲積流所瀦。有河一道，志稱琉璃，卽古聖水。自房山縣龍泉峪諸泉會合於此，經霸州東注拒馬河入海。時逢霪潦，散漫奔潰百餘里，凡陸輓跣馳者，動阻滯不能涉，甚或四方驛奏，坐視愆期。嘉靖乙亥，皇上駕幸承天，覩民艱涉，惻然憫之。比鑾回，勅工部尚書臣甘爲霖督修。爲霖以病去，不終其事。越歲乙巳，復命侍郎臣楊麟，內官監太監臣陳準、袁亨建石橋普濟，各以績敍。然無

堤捍禦，每遇溽暑水發，環橋南北盡爲巨河，難以越渡。往來病是者又閲八年矣。會辛酉仲冬，事聞當宁。蒙諭尚書徐杲曰：良鄉河橋，屢勅大臣督理，水勢漲，未見東下。玆發帑銀八萬兩，爾總領之，勿令外知，恐民費財也。臣杲受命相度，建議修築二堤，專用條石，中添小橋一座，並設水溝以殺水勢。其各漲丈尺數目，畫圖貼説以進。臣杲曰：皇上體上天大德，利濟元元。吾輩職司橋梁道路，不能先事弭患，致厪聖懷，責實難辭。況部庫所貯，分毫皆皇上財也，敢煩帑藏？具疏請任事。荷旨俞允。於是委郎中臣王尚直、員外郎曾一經、同内官監太監臣楊用分理，其規畫悉臣杲所定。凡爲堤南北東西共長五百餘丈。橋一座，長四丈五尺，闊三丈五尺，高一丈三尺五寸。水溝八道。又親飭欽定元恩、咸濟坊凡二座。至壬戌孟冬報成。上遣臣杲懸扁祭謝，并溥賚有差。于是臣杲立石屬臣禮頌述聖德，垂示永久。竊謂萬古稱盛治莫過於堯舜，史臣稱其仁如天，其德好生者，以心存溥濟，不忍一夫一區咨墊而已。而橋梁道路，尤爲王政所急。今我皇福民利濟，常存心於天下，至誠懇切，如元德包涵，故一關民之病涉，有若己實溺之，不容以自已者。其所以發帑藏，普福緣，不欲勞民費財，真昭格乎穹昊之表，與堯舜同一揆矣。卽今石堤延袤，與橋相連，裒若横帶，使萬國輻輳而至，澤及商旅農氓，相與歌忭於途，謳溢於野，不與平成之續萬世同其永賴耶！是役也，臣禮不過祗奉德意，率舉職事；而臣杲之調度區畫，實能爲九重分憂，播之無疆，不徒隨事效能而已。因記其顛末以告來者。古和蕖

增明沈一貫琉璃河橋碑記　國家奠鼎燕京，控北戒河山之勝。西來諸水，蜿蜒而注，縈洄若帶。去都城三十里而近，爲盧溝河。有橋，自勝國時甚偉。又南七十里爲琉璃河，則古聖水也。源出房山龍泉峪，澗壑斗絶，受胡良、挾河諸流而東行，匯於拒馬。霖潦時集，迸湧奔潰，瀰漫殆百餘里矣。今涿鹿爲朝宗孔道，四會蹄鞅，而當其衝故未有橋也。蓋不勝濡軌之慮焉。肅皇帝己亥狩郢中，始出水衡金錢，授司空，累石梁，七載而成。又堤其兩壖，各五百丈。車馳馬驟，如行康莊。上者。肅皇帝不自有其功，而榜之曰元恩、咸濟，謂若天錫云。頃年以來，橋南洞圮者三，堤有泐有折，道中絶，上聞而憫之。發内帑金令重修，而聖母慈聖宣文明肅貞壽端獻皇太后益出宫中委佐之。肇庚子冬，越壬寅春而告訖。圮者繕而加固，泐者折者甃而加完。又於橋之北創爲神祠，祠前爲井，用濟行道之渴。費金錢如干，而皆自御府募人以操役，不給，則發營伍之間佐之。世且永賴而官若民不聞也。天下事皆有自來，不止一朝，而莫不積罅成敝，積敝成壞，壞極而更，乃至於煩費已。語有之：千丈之堤潰於螻蟻之穴，萬木之林焚於一鑽燧之烟。積漸然也。當橋初罅時，藉令有司者善爲之防，不過一石一簣之勞，而鞏然已，何至於煩費哉？惟忽於一石一簣，而後乃幾毁成緒，惟有司者不戒，而厪聖天子之經營，故行堤者塞其穴，慎火者塗其隙，保治者防其微。嗚呼！豈獨河橋然哉！上命臣一貫作記。臣恭記歲月以宣揚休德，而垂之來兹，未復申積微之説，願後之人無忘斯功也，謹記。萬曆三十年九月吉旦立。良鄉縣志

原范成大琉璃河詩　烟林葱蒨带回塘，橋影驚人失睡鄉。陡起褰帷揩病眼，琉璃河上看鴛鴦。石湖集

原文天祥過雪橋琉璃橋詩 小橋度雪度琉璃，更有清霜滑馬蹄。游子衣裳和鐵冷，殘星荒店亂鳴鷄。吟嘯集

原袁中道琉璃橋詩 飛沙千里障燕關，身自奔馳意自閒。日暮郵亭還散步，琉璃橋上看青山。珂雪齋集

原北涉溝、南涉溝俱在縣東，至涿州入桃水。名勝志

原聖水自涿縣東與桃水合，首受淶水，於徐城東南良鄉西分洹水，世謂之南涉溝，卽杭水也。水經注

原南涉溝卽督亢水。方輿紀要

原北涉溝在涿州西北，自淶水縣流入，卽洹水也。同上

原洹水東逕涿縣北，東流注於桃。故應劭曰：垣水東入桃。闞駰曰：至陽鄉注之。水經注

原縣西十里伏龍岡，形勢蜿蜒，如龍之伏，故名。又五里爲龍泉山，山下有石龍口，出泉不竭，東流入鹽溝河。名勝志

原龍谷泉，金大定間所鑿，極甘，在良鄉縣西北。寰宇通志

增義河在縣北十五里昌黎鄉公村里，入廣陽河。良鄉縣志

原廣陽故城在今縣東北三十七里。太平寰宇記

原廣陽城在縣東八里，漢縣屬廣陽國。後漢建武初，封劉良爲侯邑，屬廣陽郡。晉屬范陽國。後魏屬燕郡，北齊省入薊。唐總章中，以新羅降户置歸義州於此，後廢。開元二

十年復置，以處降奚。唐書：時信安王禕破奚遼，李詩降，賜爵歸義王歸義州都督，徙部落於幽州境内，卽此。上元三年，史朝義自歸義東奔廣陽，此廣陽謂密雲郡之廢燕樂縣，後魏置廣陽郡於燕樂，故云。所謂歸義，卽此城也。州尋廢。或曰金廣陽鎮蓋置於此。方輿紀要

增 廣陽故城以其屬廣陽國，亦謂之小廣陽。後漢初耿弇追賊至小廣陽，卽此。大清一統志

增 陽鄉城在縣南二十五里舊店西一里許，舊傳竇建德築。良鄉縣志

〔臣等謹按〕通鑑：唐高祖武德元年，爲夏王竇建德五鳳元年，建德定都樂壽，取深冀易定等州，又嘗攻李藝於幽州。此城或其時所建歟！

原 天津關在縣北百餘里，自此而西至易州淶水縣，出大龍門，凡十五關口，中間差大者曰天門關口，或云天津口，一名大口。宋嘉定六年，蒙古破金人瀛莫等州，自大口逼中都。又元致和元年上都諸王梁王王禪等襲破居庸，遊兵至大口。天曆二年，明宗卽位於和林北，南還，文宗迎之，發京師，明日至大口，越二日次香水園，又十九日次於上都之六十店。所謂大口，皆天津口也。方輿紀要

原 穆呼哩佐元大定天下，功冠羣臣。其孫安圖年二十餘，爲世祖相。安圖孫拜珠爲英宗相。皆以忠勤正大，爲一代名臣。東平，其世封也。拜珠爲相，奉命立安圖碑於范陽，

在今良鄉。穀城山房筆麈

原富珠哩翀駐驛頌　繼天體道敬文仁武大昭孝皇帝卽位，修明世祖皇帝隆平故事，以故東平忠憲王之孫、司徒忠簡王之子、拜珠丞相中書，至治元年，詔若曰：忠憲弼我世皇，功在社稷，德在生民，其勅詞臣卽王所有范陽采地朔南康莊碑之，昭示悠久。冬刻銘既完，丞相承詔蒇事。明年春正月，帝幸涿州，至碑所。秋九月，幸易州還。丙午，帳殿碑垣之南，駐蹕御殿。上顧丞相若曰：汝祖考之績之盛，世載帝室，惟朕不忘，亦惟汝之賢有以相朕，益懋世德故。丞相頓首謝。翼日大官饌已，上步自帳殿御金椅，坐碑右，丞相稱觴獻萬歲壽，從臣以次進觴。天顏和怡，甚久迺去。中州文表

補房山之陰，有石立於巖麓，其長三丈，其廣七尺，首昂而俯，足跂而歛，濯之則色青而潤，叩之則聲清而越。米先生仲詔思致之海淀勺園中，車重輪，馬十駟，既鑿，百夫曳之登車，七日始出山。又五日僅達良鄉道上。工力竭，因卧之田間，繚垣衛之，覆以葭屋。於是先生作大石出山記，薛岡千仞戲代石報書，先生復答石見報書，一時傳爲佳話。吴中葛一龍震甫次良鄉，見石爲作長歌，紀其事也。艮齋筆記

〔臣等謹按〕良鄉縣境内米萬鍾所移石，今移置清漪園内樂壽堂前，皇上賜名青芝岫，詳見乾隆十六年御製青芝岫詩并序，已恭載入清漪園卷内。

補葛一龍次良鄉觀米仲詔憲長所移奇石歌　塔窪村北野草荒，草間突兀孤雲蒼。欲行不行氣若鬱，將雨未雨天無光。或云是米家鑿山出，百步千人移數日。到此躊躇不肯前，秦鞭無技楚力詘。大木縱横到一林，相爲枕藉歲年深。或需天手妙神用，或眷山祇萌故心。我與之言叱之起，幾時得渡渾河水。峆岈空洞宿陰霆，鯨脊鼇簪立奇鬼。主人好禮尊石公，神物亦豈甘牢籠？不如就此樹高閣，居處日對飛來峯。筑語

原良鄉城隍廟，舊在縣西南隅，景泰二年，因築城而廟遂隔於城外。潯陽鄭智爲主簿，謀於知縣賈褫，擇地於城内西北隅建廟，以景泰六年二月興役，明年七月工竣。吕文懿集

原天王寺在縣治東南。良鄉縣志

原鄗紳良鄉天王寺詩 驛路絶浮埃，城闉寳殿開。諸天朝魏闕，六道接燕臺。珠樹鶴飛去，金蓮龍駕來。晨鐘促征客，結駟入蓬萊。鄗中憲集

原弘恩寺在良鄉縣西南二十里，萬曆年建。良鄉縣册

〔臣等謹按〕弘恩寺，明萬曆年間建，本朝康熙五十七年重修。乾隆七年燬於火，奉旨修復。正殿恭懸皇上御書額曰秀挹龍泉。乾隆十一年御製弘恩寺詩，恭載卷内。

增乾隆十一年御製弘恩寺詩 梵宇接通衢，花宫别一區。焚香薰意葉，禮佛定心珠。不認幻空色，誰參真有無？暫教停玉食，聊試飽伊蒲。左側闢離宫，雲匡展轉通。左側離宫亦建於康熙年間，白屋數楹，足有佳致。土階堯儉德，丈室佛家風。幾个寒筠緑，一窗曉日紅。歸鞭循徑轉，人語出林中。曹溪雖别源，般若豈殊門？釋家分宗、教、律三門，是處蓋持律門也。會得無爲行，何妨如是言？冬初烏哺母，歲久檜生孫。迴首前遊跡，光陰迅若奔。憶余雍正年間，因往水東，便道一至此寺，忽忽十餘年矣。

〔臣等謹按〕弘恩寺御製詩，恭載首見之篇，餘不備録。

增有慶寺在郊勞臺西。良鄉縣志

〔臣等謹按〕有慶寺，乾隆二十五年建。

原燕廣城君樂毅墓在縣南三里。城冢記

〔臣等謹按〕樂毅卒於趙，當是返葬於此。今其墓地大數畝，高丈餘，題曰望諸君墓，

其來已久，無年月。

原 望諸君墓在良鄉縣治南三里。近盧溝堤決，役夫輿墓碑築堤，恐後無徵矣。胡祭酒集

原 盧道將爲燕郡太守，下車表樂毅、霍原之墓而爲之立祠。魏書本傳

〔朱彝尊原按〕册府元龜：霍原墓在蠡州。

原 柳宗元弔樂生文并序 許縱自燕來，曰燕之南有墓焉，其志曰樂生之墓。予聞而哀之，其返也，與之文使弔焉。辭曰：大厦之騫兮，風而萃之。車亡其軸兮，乘者棄之。嗚呼夫子兮，不幸類之。尚何爲哉！昭不可留兮，道不可常。畏死疾走兮，狂顧徬徨。燕復爲齊兮，東海洋洋。嗟夫子之專直兮，不慮後而爲防。胡去規而就矩兮，卒陷滯以流亡。惜功美之不就兮，俾愚昧之周章。豈夫子之不能兮，無亦惡是之遑遑？仁夫樹趙之悃款兮，誠不忍其故邦。君子之容與兮，彌億載而愈光。諒遭時之不然兮，匪謀慮之不長。跽陳辭以隕涕兮，仰視天之茫茫。苟偷世之謂何兮，信余心之不臧。柳柳州集

原 湯顯祖弔望諸君墓詩 昭王靈氣久疏蕪，今日登臺弔望諸。一自蒯生流涙後，幾人曾讀報燕書。玉茗堂集

補 邵雍詠樂毅詩 樂毅事燕時，其心有深旨。破齊七十城，迎刃不遺矢。其留卽墨莒，却與燕有二。欲使燕遂王，天下自齊始。豈意志未伸，昭王一旦死。惠王固不知，使人代其位。强燕自此衰，何能復振起。自古君與臣，濟會非容易。重惜千萬年，英雄爲流涕。擊壤集

原 隋楊君讓墓在陽鄉舊店西，有古碑。名勝志

〔臣等謹按〕隋楊君讓墓今無考。

增 周竇禹鈞墓在縣西北十五里豆家莊。良鄉縣志

〔臣等謹按〕朱彝尊原書涿州卷内亦有竇禹鈞墓，在州西團柳村。今良鄉志又云在豆家莊，未詳孰是。謹並存以俟考。

增范仲淹竇諫議陰德碑　竇禹鈞，范陽人，爲左諫議大夫致仕。諸子進士登第，義風家法，爲一時標表。馮道贈禹鈞詩曰：燕山竇十郎，教子有義方。靈椿一株老，丹桂五枝芳。人多傳誦。禹鈞生五子：長曰儀，次儼、侃、偁、僖。儀至禮部侍郎尚書，儼爲翰林學士，侃右補闕，偁右諫議大夫、參知政事，僖起居郎。初，禹鈞家甚豐，年三十無子，夜夢亡祖亡父謂之曰：汝早修行，緣汝無子，又壽不永。禹鈞諾。鈞爲人素長者，先有家僕盗用房廊錢二百千，僕慮事覺，有女年十二三，自寫一券繫臂上，云求賣此女以償所負。自是遠逃。禹鈞見女契，甚哀憐之，卽焚券留女，囑其妻善視之。及笄，以二百千擇良配，得所歸。僕聞之，還歸感泣，訴前罪，禹鈞不問。父子由是圖禹鈞像，晨夕以祝公壽。嘗於元夕往延壽寺，忽於佛殿後得金三十兩，銀二百兩，持歸，明日詣寺候失物主。須臾一人涕泣至，公問所因，具以實告。曰：父犯罪至大辟，至親戚處貸得金銀若干，將以贖父罪，昨暮以相知治酒，昏忽失去。今父罪不贖矣。公遂與之同歸，還以舊物，仍加贈焉。其同宗及外姻甚多貧困者，有喪不能葬，公爲出金葬之，凡二十七人。親舊孤遺有女未能嫁者，公爲嫁之，凡二十八人。或與公有一日之雅，遇其窘困，則擇其子弟可委者，隨多寡貸以金帛，俾之興販自給。由公而活者數十家。以至四方賢士賴公舉人者，不可勝數。每視歲之所入，除伏臘外皆以濟人之饑。居惟素儉，器無金玉之飾，家無衣帛之妾。於宅南建書院四十間，聚書數千卷，禮文行之儒居師席。遠方寒士貧無所就師友無供需者，公咸資之，無問識與不識，有志於學者，聽其自至。故子弟聞見益廣，凡四方之士由公門登貴仕者，前後接踵，來拜公前，必命左右扶公坐受其禮。及公之亡，有持心喪以報公德。先是，公夢亡父後十年，復語公曰：以汝有陰德，特延三紀之壽，賜五子各榮顯。公享年八十二歲，沐浴別親戚，談笑而終。五子八孫，皆通顯於朝。後之教子必曰燕山竇十郎云。良鄉縣志

增元梁都運斗南墓在縣南三十里立教村。同上

〔臣等謹按〕梁斗南墓今存。

增梁斗南登元進士第一，累官至河南都運。相傳斗南讀書閭山，與同舍生論及鬼神，斗南以爲不足畏。同舍生曰：閭山廣寧廟，汝夜能獨往乎？斗南諾之，乃約堊壁爲驗。至則遥見燈燭，聞曰：丞相來。燭盡滅。隨以筆堊殿壁。至東北隅，暗中觸一物，捫之，則人也。携以歸，乃一女子，有殊色。問其故，曰：妾蘇州人，因清明觀擊毬，忽怪風晝晦，昏迷不知至此。事聞，詔以女配斗南。人謂天賜夫人。良鄉縣志

原漢武帝時，廣陽縣雨麥。述異記

原統和十九年十月己亥，南伐。壬寅，次鹽溝。遼史聖宗紀

原保大二年，蕭翰破宋師於良鄉。遼史天祚紀

原貞祐二年，車駕遷汴，發中都，至良鄉。乣軍克特等亂，殺主帥降蒙古。大金國志　按：克特，蒙古語火鐮也，舊作斫答。今譯改。

原固節驛以縣得名。金主亮荒淫不道，使唐古定格殺其夫節度使烏達，而以定格爲貴妃，又納其叔母爲昭妃。復召葛王烏嚕妃烏凌阿氏。妃謂烏嚕曰：妾不行，上怒必殺王，我當自裁，不以相累。行至良鄉驛，妃問何名。左右以固節對。妃曰：我得死所矣。遂自殺。長安客話　按：唐古義見前，舊作唐筈，今譯改。定格舊作定哥，今對音譯改。烏達，滿洲語買也，舊作烏帶。烏嚕，滿洲語是也，舊作烏祿。今俱譯改。烏凌阿舊作烏林答，今從八旗姓譜改正。

原李嘉賓題固節驛詩　往金跨中原，南渡轉炎精。海陵滅三綱，醜類禽獸行。殺夫納其婦，節義澌以傾。賢哉葛王妃，挺挺女中英。被召欲不往，夫禍與之并。辭王隨使去，庶使全王生。行矣死傳舍，而不墜初盟。烏嚕得再世，衆推帝東京。江上斃兇逆，境内樂昇平。人稱小堯舜，實延完顏祊。燕山有佳色，燕水有餘清。山清節不朽，水遠流芳聲。乾坤氣磊落，驛名永以旌。同上

原元劉器之五世同居。英宗幸涿州，臨其家旌異焉。名勝志

〔朱彝尊原按〕元史孝友傳，稱史氏所載，累世同居凡一十七門，而無劉器之，則潛德未彰於史册者不少矣。

原良鄉，燕山屬邑，驛中供金粟梨、天生子，皆珍果。又有易州栗，甚小而甘。石湖集

原范成大良鄉詩　新寒凍指似排籤，村酒雖酸味可嫌。紫爛山梨紅皺棗，總輸易栗十分甜。同上

欽定日下舊聞考卷一百三十四

京畿 昌平州一

增 京師九門，其西北曰德勝門。出門八里爲土城，又二十里爲清河，又二十里有玄福宮，又十八里爲沙河店，又二十里爲昌平州。昌平山水記

原 昌平州在府北九十里。明一統志

〔臣等謹按〕據大清一統志，今昌平州境在府北少西七十五里，明正德元年升爲州，仍屬順天府，本朝因之。

增 東西距一百五十里，南北距一百三十三里。東至順義縣界五十里，西至鎮邊城一百里，南至宛平縣界三十三里，北至邊牆一百里，東南至大興縣界五十里，西南至宛平縣界四十五里，東北至密雲縣界一百里，西北至延慶州界四十里。大清一統志

原 昌平本漢舊縣，屬上谷郡。方輿紀要

原 漢齊悼惠王子卬以昌平侯立爲膠西王，縣名始見於此。昌平山水記

原 莽曰長昌。漢書注

增 後漢改屬廣陽郡。大清一統志

原 晉仍爲昌平縣，屬燕國。後魏廢入軍都縣，屬燕郡。方輿紀要

〔朱彝尊原按〕漢設軍都、居庸、昌平三縣，俱屬上谷郡。後漢以昌平、軍都屬廣陽郡。晉以昌平、軍都屬燕國，而居庸仍屬上谷不改。昌平本漢置，至後魏始廢入軍都。乃諸地志皆云本漢軍都而不及昌平，且云後魏改爲昌平。魏復漢舊名耳，非改也。唯方輿紀要不謬。

原 魏太和中，分恒州東部置燕州，治昌平，尋又置昌平郡。東魏爲東燕州及昌平郡，北齊因之。方輿紀要

〔臣等謹按〕東魏天平中置東燕州，領平昌、上谷、編城三郡。平昌領縣二：昌平、萬言。此作昌平郡，亦誤。

原 後周州郡並廢，後又置平昌郡。隋開皇初郡廢，又省萬年縣入焉。隋書注

原 大業初，昌平縣屬涿郡，唐屬幽州。方輿紀要

原 五代唐同光二年，改燕平縣。清類天文分野之書

〔朱彝尊原按〕五代會要，改幽州北平縣爲燕平縣，在長興三年八月。

原 縣徙治曹村，又徙於白浮圖城，在今州西八里。方輿紀要

〔臣等謹按〕地里沿革表，事在唐同光二年。

原 石晉復昌平舊名，割地賂遼。清類天文分野之書

原 遼屬析津府。方輿紀要

原 金得地以遺宋，宋宣和五年，爲燕山府屬，七年復入金。清類天文分野之書

原 金屬大興府，元屬大都路。明初屬北平府，永樂中，屬順天府。方輿紀要

原 州城有門三，其南曰永安新城門，一曰小南門，二城皆内土外甎。崇禎九年，兵部侍郎張元佐拆舊城大南門牆補修東城門樓。城正中有譙樓，天順三年所建。昌平州志

〔臣等謹按〕昌平州城，本朝康熙十四年重築，甎城周十里。門四，外有濠，廣三丈。

原 州治在城西偏。昌平州志

原 蔡松年入關宿昌平作 黄塵却送入關山，自斷何如二頃田？記得鳴蛩碧花句，蹉跎秋思又三年。中州集

原 馬中錫昌平道中作 款段遥遥去路長，東風吹雨濕衣裳。諸陵漸近山光紫，三月纔臨柳色黄。春事每先官事了，老年翻比少年狂。道旁翁仲如相識，笑我來多兩鬢蒼。東田漫録

原 張海百五日宿昌平館中作 摇落掩星館，蕭條並鶡冠。鶯花春欲判，風雨食猶寒。鄉國松楸暗，邊城鼓角殘。兩年遊子淚，雙袖未能乾。函山集

原 毛伯温昌平篇 日出見山色，日没行山邊。層巒飛白雲，羣巘迴青天。崔巍太行勢，來脈崑崙顛。迢迢歷秦晉，東走何蜿蜒？至此突南向，合沓如環連。王氣紛糾錯，大野當其前。豈徒壯陵寢，亦以開幽燕。宸居槩天表，四極

羅星躔。煌煌太宗業，聿與聖祖肩。所貴慎明德，在險戒忘愆。皇圖永有固，祈命陳洛篇。東塘集

原 周詩宿昌平作 晨發都城門，暮宿昌平境。地折雙溪流，天開萬重嶺。月榭露微明，楓林暄初暝。謬此陪秋嘗，齋心動遐省。與鹿集

原 魏允貞昌平道中作 又是清明節，邊城柳未黄。逢春常作客，無地不思鄉。風起征衣短，月明吹笛長。誰將關塞曲，早爲達君王。息泉摘稿

原 區大相昌平道中作 山家未夕昏，半已掩柴門。車馬争塗疾，牛羊下坂喧。春陰入陵樹，雨色過湖村。誰道相如病？猶堪守漢園。海目集

原 侯恪昌平道中作 再入昌平道，淒涼事不同。兵戈纏殺氣，鼓角動秋風。野色千林白，嵐光片日紅。長陵蒼莽外，極目送飛鴻。侯司成集

增 皇甫濂宿昌平作 向夕投山界，城臨萬壑秋。麗譙嵐氣匝，殘戍野烟收。霜薄低寒雁，風長韻素楸。迢迢星斗夜，應共古今愁。子約集

增 何景明晚至昌平詩 度盡青溪十里霜，寒蕪落日下蒼茫。山城薄酒無錢買，晚飯僧家石耳香。大復集

增 袁宏道昌平道中作 庵前乞得老僧茶，一抹垂楊十里沙。烏籠白藍憑揀取，麝香李子枕頭瓜。袁中郎集

原 學宮，景泰三年自舊縣徙今治，天順三年成。昌平州志

增 州學在州治東，舊在舊治西，明景泰三年與治俱徙。大清一統志

原 元馬房輝重修昌平縣儒學碑記 學校，古今之急務，興則治安，廢則亂亡，必然之理也。洪惟聖朝以經術治天下，先德後刑，本末具舉，而條約悉備。自監學而下，路府郡邑咸設教官以育人材，厚風化。復慮有司奉行未至，失於勉勵，或至隳弛。於是内則御史，外則訪司，恒加嚴督焉。達嚕噶齊塔斯公，唐古特人也。至元再元之五年，出監昌平。下車之後，課農講學，興利除害，奉上御下，咸得其宜。不數月而政平訟理，歌誦之聲溢於閭閈。至正二年正月既望，率僚佐祭於大成至聖文宣王廟，禮行畢，歷學左右，顧盼闕壞未完之所，藹然有動於心。捐己貲一千五百餘緡，迺市材木，募匠傭，不斂於官，不動於民，皆由公之規度，咄嗟而事已辦。自肇作，底訖工，爲日二十有八。於是壞者復，闕者備，焕然一新，而人争快覩矣。昌平州志 按：塔斯，性烈也，舊作田嘶。唐古特，部名也，舊作唐兀。今俱譯改。

增 燕平書院，乾隆二十三年知州芮泰元建。大清一統志

原湯山在州東南三十里，有温泉可浴。水經注：濕水又東，温泉水注之，疑卽此也。昌平山水記

增州東三十里湯山下有温泉，行宮在焉。大清一統志

〔臣等謹按〕湯山行宮建自康熙年間，聖祖仁皇帝御製詩並皇上御製諸什恭載卷内。

增聖祖御製温泉行　温泉泉水沸且清，仙源遥自丹砂生。沐日浴月泛靈液，微波細浪流琮琤。初經石竇漾暄溜，烈勢直與炎曦争。瀠洄碧澗落花駐，掩映翠巘霜林明。汀迴溪轉入欄檻，甃以文石何澄泓？方壺圓嶠時自暖，紫芝朱草冬常榮。殿啟披香溢石髓，盤低承露浮金莖。沖融太和蓄元氣，炎德利物功難名。氤氲沆瀣結紫霧，縹緲雲霞連赤城。高秋九月天颯爽，鸞旗鳳節紛相迎。慈寧琱輦度閶闔，絳霄帳殿開蓬瀛。神泉淑景供遊賞，流金漱玉堪怡情。時巡豈必瑶圃遠，對此心意皆和平。華清繡嶺杳寂寞，鯨魚奡雁徒縱横。曷若兹泉獨標異，萬年勝蹟環神京。歲時來往護仙蹕，點筆爲賦温泉行。

增乾隆六年御製湯泉行宮卽事詩　靈境闢離宮，停鑾秋宇空。庭軒静朝旭，樹石老金風。暖溜溶溶潔，清波處處同。心神堪澡雪，撫景興無窮。

增乾隆七年御製湯泉荷花詩　湯泉荷花開絶早，插膽瓶中，間以芍藥，甚有風致。霞翦衣裳恰五銖，清和春色滿仙壺。温泉浴罷嬌無力，扶起身邊有念奴。

增乾隆十三年御製題湯泉並蒂蓮詩　從歌獨旦懶聞雙，何事芙蓉見暖江？非偶物猶知偶合，牽心我尚未心降。忘憂草不生閒砌，助感花偏對客窗。颯沓西風銀沼面，還教同付水淙淙。

增乾隆十八年御製恭依皇祖温泉行原韻　小春風日温而清，離宫駐蹕逸趣生。沙汀石瀨率含凍，暄波漱響偏琤琤。嵩山仙池杳莫辨，建武别館徒相争。當年眷阿可仰躅，至今聖藻星雲明。方沼甃玉左復右，靈脈噴珠澄且泓。曲溝引導達户户，中各向暖當南榮。細流龍首初滴注，有如瑞露浮金莖。涓然忽放屋池滿，氤氲澹蕩難爲名。濟涼酌暖擬紫府，蒸霞吐霧疑赤城。水仙騎鯉在白壁，呼之舉手欣相迎。蠲疴益壽有奇助，何必縹緲求壺瀛。承歡家法同孝養，神仙此耳無侈情。繹思來歌續元韻，幸當海宇方承平。耽逸忘武夙所戒，塞山回望雲中横。留連勝處亦曷可？明當啟蹕旋皇京。新豐繡嶺是炯鑒，毋容易視温泉行。

增乾隆二十八年御製湯泉行宫八詠　炎液暄波能愈疾，曾聞泉脈出流黄。化工神運不思議，功德應教證水王。右温泉　柳色沿途非不青，愛他絲影蘸清泠。吟情那許尋常綰，半六時中一宿停。右柳色　温泉瀉水碧池隈，荷芰常於五月開。聞道濂溪擬君子，熱中可識有由來。右池塘　後庭玉樹正榮敷，香色天然與静俱。底識風前饒喜意，今春批判未虚孤。(右玉蘭) 亭子雖然據假山，也教遮邏有孱顏。田盤石海林天表，一例明朝想像間。(右山亭) 四季温波泳不涼，箇中撥剌箇分秧。問誰鹽醬能調劑？此是大烹般若湯。(右游魚) 書室還來偶讀書，古今惟此合稽居。設如刮目云相待，五載猶予祇恧予。(右書室) 官鶴官糧賦有年，竊糧鶴不語飢眠，陡思散賑寧無此？一爲惻然一惕然。(右官鶴)

〔臣等謹按〕湯山行宮御製詩，謹繹有關紀述事實者恭載卷內，餘不備録。

原 北山上平衍，西五里有嶺曰長城，微有古堞剥蝕，傳是秦皇之址。有泉出焉，曰馬跑。又西二里有了思臺，下臺而西又十里，皆峻嶺也。灰嶺險倍於長城，石如蛤粉。下山有城，是鎮邊之廢邑。又西八里有城，是曰鎮邊。兩旁皆山圍之。南曰碧駕，曰通明，北曰鷹揚，曰涔落。碧駕之巖有小湖，中有赤鯉盈尺，是曰合抱之河。鎮邊西十里有堠曰唐耳，背據大山，斜界居庸，鎮邊廢邑，其南皆山，中爲衢路。東曰六華之巖，西曰小神之山，曰青利之山。巖分形如六華，其第四巖有洞深窈，是爲鳴臯。洞南十里有聚曰長峪。又西五里有巖曰德勝，又曰鳳皇，上有蘭若。山下出泉，流二十里，達於渾河。山上有隱鷲臺，山西有觀音洞，又曰孤松巖。山南嶺曰西峪，其下有碑，不可辨識。自長峪而東，二十里有聚，曰菩提塹，有寺曰白瀑寺。出山而北曰白鶴峯，又折而東則走高崖，山僧言：二月之交，有山曰清華，下可萬仞，每有瑰形奇物，且飛且走，

銜乳而西，獵人莫敢近也。薊邱集

〔臣等謹按〕燕山八景，内居庸叠翠，地屬昌平，已類編入形勝卷，兹不複綴。

原 出百望西北六十里，有陘曰十八盤山。有湯泉，云是遼后浴處。西一舍，碧駕、鷹揚高峙南北。有湖焉，小而深，在碧駕之巖，團結不見，每春夏之交，山水增流，則湖益清可鑒，曰合抱河。長安客話 此條原在郊坰門，今移改。

原 東山口村在州城東七里。昌平州志

原 東山口内一里，水中有小山曰平臺山，成祖嘗駐蹕焉。嘉靖十五年，上命作亭於上，名曰聖蹟。十七年四月，上幸平臺山，祀成祖於亭中。亭圓，以白石爲欄，盤旋數十級而上，御題聖蹟二字，當口一小山曰影山，口内北三里有莽山。昌平山水記

原 萬曆十一年閏月，上詣牆子嶺、潭谷嶺、勒草窪，相擇壽宮，至東山口，登聖蹟亭。明神宗實録

原 皇甫涍平臺山扈從詩 昔駐文皇輦，歡傳萬壽杯。誰言紫霄上，重見翠華來。曉樹峯巒合，春花棟宇開。勝圖臨塞壤，嘉蹟改平臺。豫蹕承雲轉，靈旗繞澗迴。捫天叨法從，游聖愧仙才。少元集

原 繇山在州東十五里，或名宜山。元混一方輿勝覽，載有繇山寺。金真定周昂題詩其上，有云：野濶羣山驚破碎，雲低滄海認微茫。亦警句也。芹城小志

增 龍泉山在州東南五里，山頂有都龍王祠。山半一洞，嘗有人附石而下，初狹漸廣，行里許，水聲砰訇，不敢前。洞北麓有潭，深不可測。潭東有泉出亂石間，清湛可濯，爲

州人游觀佳境。（畿輔山川志）

原 白浮山在州東南十里，上有二龍潭，潭上有龍神祠。（明一統志）

增 雪山在州西八里，有狄梁公祠。（畿輔山川志）

原 駐蹕山在州西二十五里，其山長而北袤，凡二十里。石皆壁立，高可十丈，其頂皆白。山之南有棲雲嘯臺，高二丈許。正北有石梯可上，金章宗建亭於此。舊傳山下有石牀、石釜，今亡。（昌平山水記）

增 金章宗駐蹕處，崖鐫駐蹕二大字。（畿輔山川志）

原 神嶺峯在灌石村西北，金章宗游此，以所飲酪漿灑於石壁之上，至今猶白。西南有寒崖，多奇花異草。（昌平州志）

原 山巖下有仙人棊，棊枰棊子皆具，子但可移，不可得而取。（同上）

原 積粟山在州西北十五里，相傳元時積粟於此。（同上）

原 駐蹕山之西曰虎谷。其旁土岡一邱，名小金山，日亭午，人過岡下，有光射衣，若金色然。（長安客話）

原 西山口西四里有虎谷山，又三里有大虎谷山。（昌平山水記）

〔臣等謹按〕虎谷亦作虎峪。

原無名氏虎谷詩　虎谷名金山，客行初未識。日午山下過，人衣黃金色。昌平舊志

增幽都山在州西北三十里，相傳古幽州以此名。大清一統志

原神嶺山在州東北三十二里，山高百餘丈，下有龍潭，流入白浮堰，所謂神仙泉也。方輿紀要

〔臣等謹按〕今山在州之南，方輿紀要云在東北，誤。

原神嶺一名三思嶺，以其高峻故名。燕都遊覽志

原銀山在州東北六十里，緣石梯而上，五六里，名中峯。唐僧鄧隱峯之所居也。下有法華寺，有隱峯十詩：曰白銀峯、曰佛頂峯、曰古佛巖、曰說法臺、曰佛覺塔、曰懿行塔、曰雪堂、曰雲堂、曰茶亭、曰濛泉。金大定六年立石。昌平山水記

原隱峯，閩邵武軍鄧氏子，侍馬祖得悟，冬居衡嶽，夏止清涼。元和中登五臺，路出淮西，屬官軍與賊交鋒，師乃擲錫空中，飛身而過，兩軍爲之息鬬。遂入五臺金剛窟而化。傳燈録

原銀山峯巒高峻，冰雪層積，色白如銀。麓有石崖，皆成黑色，謂之銀山鐵壁。方輿紀要

原銀山度嶺數折，峯漸分爲三，左一峯石卓立如錐，峯下有塔凌空，爲法華寺。寺建於金天會三年，曰大延聖寺。正統間，太監吳亮修。寺後古佛巖乃後人新鑿。再上爲鄧隱

峯説法臺。復躡危蹬五六里爲中峯，頂峯石鋭上如斧刃，懸索升之，凡兩轉至頂，一石臺方丈許，翼以扶欄，中一石龕供石佛。左懸一鐘，升者擊焉。寺塔七，高各數丈。燕山遊紀

【原】銀山頂由閻王鼻行，山脊如刀背，僅容納足，長十餘步，兩旁如削，下臨萬仞，不可凝視。中溪集

【原】中峯下有寺曰大延聖寺，正統十二年重修，賜額曰法華。弘治十年，翰林學士汪諧淨業堂記碑，今斷。寺西上半里爲松棚庵，門内外各一松。北上一里，鐵壁寺塔，曰延聖塔，弘治四年建。塔前有釋行倫詩碑，弘治八年立。山北四十里爲井兒谷，又一里玉峯山，山石盡白，樹多蘋婆果。林中有大萬聖寺，土人呼張開寺，像設皆石。入山者取道二：一從白泛嶺入，路險難；一從三思嶺、牛蹄嶺入，差平。帝京景物畧

【補】銀山之上有寺曰法華，太監吴亮所建也。山下有寺曰崇壽，亦亮所建。寺有碑，成化十二年九月立。翰林國史院編修仁和汪諧撰文，鴻臚寺序班上虞何洪書。木葉山花記

【補】汪諧崇壽寺碑　銀山之下興壽村，有寺曰九聖，建自遼壽昌間，滿公禪師所剏也。宣德辛亥春，司設監太監吴亮先建巨刹於山上。正統戊辰，英廟駕幸北山，賜額曰法華禪寺。既而詢知九聖爲遼金古刹，憫其傾圮，復捐貲庀財，創大雄殿於寺之中，設三世佛像於殿後，建伽藍祖師堂於殿之旁，立天王殿於殿前，竪鐘鼓樓於山門内之左右，廊廡庖湢，莫不備具。經始於天順丁丑春，落成於己卯秋。聞於朝，賜額曰崇壽禪寺。昌平州志

【原】無名氏詩　銀山本在北，萬丈青雲梯。曉見居庸雪，銀山忽在西。昌平舊志

原李夢陽題銀山寺作 銀山倚鐵壁，天外削三峯。下見林中寺，來聞午夜鐘。僧徒住石屋，雷雨拔門松。西望諸陵接，雲成五色龍。空同集

增吴國倫銀山寺詩 黄姑山頭白霧升，鐵壁古寺羅荒藤。居人已測金銀氣，法界猶懸日月燈。聊寄孤松仍結社，未須三竺更逢僧。西風七十二鐘磬，立馬歸途思不勝。吴明卿集

原溝溝崖，深山疊嶂，秀石懸空，三十餘里，悉履石攀葛始達山顛。清流繚繞，奇樹揚芬，旁有蘭若數區。薊邱集

原昭陵之北曰岣岣崖，崖下有庵曰瑞峯，一曰摩尼。帝京景物畧

原岣岣崖在州治西北德勝口内，崖西峯有水月亭。昌平州志

〔臣等謹按〕溝溝亦作岣岣。

原德勝口西三里有溝溝巖。巖分上中下，望之若石梯，深險可避兵。昌平山水記

原德勝口南兩山相夾，人行礓礫中，數十步輒一折，數里外見崖旁鴨脚樹二，羅漢松一，近而知爲瑞峯庵也。又里許陟一嶺，徑仄多亂石，前人舉踵，石衮衮觸後人足。嶺之巔爲崖，折旋半里，有岫峯庵，俗云盤道庵。中有泉，鴨脚一本，可休息。復三折而下，溝始寬，分爲二，泉涓涓流甚清駛。山麓遮其左，若無路然。再折過一溝，始望見三峯矣。中峯位乎乾，東峯位乎艮，西峯位乎坤，三峯左右環拱爲峯者二十有二，所謂仙人、玉女、將軍、步虚、玻璃、五雲、金華、紫極，皆以意名者也。又從磴道上十餘折至東峯庵，再折而上爲中峯，有玉虚觀。從中峯下，有西王母祠。祠後石壁高三十

仞，石理物惡。壁右有方池，流入巖下爲瀑。自中峯緣崖而西爲西峯庵，庵右有泉，僧引之入香積。泉右有方亭，敞潔可坐。瑞峰庵有大學士趙志皋碑記，岫峯庵有右通政李琦碑，中峯庵有禮部郎中馮元颺碑，西峯庵有大學士王錫爵禮部左侍郎翁正春二碑，碑文皆稱溝溝崖。爾雅：水注谷爲溝。以之稱名，夫豈不古？而帝京景物略妄以峋峋易之，何哉？肅松録

原 溝溝崖，勝國梵宇緜亘，凡七十有二，入明僅存其五。西峯者，五庵之一也。翁文簡集

原 公鼐溝溝崖詩 橋山西北寺，一谷隱千峯。曲折雲屏掩，高低棧閣重。傳觴猿飲澗，倚蓋鶴巢松。小憩聽泉久，東巖已暮鐘。問次齋稿

原 中山口北一里有仙人洞，洞在山麓，可容二百人。洞口向東，從石梯而下，石皆倒垂。下爲平地，洞西壁有一門，近門上有石鐘下懸，長數尺。門之內，少入轉而南，見有石罅如夾道，深黑，人不敢入。昌平山水記

原 仙人洞在紅門內東山腰，去碑樓三里，躡磴而上，洞口僅容一人，僂而入，內若大廈，日色下燭，石皆倒垂。燕都遊覽志

原 無名氏詩 石洞窅且深，花落無人掃。仙翁去不還，何處尋瑶草！昌平舊志

原 唐家嶺店在州南四十五里。同上

原 車駕北征，徐行則次唐家嶺，疾行則一日而至榆林。永樂二十二年四月，上親征，駐

蹕唐家嶺，以四日至居庸關。宣德九年九月，上巡邊，駐蹕唐家嶺。正統十四年七月，上親征，駐蹕唐家嶺，以次日至龍虎臺。昌平山水記

補翠平口在昌平北二里，舊名得勝口。金大定二十五年五月改名。元混一方輿勝覽

補從紅門望長陵而西入峽，中爲得勝口，關城雉堞，樓櫓俱壯。渡溪上嶺十二盤爲玉皇殿，一崖獨出，殿踞其上，廊檻環之。溪山集

〔臣等謹按〕一統志，得勝口亦名德勝口。

原㶟餘水出上谷居庸關東，又東流過軍都縣南。水經

原水南流出關，謂之下口，水流潛伏十里許，重源潛發，積而爲潭，謂之㶟餘潭。水經注

原㶟餘水東南流，左合芹城水，水出北山，南逕芹城，又東南流，注㶟餘水。同上

原芹城在州東三十里有橋，橋下有水，出芹城北，南流入於沙河。昌平山水記

原榆河一名㶟餘河，或名温餘河，蓋㶟餘之譌也。方輿紀要

〔朱彝尊原按〕後漢書，王霸爲上谷太守，陳委輸可從温水漕，以省陸轉輸之勞。事皆施行。章懷太子注，引水經注，本作温餘水。遼史，順州有温榆河。金更懷柔縣爲温陽，豈盡無據？又昌平多温泉，有流入雙塔河者，温泉之名竊疑因此。水經注既無善本，今人習見坊刻，遂指温字爲㶟字之譌，正恐類昔人所云以不悖爲悖也。

〔臣等謹按〕據説文，則㶟水爲灅水之訛。又遼史，順州有温餘河。此引作温榆，亦互異。謹附識以俟考。

原 榆河源出州西南四十里月兒灣，下流爲沙河，經順義會白河。昌平州志

〔臣等謹按〕是爲北沙河，南接宛平縣界，至沙河店東南，合南沙河入通州界。

增 榆河，今曰北沙河，繞州西，會翠屏山泉而東南流，又東至州東南三岔口，會南沙河、高麗河，經順義縣西南三十里，又東南至通州東北八里，入白河。俗又名爲富河。册説

原 易荆水東逕薊城，又東逕昌平縣故城南，又謂之昌平水。水經注

〔臣等謹按〕易荆水即今之南沙河，源出神頭嶺，東流經昌平州南爲南沙河。舊有城，本朝設氊作局於此，詳見物産門。

原 沙河店南有水出昌平州西南五十里龍泉寺，合西山諸泉東流爲南沙河，有橋曰安濟。店北有水出昌平州西南四家莊，逕雙塔村東流爲北沙河，有橋曰朝宗。二橋皆正統十二年命工部右侍郎王永壽建。二水至店東南竇家莊而合，又東南至通州界入白河。昌平山水記

原 沙河北店距州二十五里，南店距州二十七里。昌平州志

原 吴寬渡沙河作 橋下流澌玉一灣，十年重此照衰顔。疏林小店行廚設，落日平原獵騎還。韋杜南連多白草，居庸北界盡蒼山。天寒喜報王師轉，驛路無塵羽檄閒。匏翁家藏集

【原】許穀沙河道中和汝湖韻　五渠春水接天河，玉輦經游紫氣多。夾路羽儀交日馭，行宮仙樂動雲和。飛魚口外龍旂轉，洗馬橋邊豹尾過。獨羨上卿遥扈蹕，詩成傳出鳳凰坡。石城集

【增】高麗河在州東五十里，源出州東龍泉寺，泉分二流：一入順義縣，名白浪河；一南流，名高麗河，又南流，復合入温榆河。大清一統志

【原】一畝泉在州西南十五里，東會沙河，經陽山，由高梁直至張家灣，以濟漕河。昌平州志

【原】雙塔河源出昌平縣孟村一畝泉，經雙塔店而東，至豐善村入榆河。元史河渠志

【原】至元元年二月，發北京都元帥阿海所領軍疏雙塔漕渠。元史世祖紀

【原】至元三年四月，巡河官言：雙塔河時將泛溢，不早爲備，恐至潰決，臨期卒難措手。乃計會閉水口工物，開申都水監差夫修治，凡合閉水口五處。元史河渠志

【原】官河在州西南二十里，源出一畝泉，分爲二流：一曰官河，流入宛平縣，入高梁河；一曰雙塔河，在州西南三十里，經雙塔店入榆河。方輿紀要

【原】七度水在昌平界，接虎眼泉。太平寰宇記

【原】虎眼泉在州西八里舊城下。方輿紀要

【原】常景遣别將破杜雒周於州西虎眼泉。魏書

【原】虎眼川在虎谷山下，幢幢水所出也。昌平州志

【原】水流如瀑布，三四里至鵓鴿岩，隱而不見，或謂舊縣西北虎眼泉是其水復出也。燕都

游覽志

〔臣等謹按〕州志，虎眼泉流至豐贍村，入榆河。

原 吴師道虎峪淙淙泉作 居庸古塞口，諸峯並嵯峨。左轉萬栗林，黄葉墮殘柯。路出草棘間，石溝泫微波。黄塵歘騰起，知有飲馬駝。前趨俯絶壑，素礫漫坡陀。窮秋水脈絶，泓渟不盈科。無復聲淙淙，虚名誤來過。下馬少徘徊，土屋依岩阿。野老向我言，深入水木多。前年邑中人，來此逃干戈。委蛇數十里，隘險無誰何。桃源志樂土，商山有遺歌。誰知戰争場，咫尺隔網羅。欲游苦匆匆，斜陽下前坡。吴禮部集

〔朱彝尊原按〕吴禮部正傳所詠淙淙泉，當卽今之幢幢水也。

欽定日下舊聞考卷一百三十五

京畿 昌平州二

【原】白浮泉水在昌平縣界，西折而南，經甕山泊，自西水門入都城焉。元史河渠志

【原】白浮龍潭水流經白浮村，元郭守敬築堰引水，使西會馬眼等諸泉，折而南流，入於潞河，以便漕運。堰卽以白浮名。長安客話

【原】郭守敬奉詔興水利，上自昌平縣白浮村引神山泉西折而南，過雙塔、榆河、一畝、玉泉諸水，經甕山泊至西水門入都城。按：神山、白浮皆在州之東南，地勢西高東下，守敬乃能引之而西，是不可曉。昌平山水記

【原】大德十一年三月，都水監言：白浮、甕山河堤圮三十餘里，宜編荆笆爲水口，以泄水勢。計修笆口十一處，四月興工，十月畢。元史河渠志

【原】皇慶元年正月，都水監言：白浮、甕山堤多低薄傾陷，宜修治。來春二月入役，八月修完，長三十七里二百一十五步。同上

【原】延祐元年四月，都水監言：自白浮、甕山下至廣源牐，堤堰多淤澱淺塞，源泉微細，不能通流。由是會計工程，差軍千人疏治。同上

【原】泰定四年八月，發衛軍八千，修白浮、甕山河堤。元史泰定帝紀

【原】雅克特穆爾退師於白浮南，敵軍復合，鏖戰於白浮之野。元史本傳

【原】至正十四年四月，命各衛軍人修白浮、甕山等處堤堰。元史河渠志

【原】清夷水西逕沮陽縣故城北，秦始皇上谷郡治此。王莽改郡曰朔調，縣曰沮陰。水經注

【原】聖湯，一在昌平北二十五里，一在昌平南三十五里，湯山有寺。元混一方輿勝覽

〔臣等謹按〕湯山泉康熙五年始加疏引，甃池二，並恭建行宮，詳見前湯山條内。

【補】湯泉知名者七：匡廬、汝水、尉氏、驪山、鳳翔之駱谷、和州之惠濟、渝州之陳氏山居也。燕之昌平李陵臺，亦有温泉。研北雜志

【增】百泉在州西南四里許，平地湧出，不可勝數。大者有三：一曰原泉，清深澈底；一曰黄泉，流沙渾漫；一曰響泉，其聲似鬧；然寬俱不過丈許。大清一統志

【原】九龍池方廣十丈，重垣護之，覆以黄甓，石琢九龍張頜，歕沫入池，泠然有聲。夾池植桃柳。稍東爲月闕洩水，水流出闕爲小渠，過石梁入山下田。篁墩集

【原】九龍池在紅門西翠屏山下，逼近昭陵，泉出九穴，穴鑿石爲龍吻，瀦水爲池。燕都游覽志

原九龍池在昭陵西南，於山崖下鑿石爲龍頭，泉出其吻，瀦而爲池。上有粹澤亭，中一間，旁各三間，門三道，東向，繚以周垣，爲車駕謁陵事畢臨幸之所。嘉靖十五年，世宗勅建也。昌平山水記

增九龍池在昌平翠屏山下，凡九穴，鑿石爲龍。大清一統志

原趙釴游九龍池詩　乘春趨帝寢，轉蹕向龍池。塢曲鶯啼緩，松深馬度遲。紅泉流玉液，丹砌擁金枝。日暮烟雲合，嵐光逐望移。無聞堂稿

原王廷幹九龍池詩　龍門開碧苑，池色映丹邱。芳樹緑階轉，清泉入户流。園平花氣合，谷静鳥聲幽。即此消千慮，何須覽十洲。巖潭集

原仙人池在駐蹕山下，傳有仙人浴此。昌平州志

原玉斗潭距百望山十二里，腐草罨之，深不可測。傳有兩牛鬬，陷於潭無迹。又北十里爲灌石，駐蹕山在焉。西望白虎跕，深若天井。山上有臺名栖雲，金章宗嘗游此擊毬，山下石牀、石釜俱存。薊邱集

原紅澗溝在龍虎臺西一十二里。昌平州志

原蓮塘在州治南三里八蜡廟前，東西二水相環，俗呼兩水。河旁植榆柳，地多秔稻，若水鄉焉。同上

原紅橋在州治西南十五里。同上

原雅克特穆爾與王禪軍遇於榆河北，奮擊敗之，追至紅橋北，因據紅橋，兩軍阻水而

陣。元史本傳

原至順二年四月，詔建雅克特穆爾生祠於紅橋南，樹碑以記其勳。五月，次紅橋，臨視雅克特穆爾生祠。元史文宗紀

原州西南十二里有紅橋，橋亡而名尚存。元文宗爲雅克特穆爾建祠立碑處也。昌平山水記

原黄溍昌平縣石橋記 由都城北抵上京，驛十有二，而昌平之爲縣，當其第一驛。谿水逕闤闠中，横絶通衢，霖潦暴至，則水湍悍益甚，人莫利涉。縣尹畢侯以爲昌平今畿縣，大駕時巡，次舍在焉。凡侍從之臣，宿衛之士，與夫外須教令，内奉職貢，使客傳遽之往來，率由乎是。爲長吏者曷敢弗謹。迺規貨食，募匠傭，揆日之吉，架石爲橋，其修六十尺，而其廣得修四之一。自始作，至訖功，爲日若干。車者無濟盈，徒者無厲深，而民不知有役，咸相與誦美之。掌其驛事者宫君琪持父老之言來諗曰：吾畢侯之爲人，素慎重，雖居劇縣，善操簡以御煩，見謂材敏。然以廉平不苛，民樂其業，田里安於事，用能以暇日致力於兹橋。願有紀而附見其治行之槩，勒諸岸左，以貽永久。古者列國有四鄰賓客之交，入其境而門關遠路廬館川梁修除之不時，猶或譏其失政。矧今百里之郊，警蹕所臨，有能勤其官敬其事而不忘乎嚴飭具備如此，可謂無失政矣。豈徒一時興作之工有足稱道哉！庸弗辭而爲之書，善觀政者有考於斯，則它治行固可推而知也。畢侯名文質，濟南士族。其出宰也，由翊正掾外補云。黄文獻集

原光武時，寇恂至昌平，襲殺邯鄲使者，奪其軍。耿弇走昌平，就其父況。盧芳入朝，南及昌平。魏文帝拜牽招使持節護鮮卑校尉，屯昌平。章懷太子注：漢故城在今幽州昌平縣東南。昌平山水記

原薊城東北一百四十里有昌平城，城西有昌平河。魏氏土地記

原軍都縣有昌平城。魏書地形志

原沮陽故城在東南四十里。昌平州志

【原】萬年城在州西南。東魏天平中置萬年縣，屬平昌郡。隋開皇初，廢入昌平。方輿紀要

【增】古疑城在州東南二十五里南小口之西，相傳遼蕭后屯兵於此。大清一統志

【增】今州東四十里有軍都村，亦曰縣址，又有故城在州西十七里，又有大口故城在州東南五十里，雙塔故城在州西南十八里。昌平州志

【原】榆河驛，初設於榆河，嘉靖中改附州城。昌平山水記

【增】延慶衛在州西北四十里居庸關內。明永樂二年置隆慶衛，隆慶初改名延慶衛。所轄地東至昌平州界七十里，西至昌平州界二十里，北至宣化府延慶州界三十里，今府境諸衛皆裁，唯此仍設。大清一統志

〔臣等謹按〕延慶衛，本朝乾隆二十四年改歸州屬，其居庸關外等處，撥入延慶州分隸。

【原】大口村在州東南五十五里。昌平州志

【原】元天曆二年五月丁丑，帝發京師，北迎明宗皇帝。戊寅，次於大口。元史文宗紀

【增】至正十二年四月，周伯琦由翰林直學士兵部侍郎拜監察御史。視事之三日，大駕北巡上京，例當扈從啟行，至大口，留信宿。近光集

【補】張翥送駕至大口作　萬乘巡行遠，三靈佑護多。旌旄隨大纛，鼓鐸雜鳴駝。初日浮黃繖，微風送玉珂。臣心如草色，不斷到灤河。蛻庵集

【原】桃林村在州城東三十里，有法林寺，元至正年建。昌平州志

【原】花塔村在州城西北三十里，有和平寺，唐建。同上

【增】昌平東有燕丹村。昌平山水記

【原】太平莊在州東南二十五里。昌平州志

【原】元延祐二年，遷紅城屯軍於古北口太平莊屯種。七年十二月，罷太平莊屯田，復於紅城周迴立屯。元史

【原】初以永清等處田畝低下，遷昌平之太平莊。泰定三年五月，以太平莊乃世祖經行之地，營盤所在，春秋往來牧放衞士頭匹，不宜與漢軍立屯，遂罷之。止於舊立屯所耕作如故。同上

【原】舊縣西十里爲龍虎臺，地勢高平如臺，廣二里，袤三里，元時車駕巡幸上都，往來皆駐蹕其上。昌平山水記

【原】龍虎臺去京師百里，在居庸關之南，背山面水，車駕歲幸上都，往還駐蹕之地。誠意伯文集

【增】龍虎臺，納寶地也，凡車駕行幸宿頓之所，謂之納寶，又名巴納。灤京集 按：巴納義見前，舊作納鉢。今譯改。

原至元十九年八月，駐蹕龍虎臺。元史本紀

原至元二十七年地震，帝駐蹕龍虎臺，召集賢翰林兩院官，詢致災之由。元史列傳

原富珠哩翀除僉太禧宗禋院，迎駕至龍虎臺。帝問：子翬來何緩？太禧院使阿榮對曰：翀體豐肥，不任乘馬，從水道來，是以緩耳。元史本傳

原文宗駐蹕龍虎臺，馬祖常應制賦詩，尤被嘆賞。謂中原碩儒唯祖常云。上同

原庫庫特穆爾遣部將白索珠以萬騎衛京師，駐於龍虎臺，與博囉特穆爾戰。上同

原札實博極羣籍，泰定三年，詔以遺逸徵至上都，見帝於龍虎臺，眷遇優渥。上同

原元統初，陳顥扈蹕行幸上都，至龍虎臺，帝命造膝前而握其手曰：卿累朝老臣，更事多矣，凡議政事，宜直言無隱。顥頓首謝。上同

原永樂八年二月，車駕次龍虎臺，遣行在太常寺少卿朱焯祭居庸山川。二十年九月，車駕次龍虎臺，饗隨駕將校。二十一年十一月，車駕次龍虎臺，賜文武大臣及忠勇王金忠宴。明成祖實録

補帝幸上都，忠勇王從至龍虎臺拜辭，帝賜衣慰諭。高麗史世家

原宣德五年十月，車駕次龍虎臺，召英國公張輔等至幄中，問郊外民事，賜酒饌。明宣宗實録

補正統己巳秋七月，王振挾天子率師親征，至龍虎臺安營，方一鼓，衆皆虛驚，知爲不祥也。古穰雜録

原江孚龍虎臺賦　吾聞幽都之山，崔嵬嶜崒，崱屴紆鬱。幾萬里兮，挾居庸之南出。壯乾坤之險阻兮，開混沌之端倪。滈龍盤而虎踞兮，屹高臺之巙峗。右太行之峩峩兮，左江海之湯湯。負天關之贔屭兮，面紫極之清光。觀夫臺之爲狀也，則博敞倜儻，朝昏來往。嶔岑參差，日月蔽虧。軼雲雨於太半，俯星辰於下墀。溘氛埃而軼浮景兮，出凌兢而入太微。吾亦不知其高廣之若是兮，蓋天地之所爲。若乃崚嶒巀嶭，撐鱗奮鬣。周迴連蜷，蜿蜿蜒蜒。林蒸潤而雨降，崖轉石而雷喧。勢將騰海水而噴薄，鼓顥氣而飛天。吾是以知臺之所以名龍，神變化而無前。至若嵌巖谽谺，有呀其牙。孱顔岩㟯，而爪而攫。春花明而文炳，飛泉咆而慄魄。衆山奔騫於其下兮，若百獸震掉披靡而前却。吾是以知臺之所以名虎，雄萬古而旁礴。爾其季春歷日，法駕北巡。五輅煇煌，萬騎紛紜。鸞旗鳳蓋之棽麗，金干玉戚之晶熒。警蹕既啟，天顔甚邇。散皇風以矚幽，考聲教之所被。吉行信宿，於焉而止。喜地勢之高平，縱登望之峛崺。乾心降而徽怡，都人仰而稱偉。於是名臣良士，朱虎夔龍。迷清飈於有土，虛元氣於大沖。鼓舞六合，奮躍羣雄。出淵潛之滯跡，起巖穴之幽蹤。吾又知臺之所以名龍虎，不獨山川之勝，又快夫風雲上下之相從也。嗟夫！威加四海，知霸心之猶存；直計百金，昭儉德之爲至。圖功業於丹青，致獲良於千里。是雖可以壓銅雀而下姑蘇，又豈足以並茲臺之美乎！歌曰：粤瞻層臺，聿穹窿兮。肇基太始，垂無窮兮。爰考休徵，熙淳風兮。於昭靈臺，與俱崇兮。

文翰類選

原劉基龍虎臺賦　猗歟太行之山，呀雲豁霧，結元氣而左蟠。於赫龍虎之臺，摩乾軋坤，魁羣山而獨尊。其背則崔嵬突嵂，森岡巒而拱衛；其勢則崑崙駿馱，仰星辰之可捫。白虎敦圉而踞峙，蒼龍蜿蜒而屈盤。狀昂首以奮角，恍飈興而雲屯。其北望則居庸巀嵲，烟光翠結。攢峯列戟，斷崖立鐵。踆烏飛而不度，古木樛以相掣。其下視則漲海沖瀜，飛波洗空。風帆浪舶，往來莫窮。想瀛洲之密邇，睇三山之可通。彼呼鷹戲馬，適足彰其陋；而眺蟾望屋，曷足逞其雄？豈若茲臺之不事乎版築，而靡勞乎上功也？想其嶔崟碕礒，曼衍迤邐。形高勢平，背山面水。巨靈獻其幽秘，歸邪護其光晷。何嵩華之足吞，豈岱宗之可擬。此所以通孔道於上都，揭神京之外壘。匪松喬之敢登，羌乘輿之攸止也。至若四黄既駕，鹵簿既齊。方玉車之萬乘，蔚翠華之萋萋。載雲罕與九斿，光彩絢乎虹霓。山祇執警以廣道，屏號灑雨以清埃。朝發軔於清都，夕駐蹕於斯臺。明四目以遐覽，沛仁澤於九垓。玭軒轅之梁甫，屑神禹之會稽。雄千古之盛典，又何數於方壺與蓬萊！慨愚生之多幸，際希世之聖明。雖未獲覩斯臺之壯觀，敢不慕乎頌聲。遂作頌曰：傑彼神臺，在京之郊。金城内阻，靈關外包。上倚天倪，下鎮地軸。太行爲臂，滄海爲腹。崇臺峩峩，虎以踞之。羣山巃嵸，龍以翼之。於鑠帝德，與臺無窮。於隆神臺，與天斯同。崇臺有偉，鑾駕爰止。天子萬年，以介遐祉。誠意伯文集

【原】馬祖常龍虎臺應制詩　龍虎臺高秋氣多，翠華來日似鸞坡。天將山海爲城塹，人倚雲霞作綺羅。周穆故慚黃竹賦，漢高空奏大風歌。西京巡省非行幸，要使蒼生樂至和。石田集

【原】周伯琦龍虎臺詩　巍巍百尺臺，蕩蕩昌平原。隆隆鎮天府，奕奕環星垣。居庸亘北紀，奥區斂全燕。蒼龍左蟠拏，白虎右踞蹲。斯名豈易得，天以遺吾元。明明傳正統，聖子及神孫。巡歸遂駐蹕，衣冠照乾坤。山川皆改容，草木亦被恩。章華民力竭，柏梁侈心存。豈若因自然？張設一旦昏。雄偉國勢重，簡儉邦本敦。年年舉成典，宮中奏雲門。近光集

【補】果囉羅納延龍虎臺詩　晨登龍虎臺，停驂望居庸。絕巘閟雲氣，長林振悲風。翠華有時幸，北狩甘泉宮。千官候鳴蹕，萬騎如飛龍。帳殿駐山麓，羽葆羅雲中。我行避馳道，弗得窮幽蹤。衣裘倏涼冷，積霧浮空濛。前山風雨來，驅鞭復匆匆。金臺集

【補】袁桷龍虎臺詩　羣山朝宸居，層臺納靈秀。百泉暗東西，千嶂明左右。先皇雄略深，省方歲巡狩。翠華懸中天，問俗首耕耨。沉沉貔貅壘，濯濯鷹犬藪。前行節駝鼓，執御各在手。侍臣仰天威，長跪四方奏。往聞父老言，羅拜上萬壽。山桃與黍酒，啟齒時一嗅。乘雲去無蹤，過者必稽首。登坡望儲胥，紫氣徹牛斗。清容居士集

【原】金幼孜隨駕宿龍虎臺作　軍都邑廢已無城，龍虎臺空尚有名。山繞平原烟樹綠，天連碧海暮潮平。清宵宿衛聞笳響，拂曙趨朝聽鼓聲。傳道乘輿催早發，中軍先已抗前旌。金文靖集

【原】皇后店在州西南三十里，元至正二十四年，博囉特穆爾遣其黨圖沁特穆爾犯關入居庸，太子遣兵逆戰於皇后店，卽此也。方輿紀要

【原】州西八里爲昌平舊縣，今居民不滿百家，而唐狄梁公祠香火特盛。歲四月朔賽會，二三百里內人至者肩摩踵接。考之唐書，突厥陷趙定，縱掠而歸，公爲行軍副元帥，獨以兵追之，又爲河北安撫大使，意其嘗至此也。有碑一，元大德四年集賢學士宋渤撰文。昌平山水記

〔臣等謹按〕祠在舊縣北門外，正統中修，有學士曹鼐記。弘治初修，有郡人劉嗣榮

記。乾隆三十八年重修。

原狄梁公祠建自唐，元大德間重建，正統間修之。其碑云，梁公爲昌平縣令，有媪子死於虎，媪訴於公，公爲文檄神，翌日虎伏階下拜，公告於衆，殺之。土人思公德，立祠也。帝京景物略

原昌平縣北有狄梁公祠，元大德中重建，學士宋渤記之。穹碑尚存廟中，常有光怪。每歲二月二日，南山北山之人皆來作社，前數日夜，碑上即有火光，遠而望之，碑字皆見，近視之，即滅。馬氏日抄

原過沙河二十里至新井庵，有松林，陰一畝。西數里柳林中有臺曰景梁臺，土人立，以思狄梁公也。帝京景物略

原臺初名慕狄，正德間户部分司林應驄所建也，隆慶中改景梁。昌平州志

原宋渤重修狄梁公祠記 昌平縣治在燕山南麓。邑北門外舊有唐狄梁公廢祠，不知始建何代。大德三年，縣尹遼陽王君敬率同事葺之，凡再閲月，祠之内外皆完好。具其事來謁予於圖史府，曰祠成當識。竊謂傳有之，能捍大患、能禦大菑者，咸載祀典。狄公於唐社稷，如忠格悍后，力争廢主，能以孤身當横流中，毅然不易一言，極難事耳。史稱寧州爲勒石頌德，彭澤爲立生祠，魏州復有生祠，皆其所嘗臨治，恩信及人，既去而猶思之者也。今昌平於傳未嘗作邑，而祠之何與？按：萬歲通天中，罷魏州時，嘗轉幽州都督。中宗反正，自右肅政御史大夫改河北道行軍元帥，其罷修城守具，論發兵戍疏勒非是，請曲赦河北脅從民人，蓋獲免者數千萬計，皆當時施行。其有大恩德於燕趙，豈直昌平哉！吾嘗往來上谷漁陽古鎮戍中，往往有公祠宇，蓋敦實之精，惠義之著，其被覆冒之境，感而不忘，相率祠之，無疑也。狄梁公祠石刻

原劉諫議祠在舊縣東。景泰三年，祠隨縣徙，建於儒學内，歲春秋上丁致祭。昌平州志

【原】諫議書院，元設山長主之。明一統志

【原】元泰定二年五月，置諫議書院於昌平，祀唐劉蕡。元史

〔臣等謹按〕元史，泰定間建諫議書院，果囉羅納延金臺集則云天曆間奏建書院。考泰定二年至天曆相距四年，或泰定中已創其端，後因宮祺奏，乃卒成之歟？

【原】康里庫庫請褒贈唐劉蕡，以旌正直，帝從其請。元史本傳

【原】元建劉諫議祠，許參政有壬爲之記。長安客話

【補】唐劉蕡，昌平人，歷遼金無能發潛德。天曆間，昌平驛官宮祺始奏建劉諫議書院。金臺集

【原】劉蕡，字去華，昌平人。太和二年舉賢良方正，對策指斥宦官，遂不第。令狐楚在興元，牛僧孺在襄陽，皆辟爲從事，待如師友，授秘書郎。爲宦官所嫉，誣以罪，貶柳州司户參軍，卒。昭宗時，贈右諫議大夫。元泰定初，以昌平驛官宮祺奏請，始爲立祠。祠本在舊縣，縣徙，祠亦徙焉。在大成門之西。程學士敏政詩云：新祠門對頖池灣，是也。昌平山水記

【原】劉蕡，楊嗣復門生也。唐登科記：寶曆二年，楊嗣復下三十五人裴休等。時蕡第十九，賦齊魯會於夾谷賦，晦日與同志昆明池泛舟詩，及第。策直言，中官嫉怒，仇士良

謂嗣復曰：奈何以國家科第放此風漢耶！嗣復懼曰：昔與蕡及第時，猶未風耳。玉泉子

增志稱蕡宅墓在昌平，今其址俱不可尋。崇禎五年，劉京兆榮嗣謀於董宗伯其昌爲撰碑，手書以風策士，猶稱司户，存憤也。帝京景物略

原羅袞請褒贈劉蕡疏略　竊見故秘書郎責授柳州司户臣劉蕡，當太和年對直言策。是時宦官方熾，朝政已侵。人誰敢言，蕡獨指斥。遂遭退黜，實負寃欺。其後竟陷侵誣，終罹譴逐。沉淪絶世，六十餘年。前歲東内幽辱，西州播遷。陛下德勝妖孽，義感勳賢。克返塵鑾，再安寶位。向使蕡策得用，蕡才得施，則杜漸防萌，尋消逆節。豈殷憂多難遠及聖躬？以此追維，誠堪軫悼。乞宣付中書門下，顯加褒贈，不獨慰九泉之骨，庶亦勵四海之心。文苑英華

補陸深弔劉生賦　洵劉生之瓌瑋兮，已亮夫言出而禍隨。誕樹虚而賈實兮，紛振古之共悲。測彼蒼之倚伏兮，嗟生獨罹乎此時也。當明庭而鋪辭兮，既已謝乎無媒也。苟忠信之自印兮，又奚必開金石而稱奇！願韜卷以有徯兮，恐歲暮之難期。凌冰雪以北度兮，敬弔生之芳祠。空蘋藻於寒沍兮，悵躊躕之何遲。吁會合其猶然兮，羌昧己而前之。塞河決於微穴兮，當狂瀾之既頽。貔虎逸而負嵎兮，欲徒手而徑批。臨深淵而莫戒兮，聳旁觀之屢疑。佩宣王之昭訓兮，亦有道而言危。曰余既知夫隱衷兮，冀身卻而道垂。謂將來之可恃兮，竟陳言之誰施！謇歷生之故墟兮，睇西山之崔嵬。尋采薇之舊蹤兮，路逶迤而多岐。風號寒而木怒兮，恍有遇於斯須。情抑鬱而欲語兮，魂靡靡以難持。儻決機於轉圜兮，曰獨生之所私。儼山集

原李商隱哭劉司户詩　有美扶皇運，無誰薦直言。已爲秦逐客，復作楚寃魂。湓浦應分派，荆江有會源。併將添恨淚，一灑問乾坤。玉谿生詩集

原黄溍題劉諫議祠作　劉君古遺直，祠堂在邱園。嗟此豪傑窟，文雄歘孤騫。平生二三策，匪徼明主恩。瑣瑣談失得，毋乃市井言。黄文獻集

原果囉羅納延劉蕡祠詩　入郭日已暝，慘澹風葉赤。鞠躬荒祠下，低徊想遺直。劉君素忠憤，伏闕論邦國。痛陳腹心禍，竟罹考功斥。餘子盡騫騰，鬱鬱負慚色。鄉人仰高義，千載崇廟食。悲歌風蕭蕭，感慨情惻惻。出門無行人，涼月照東壁。金臺集

原吴師道劉諫議祠下作　李唐祚中微，刑臣執其柄。賢良褎然來，一策駭羣聽。事幾戒不密，昌言毋乃病？吾職非近臣，陳義固當正。爲時吐忠憤，誓不顧軀命。同游雖厚顔，得失非所競。滔滔徇世學，胡不愧元聖？鄉閭闢祠宇，

名教係邦政。居庸峭摩天，過者竦深敬。吳禮部集

原 程敏政詩　老樹陰森護廟門，尚疑生氣塞乾坤。衣冠死愧千年策，俎豆公宜百世尊。晏歲牛羊山下冢，東風桑梓道旁村。匡時不盡平生恨，白日悠悠逝水奔。篁墩集

原 許城名詩　泮宮留俎豆，城郭隱山川。落日春林外，荒祠古樹邊。青蘋還獨薦，直道更誰憐！感慨悲前事，臨風一愴然。龍石集

原 何御詩　北州劉諫議，廟貌尚如初。俎豆春秋日，江山涕淚餘。遺蹤問故老，往事見唐書。千載傷君意，龍蛇自卷舒。白湖集

原 黃佐劉蕡祠詩　諫議祠堂在，栖栖託泮林。雨垣春蘚合，風物暮蟬吟。溢浦天何遠！沙河水自深。獸鑪浮勁氣，虯箭遞徽音。社稷誰能奠？經綸獨爾任。毁方難入彀，希古合投簪。桑海時應變，桃源路可尋。炎荒終棄置，幕府始浮沉。宫府分南北，興亡共古今。吐言扶白日，回首破層陰。牢落千年夢，淒清此夜心。停鑣休遠躅，呼酒滌煩襟。宿鳥喧雲堞，飛鴻掠月岑。廣陵有餘恨，非直雍門琴。泰泉集

原 林春澤詩　志士惜流落，故山還有祠。名高下第日，心苦上書時。一出歸何晚？羣姦死已遲。豈知朝代別，揮涕誦君詞。人瑞翁集

原 鄭善夫詩　自昔悲歌地，劉生有墓祠。祇餘經世志，況值諱言時。去國英雄盡，還山事業遲。黃金舊臺北，搔首動遐思。少谷集

原 王鏊詩　荒灣野木古城隅，何處昌平是舊廬？氣帶幽并多感慨，策如晁董亦迂疏。同時下第誰云屈？此外求言總是虛。不盡懷賢千古意，執鞭無路欲何如！王文恪集

原 陸深詩　諫議千年尚有祠，唐宮禾黍久離離。多情瘦馬衝寒到，無數青山落照遲。往事空傳臺下駿，靈風常滿廟前旗。冰霜入夜頻搔首，欲奠芳椒侑楚辭。儼山集

原 駱文盛宿昌平劉諫議祠詩　諫議祠堂日已頹，入門蕭瑟但蒿萊。英風祇自懷千古，行潦那能奠一杯。人靜鼯鼪啼夜雨，月明風露冷秋槐。更餘不盡徘徊意，手摸殘碑思轉哀。兩谿集

原 唐太尉朱懷珪墓在州城西北十五里積粟山下，碑文爲元載撰，李融書。昌平州志

原 吳師道覽朱懷珪碑詩　昌平官道旁，卧碑何壯偉！有唐營府督，懷珪姓朱氏。盧龍昔彊藩，巨孽所根柢。爾嗣泚與滔，逆氣粤有始。耽耽元相國，肆筆方述紀。寧知兩月後，口巇不貸爾。千載托斯人，遺臭同一軌。荒墳莽無迹，石獸相撐倚。雙螭已插地，文字未殘毁。徒令行路者，唶唶嗟僭侈。聖賢樹功德，金石無溢美。末世乃濟姦，事定有公是。奈何極穹崇，來者紛未已。留此懲不忠，并以愧諂子。吳禮部集

原 昌平人卜地葬母，開壙見有紫漆棺而丹漆書其前，蓋婦人之墓而其夫所爲文。文曰：里人盧孝妻祝氏月英，父某，母某，孝始聘其姊，爲權力奪去，父母以英續盟。英貌莊性慧，事舅極禮敬，女紅經史音樂皆通曉，日不廢書，夜

必刺績，夫婦未嘗離舍。勢力者復欲奪英，英憤恚死。歸孝三年，年二十一歲。散衣十九件，皆英手刺花鳥，并其平生玩好，悉以歸冥。至正二年，夫盧孝撰。耳談

【原】瑞光寺在州治後，成化十年敕建。昌平州志

【原】流沙寺在鞏華城北門外，元皇慶年建。同上

【原】上方寺在駐蹕山上，有十八盤寺，南爲仙人陀。同上

〔臣等謹按〕畿輔寺觀志，寺有二：一在昌平州南口東；一在駐蹕山上，有十八盤。

【原】昭聖寺在州西北，唐乾符六年建，明正統十三年奉敕重修。寺有廣大圓滿大悲心陀羅尼幢一，開元中三藏沙門不空奉詔譯，劉詔書。昌平州志

【原】狄公祠南道上立二石幢，鐫梵語，字法頗類李北海，唐貞觀中物也。過西廢寺有二幢，玄奘手書。帝京景物略

【原】舊縣大街東有佛頂尊勝陀羅尼幢一，罽賓沙門佛陀波利奉詔譯。大街西有無礙大悲心陀羅尼幢一，開元國師三藏沙門不空奉詔書。昌平州志

〔朱彝尊原按〕不空，開元時僧，徐浩爲之書碑者也，帝京景物略因三藏字遂指爲貞觀中玄奘書，誤矣。

【補】聖恩寺在昌平州崔村。明正統四年建寺碑，翰林院編修劉昇撰，中書舍人趙昂書，景泰三年立石。木葉山花記

補 劉昇聖恩寺碑略 聖恩禪寺在昌平崔邨北寶峯下，其地四山環寺，東至大獨山，南至南阿坡，西至釣魚坡，北至將軍陀，經始於正統三年十月，明年十一月落成，勅賜額曰聖恩禪寺。聖恩寺石刻

原 白瀑寺在居庸關西百里，寺中畫壁、碑志皆金大定年物。東田漫稿

原 馬中錫白瀑寺詩 白雲深處萬重山，寺在雲山杳靄間。四壁丹青圖海會，斷碑文字記完顏。唄餘盤石僧初定，齋罷生臺鳥未還。世上紅塵應不到，正宜長日掩柴關。同上

補 龍泉寺在昌平州芹城村龍潭之上，本天祐舊刹，駙馬都尉濟延修之。成化三年十月，釋道深撰碑，行湛立石。黃圖雜志 按：濟延義見前，舊作井源。今譯改。

〔臣等謹按〕昌平州志，寺有二：一在芹城北，天祐元年建；一在州治東南五里龍泉山頂。

補 釋道深勅賜龍泉寺記 神山在昌平縣東三十餘里芹城村，村有龍潭，約九畝，有古龍泉寺。天祐元年造舍利寶塔，又有海雲國師及大慶壽尊宿塔。又有望景軒，宣德間嘉興大長公主偕駙馬都尉濟延捨金帛建。龍泉寺石刻

補 昌平之東地名馬坊，釋如進立彌陀寺。德園集

增 香巖寺在昌平州永豐屯，舊名彌勒院，本朝康熙五十九年重建，改今名。大清一統志

增 曹房庵在州治東八里，相傳爲劉諫議讀書處。昌平州志

補 弘治十年，以昌平湯山莊地二百頃賜大慈延福宮，勅建道觀一所，額曰崇虛。黃圖雜志

原 元福觀在州治南四十里。昌平州志

原 元福宮，弘治十七年建，俗呼爲迴龍觀。昌平山水記

原 楊巍宿迴龍觀詩 沙際開瑤館，鑾輿幾度過？日迴雙闕迥，雲傍九陵多。承露空仙掌，沿階自緑蘿。夜深清吹發，猶憶舊鳴珂。夢山集

原老君堂東北有長春亭三間，東西廂各三間，以備游憩。昌平山水記

增呂真人祠有二：一在西大街，有明尚書董其昌撰并書碑；一在溝溝崖紫極峯。昌平州志

增明董其昌呂真人祠記 予少誦陰符道德，意以爲清静所宗，已而觀真誥所載，類皆所主在忠孝節義，清静其寓境也。若呂真人於東溟陳大將軍，有可異者。將軍兒時遇道者，眼光射人，熟視公曰：孺子勉之，異日統數百萬貔貅，爲國家干城，幸自愛。髮未燥，即喜習尚父司馬兵法，以報國自矢。己未春，會遼左四路進師，公當後勁失利，被創墮馬，僵卧草中，見兒時所遇道者相慰勞，云救爾者至矣。忽聞馬蹄聲數百，遂以馬乘將軍，疾馳而歸。始信真人記莂不虚耳。將軍念真人與有夙緣，節鉞所至，必爲立祠。紅螺固其家山，至若在甘肅則祠之，在石城又祠之，在招寶又祠之。迨莅昌平鎮，度鈐閣左右購隙地，建堂三楹，丙舍爲丹室，崇門邃廡，視諸祠尤雄麗。惜將軍未遇早遂其談笑封侯之志。然隨在必著壯猷，與戚大將軍後先伯仲。將軍祠呂公之意，政未可量也。我鄉本一禪院，亦有回先生靈蹟，近遺吾友仲醇藥一瓢，施濟不竭。兹將歸，將從詢此一段奇事，適將軍礱石索予言，遂書所遇真人始末歸之。公諱洪範，字九疇，別號東溟，祠始於癸卯秋，成於甲辰之夏云。呂真人祠石刻

欽定日下舊聞考卷一百三十六

京畿 昌平州三

〔臣等謹按〕昌平州之天壽山，明代十三陵皆在其地，本朝順治四年夏四月，世祖章皇帝特命工部修葺。九年，敕禁明陵樵採。十六年十一月十四日，世祖駕幸明陵，十七日致祭明諸陵及明愍帝陵，並御製祭文。又命閣臣金之俊撰思陵碑記。十二月，復頒諭修明崇禎帝陵詔，並命設立陵户，給與贍田，俾司香火。聖祖仁皇帝亦嘗親臨致奠，飭令地方官加意防護。乾隆五十年，我皇上行幸湯山，取道昌平，躬詣長陵，见諸陵寢明樓亭殿多有傾圮，即神牌龕案亦或遺失無存，奠醊之餘，睿懷軫惻，特發帑金，揀派大臣，董率修理，閱三年而工竣。皇上復親臨閱視，殿宇焕然，松楸如舊。闓澤深仁，其布濩於前代者，可謂洞寰洽宙已。臣等伏讀御製過清河望明陵諸體詩，天藻煌煌，炳如星日。凡有明一代君德之賢否，時政之得失，上下三百餘年，悉綜貫昭著於數千字之中。既咸欽優渥之鴻施，且共仰春秋之義法。盛哉鑠乎，度越千古矣。兹謹將朱彝尊所引原書各條另編爲帙，而首先恭載世祖諭旨并御製祭文，我皇上諭旨暨御製諸什，以紀聖聖相承之盛德焉。

增世祖章皇帝諭工部敕　諭工部：前代陵寢，神靈所棲，理應嚴爲防護。朕巡幸畿輔，道經昌平。見明朝諸陵寢，殿宇牆垣，傾圮特甚。近陵樹木，多被砍伐。向來守護未周，殊不合理。爾部卽將殘毁諸處盡行修葺。見存樹木，永禁樵採。添設陵户，令其小心看守。責令昌平道官，不時嚴加巡察。爾部仍酌量每年或一次或二次差官察問，勿致疏虞。特諭。

增世祖章皇帝祭明諸陵文　維順治十六年，歲次己亥，十一月戊午朔，十有七日甲戌，皇帝致祭於明成祖皇帝、仁宗皇帝、宣宗皇帝、英宗皇帝、憲宗皇帝、孝宗皇帝、武宗皇帝、世宗皇帝、穆宗皇帝、神宗皇帝、光宗皇帝、熹宗皇帝：諸帝丕承鴻運，撫有寰區。莅政理民，爲一代主。朕巡幸畿輔，道經昌平。瞻陵寢之在兹，景流風而興感。特以牲帛醴齊庶品之儀，用申祭享，尚其歆格！

增世祖章皇帝祭明崇禎帝文　維順治十六年，歲次己亥，十一月戊午朔，十有七日甲戌，皇帝致祭於明莊烈愍皇帝曰：維帝英姿莅政，志切安民。十有七年，勵精靡懈。詎意寇亂國亡，身殉社稷。向使時際承平，足稱令主。祇以襲敝政之餘，逢陽九之運。雖才具有爲，而命移莫挽。朕恒思及，憫惜良深。今因巡幸畿輔，道經昌平，陵寢在焉，顧瞻增感。特以牲帛醴齊庶品之儀，用申祭享，尚其歆格！

增 世祖章皇帝諭修明崇禎帝陵詔 朕惟膺圖永祚，統紹百王。而創業宏模，情殷勝國。歷觀史册興亡之迹，考其治亂得失之由，僉以政荒，遂干天譴。邦國既隳，士民罔懷。維有明莊烈愍皇帝，實治理之究圖，惜贊襄之莫逮。以致寇氛犯闕，宗廟爲墟。追念喪師，非因失德。朕每念及此，未嘗不惻焉傷心也。頃者兩幸昌平，周視明代陵隧。躬親盥奠，俯仰徘徊。以彼諸陵，規制咸壯麗相因；獨愍帝之陵，荒涼庳隘，典物未昭。原彼當年孜孜求治，宵旰不遑，祇以有君無臣，薄海鼎沸。洎乎國步傾危，身殉社稷，揆之正終之例，豈同亡國之君？朕於憑弔之餘，撫往興悲，不禁流涕。因欲繕治陵寢，丹堊几楹，慰靈爽於九京，彰異數於奕禩。迺核少府金錢，悉皆小民正供。倘增工徒之費，殊乖賦式之經。然終不忍聽其闕畧，用是布告方州，開導悃忱，交相輸助，聿新礱甃，以肅松楸。爾等溯厥源流，夙沐前朝之澤；凡兹臣庶，寧無故主之思？矧愍帝之終，異於往葉；而勸忠之感，當有同心。或列籍薦紳，或齒登編户。恩沾累世，德瀸高曾。勿以革故爲嫌，致歉事亡之誼。各隨心力，共佐經營。在内所捐，貯之工部，各直省地方，輸之有司，彙解工部。獨慮經費浩繁，紓以歲月，計貲罔缺，工役迺興。繚以周垣，崇其寢殿。奢靡不尚，雖少遜厥諸陵；鳩庀獨新，庶無曠乎儀制。所在奉行，毋滋擾害。克成斯舉，式副朕心。

增乾隆五十年，奉上諭：直隸昌平州爲前明陵寢之地，本朝定鼎後，我世祖章皇帝卽命以帝禮改葬思陵，並敕工部修葺諸陵，親臨奠酹，並禁止樵採，添設陵户。我皇祖聖祖仁皇帝亦曾親臨致奠，並飭地方官加意防護，所以加禮前代者最爲優渥。朕此次行幸湯山，取道昌平，躬詣長陵致奠，見諸陵寢明樓享殿多有損壞，神牌龕案亦遺失無存。爲之慨然弗忍視。蓋由明代中葉以後，國事廢弛，全不以祖宗爲念，於陵寢並未修葺。至末年復經流寇擾亂，亦無人守衛，以致日就傾圮。若其後代之君，果能歲加繕治，整齊完固，逮今不過百有餘年，亦何致頽剥若此？又諸陵前雖建有碑座，均未鐫泐，未審彼時是何意見？今親臨奠醱，周覽之下，深爲軫惻。自應重加葺治，增設龕位，俾臻完備。再我朝開創之初，睿親王以我師克取遼東，時明之君臣惑於形家謬説，疑金代陵寢與本朝王氣相關，將房山縣金陵拆毁。是以爾時亦將定陵享殿撤去，停其祭祀。然明樓寶城仍存其舊，未壞也。維時我世祖尚未親政，其事實由睿親王建議，亦非世祖意也。今國家一統，已歷百數十年，勝朝陵寢，自應一體修復。所有定陵享殿，著仍行修建，春秋祀事如故。又明世宗永陵，前因尹嘉銓條奏，將其祭祀裁撤。但前明之亡，不亡於崇禎，而亡於萬曆、天啟，是以於歷代帝王廟中撤其位祀，而陵寢仍前致祭。明世宗雖溺意齋醮，尚不至如萬曆、天啟之昏庸失德。其陵寢自應照前一體致祭，以昭大公。我國家受天眷命，世德顯承。於前代陵寢繕完保護，禮從其厚。此次修復諸明陵殿宇等工，卽費至百萬帑金，亦所不靳。所有此項工程，著派尚書劉墉、德保、金簡，侍郎曹文埴、德成董率經理，務期完固。工成後，飭該地方官隨時稽察，小心防護，嚴禁樵蘇，用副朕隆禮勝朝之至意。欽此。

增乾隆五十二年，奉上諭：順治年間，因明陵附近居民於陵旁樵採，曾奉諭旨禁止，並添設陵户看守。數十年來，地方官並未小心稽查，以致殿宇損漏、牆垣攲側之處甚多。前年朕親臨奠醊，緬懷前蹟，是用惻然。因特發帑金，揀派大臣監督，將各陵重加修葺。兹屆工竣，朕便道親臨閱視，殿宇焕然，松楸如舊。第恐閱時既久，地方官查禁不力，復不免有私行樵採及殿宇牆垣間被風雨損壞等事。嗣後應交直隸總督責成霸昌道，就近專管稽查，仍於每年十月，著工部屆期奏請派該部堂官一員前往查勘，如有殿宇牆垣樹株傷損等事，惟該管道員是問，以示朕加禮勝朝保護舊陵至意，著爲令。欽此。

增御製過清河望明陵各題句有序　六度南巡，洪武必瞻廟貌；近兹北眺，永樂一奠椒漿。定鼎燕京，排衆議而具卓識；永樂十九年，將遷都北京，諸臣僉云不便。主事蕭儀、侍讀李時勉言尤峻切。成祖怒殺儀，下時勉獄，雖不無過當，然以燕地負山帶海，形勢雄偉。臨中夏而控北荒，誠所謂扼天下之吭而拊其背者。金元俱建都於此，比建康相去天淵。成祖就封北平，屢經出塞，天險地利，籌之已熟。故卽位後決計遷都，卓識獨斷，誠非近慮者所可及。向批通鑑輯覽，曾詳言之。秘衣天壽，示百載更有深謀。卽異代不能不爲護持，故乙年是臨，是興感慨。飾新葺舊，爰命水部之臣；發價僱工，不惜地官之帑。逮去冬乃蕆事，視季春以落成。曰廢曰興，都關法戒；爲恩爲怨，總拊虛無。蓋自上澣迴鑾，遇閒每以成什；逮茲避暑啟蹕，竣詠遂以登篇。憶前載度此橫杠，哀明陵曾有長句；值今日縱觀遠麓，思殷鑒可無各題。不拘一律，而成近體或古風；胥據真蹤，卽倣昔巡書新帙。

唐宗明祖弗相殊，唐則失弦明有需。事債率多咎齊泰， 建文聽信齊泰、黃子澄之言，削藩鎮以致召禍，燕兵已次高資港，方爲割地之說，實屬迂濶。論者多右方孝孺而歸罪於齊泰、黃子澄，予以爲債事之咎，三人皆不能辭，而其禍本則在太祖聽信劉三吾之言耳。 禍根應識始三吾。遷京違議辭江國，卜鼎深謀近帝都。 此聯意已見前序。 宏制倣成奉天殿，終於無用若爲乎？ 長陵享殿曰祾恩殿，重檐九楹，制極巍煥，與彼奉天殿相倣，爲自古帝王陵寢所無。案明宣宗實録載，宣德嘗駐陵下，語侍臣云：皇祖嘗言帝王陵寢有崇奢麗及藏寶玉者，皆無遠慮云云。今長陵規制如此，尚得謂之袪奢崇儉乎？況爲之子孫者又不能慎守神器，旋至傾圮，苟非我朝爲之禁樵蘇，重葺治，終不免於殘壞，可見徒崇奢麗之無益也。 唐太宗，明成祖，皆英雄也。其處家門事，大同而小異者，蓋因唐高祖無能爲，建成、元吉之禍又逼，故太宗不得不倒行而逆施。若明太祖，乃有能爲者，故成祖畏而弗敢卽動，以待後日。然使太祖弗聽劉三吾之言，立成祖爲太子，亦可無靖難之禍矣。此蓋二帝之所遇不同，有幸有不幸耳。 右長陵

獻陵近在長陵右，十二陵中儉約首。 昌平十三陵，內思陵原爲田貴妃園寢，本無明樓享殿。此次修葺明陵，始爲建置。其明時所建者，實止十二陵也。日下舊聞載洪熙遺詔：朕臨御日淺，恩澤未洽於民，不忍重勞。山陵制度務從儉約云云，故十二陵中，獻陵規模最爲狹小。 朱氏之君實巨擘，惜乎一載位不久。使其臨莅歷多年，漢文宋仁不足醜。但盡子職不知他，毓德者應

爲法守。然而其時亦殆哉，楊黃下獄因讒口。楊溥、黃淮等同時輔太子監國，永樂北征還，太子遣使迎稍遲，帝怒，入高煦譖，悉徵東宮官屬下詔獄，溥、淮皆坐繫。事見明史二人本傳。是則立儲可行哉，計久長應酌臧否。右獻陵

長陵頌淳樸，其言未必允。長陵在明諸陵中規制最爲鉅麗，則日下舊聞所載，宣宗駐陵下語侍臣追頌成祖崇儉之言，未足憑信。詳見前長陵詩注中。景陵實淳樸，覯之美德蘊。自獻陵外，惟景陵規制最小。日下舊聞載，嘉靖十五年曾稍廓大之，然則明諸陵中特爲淳樸，想見始建時即有崇儉之意。英祖有肖孫，儀刑服以近。爲政平强藩，繩武業弗隕。椓人俾通文，涓涓誠未謹。宣德元年，開内書堂，令劉翀爲修撰，授小内使書，内官始通文墨，掌章奏，與外廷往來，其後奄人柄政，流毒無窮，皆於此肇其端也。陳祚郭循怒下獄，則逞一時憤。殿壁繪豳風，信知民務本。不失爲賢君，後世乖厥準。右景陵

親征開釁聽權閹，幸得還朝南内潛。不以播遷咎王振，翻因復辟恨于謙。于謙當英宗北狩之後，排羣議而力戰守，不可謂無功宗社者。乃以立景泰恨之，且信徐有貞、石亨輩所嫉，於復辟後文致其罪，以謀逆律定讞，實爲冤獄。便些小善何足紀？從婦寺凶豈待占。景帝易儲信貪位，鬩牆尺布竟招嫌。按：英宗信任王振，致有土木之難。幸而還朝，潛居南内。繼因徐有貞、石亨等徼倖奪門之功，得以復辟。乃以私憾誅于謙，翻憫惜王振之忠，爲之立祠褒卹。其好惡顛倒至此。雖有釋建庶人之繫及罷宮妃殉葬諸小善，亦無足紀。至若景泰，自即位後，即欲以己子見濟代太子，於是黃竑輩得窺其間，遽然疏請，遂以易儲貪天位而恣私欲，終於殺禮西山，景泰實有以自取。然英宗亦豈得辭寡恩尺布之議哉！向題景帝陵作，曾論及之。右裕陵

口宣經義具文徒，明史載，帝於經筵畢，必口宣賜酒饌。劉定之請以例賜，毋煩玉音。自是君臣間無一言相接。夫當日經筵進講，不過講官等擬撰講章，臨朝宣讀一過，並不若今之有親製御論，闡發經義，然即此亦屬具文，非如君臣日對，疇咨國家實政者可比。況並此循例數言亦請去之，則一堂不啻千里之隔，其時政務之叢脞更

何待言耶？向於通鑑輯覽中曾批論及此。劉定之仍請弗須。遂使情如千里隔，相看默乃一言無。雪寃幹蠱則誠善，蠲賦省刑不可誣。增廠乘時恣煬竈，早成家法與亡俱。憲宗增置西廠，以太監汪直領之。氣焰熾張，羅織內外，橫行無忌。其後廠衛竊柄，日漸恣肆。逮末世而元氣孱削，遂以危亡。蓋由永樂設立東廠，寄宦官以訪緝之任，早已作法於涼，家法相承，中璫煬竈，亦無足怪耳。右茂陵

雖常有善政，然亦任中涓。弘治在位十八年中，頗多善政。然常令東廠廉刺外事。其時上書言東廠當革者，往往得罪，未嘗不信任中涓也。積重原難返，去奢果是賢。一倉萬石備，實鮮上聲。博名傳。弘治時，令天下設預備倉，每十里積粟萬石，及數者爲稱職，過者旌擢，不及者罰之。原其意，未始非備荒之一策。然有萬不能行之勢。以一縣地方縱橫百里而論，綜計天下一千三百餘縣，每十里萬石，所積之粟不知凡幾，安得有餘粟如此之多以供購糴？且既視積數之多寡以定黜陟，自必官爲經理。有司志在取盈，則苛累横征，勢所不免。即令如社倉之聽民輸納，出入自司，而其侵虧之弊又將不知若何。昔朱子創立社倉，亦止能行之一鄉一邑，安能例之天下！況民生户口日增，而產穀之土有定，購積既多，價必日貴，是預籌異日之民食有濟，而先致現在之民食不敷矣。予近作填倉日詩，有譬如日三餐，與二減其一，日留待汝饑，誰肯信其議之句。深見積貯一事，言之易而行之實難。弘治此舉，亦可謂徒博虛名而鮮實惠耳。享年祇卅六，多忘無逸篇。按：明諸帝，太祖、成祖而外，治績有可稱者，仁宗、宣宗、孝宗而已。然孝宗所處與仁宣異，仁宣之際，國勢初張，綱紀修立，二宗蒙業兢兢，易稱令主。至成化以後，天下襲太平數十年矣。晏安久則不期怠而自怠，豐亨積則不期奢而自奢。孝宗獨能恭儉有制，勤政愛民，庶幾知保泰持盈之道者。獨不免信倚中官，假之事柄，東廠之恣，肇端於此，涓涓不塞，咎亦難辭。然其施設未終，年僅三十有六，有足惜爾。明自太祖、成祖以來，踐祚久而享年永者概不多見。其自弘治以前，如洪熙、成化，僅越四旬；宣德、正統，甫踰三十。其在弘治以後，正德、隆慶亦僅踰三十。神宗雖逾五旬，而怠荒失德，所謂益之疾而厚

其亡也。至天啟弱冠而殂，享年更促。可見耽樂是從，罔或克壽，理誠不爽。無逸之書以嚴恭寅畏爲祈天永命之本，而以不知稼穡艱難、不聞小人之依爲戒。統觀有明諸帝，年祚修短，足爲明徵。因論弘治之事，附識之，並僂數以昭炯鑒云。右泰陵

連疏請誅閹，驚泣忘食矣。尚可諉年少，及壯益堪鄙。惡事無弗爲，實厭數上聲僂指。莊宗李天下，成帝張公子。較彼尤甚焉，不亡更何俟！而竟未即亡，殊難究此理。向著讀召誥，約畧明其旨。前歲謁明陵，而思及受命保命之要，必當以敬爲本。因著讀召誥一篇。以爲天之視君，猶父之視子，父於子無不亟其愛，子於父當無不亟其敬。然及其一再失敬，猶必訓誨之，至怙終弗悛則亦弗愛之而已矣。如明永樂之篡位，大行誅戮，應亡而弗亡；正統之北狩，應亡而亦弗亡；正德之荒淫失德，應亡而尚弗亡。此非慈父之逭其罪而仍有所顧惜之意乎！必致萬曆怠政，天啟童騃，崇禎有猜忌之失，無恢復之能，而後亡之。天意昭昭可監。予嘗以爲有明二百七十餘年，傳世十六，非昊蒼慈眖不及此。可不慎乎，可不懼乎！茲因望康陵題句，有鑒於難諶靡常之戒，復申論之。右康陵

但知私孝忘公議，璁萼因開僥倖門。既以修齋習黃老，那更平聲戀世侈陵園！日下舊聞載，永陵成，世宗登陽翠嶺，顧謂工部臣曰：朕陵如是止乎！部臣倉皇對曰：外尚有周垣未作。乃築垣，諸陵之所無等語。世宗既耽心清静，方欲脱蹤天位，何乃斤斤較身後，以致比別陵侈麗過甚，實不值一噱耳。去奸匪聽忠臣諫，斥佞乃因方士言。嚴嵩竊權罔利，以世宗果刑戮，每激怒戕害人以逞其奸。楊繼盛劾嵩十大罪、五奸，疏入，帝大怒，下繼盛獄，寃死。其時論嵩者不一，並置若罔聞。後因方士藍道行詐爲乩仙語，具言嵩

父子奸狀，帝心動，乃罷嵩，下世蕃詔獄。嵩之奸邪，罪雖自此而明，要難語於癉惡之正也。白兔仙桃詩上瑞，較於漢武倍爲昏。嘉靖中，方士陶仲文、段朝用等以神仙服食之説聳聽希榮，實踵文成、五利故智。然漢武既覺其詐，即能誅少翁、欒大。而世宗始終不悟，甚且以幄後獲桃、白兔生子詡爲上瑞，告廟稱賀。其崇信左道，更在漢武之下。按：嘉靖欲推崇興獻，本屬人子至情。假令集議之初，即定爲本生，尊以帝號，使其報本之意既中，或可隱全大義。乃一時廷臣紛紛聚訟，必執濮議相持，遂使張璁、桂萼等阿諛逢迎，激成過舉。予向作濮議辨，以局外而觀局中，爲之權衡斟酌，期合夫天理人情之正，俾萬世本支承統者有所折衷。因題永陵，復識如右。右永陵

隆慶堪稱明帝良，石星猶諫廢朝章。語緣遏抑内臣故，廷杖受讐非受殃。通鑑輯覽載，隆慶二年，給事中石星上疏，言帝縱飲，娛情聲色，内臣福威自恣，肆無忌憚。帝大怒，詔廷杖，黜爲民。其時監杖中官滕祥尤怒星，予重杖，絶而復甦云云。明之秕政，莫過廷杖一事。穆宗尚稱令主，乃因一時之怒，循行弊例，遂至奸璫逞其私憤，流毒搢紳。彼時轉有以曾經廷杖爲榮者。綱紀陵夷，名實倒置如此，國是尚可問乎？本朝一洗勝國諸弊政，從無廷杖言官之事，足正吏習，亦振朝綱。宦寺煬竈，更無所之施矣。右昭陵

明帝鮮善政，然或一二有。茲今論定陵，乃無一可取。少時擅居正，任爲弗可否。長上聲懶見廷臣，股肱隔元首。以私弗立儲，争産益可醜。福王常洵，鄭貴妃所生。當儲位未定時，妃恃寵要帝至大高元殿謁神設誓，立常洵爲太子。帝即緘書玉合，賜爲符契。後以廷臣争之彊，太后堅持立長，而妃又失歡，乃仍立皇長子爲太子，封常洵爲福王。福王婚費至三十萬，營洛陽邸第費亦至二十八萬。廷臣請王之國者數十百奏皆不報，復命給王莊田非四萬頃不可。後因葉向高封還手敕，不得已聽王之國，猶賜莊

田二萬頃。中州腴土不足，取山東湖廣田益之。王猶奏乞淮鹽數千引，市洛陽。邊餉由此大絀。本朝則不然，凡皇子分封，田產皆撥自内務府，多不過十萬，從不取之戶部。此誠良法美政，萬世所應遵守勿失也。賢黨奸黨混，致此誰之咎？漢唐末造，皆有黨禍，至明季而更烈。自顧憲成、高攀龍等倡修東林講學，號召生徒，樹標立幟，而黨援門户之禍遂成。其時不惟真小人揚其毒焰，而僞君子且益撼其頹波。士習敝而國運傾。四十八年之間，君臣否隔，綱紀廢弛，邪黨滋蔓，不可振救，誰執其咎耶？論者謂明亡實由於神宗，洵不誣也。蓋天厭明德，縱之歷年久。明亡定於斯，戒萬世不朽。右定陵

記稱國將亡，則必有妖孽。三案萃泰昌，運實遭决裂。踐阼未及月，紀年半載缺。史贊潛德彰，蓋勉爲之説。按：梃擊、紅丸、移宮三案，皆由於泰昌，其是非本無難論斷，而發言盈廷，以致釀成疑獄。口舌之痾，即爲妖孽，信亡徵之先見者也。至其嗣服，當神宗綱紀隳壞之餘，紀年雖幾半載，即位未及一月，無政可稱。其於梃擊聚訟時，對廷臣委曲求全，君臣父子間至以文僞調停，則亦未能潛修默感信乎中外者。史稱潛德久彰，惜其措施未展，亦止可曲爲之説如此。右慶陵

明之天啟秦二世，昏闇大都相同爾。所以趙高及忠賢，其用奸亦相比擬。然二世猶稍自肆，天啟諸事不由己。俾之斧鑿恣兒戲，乳母竟至戕妻子。斯固可嗤亦可憐，明祚安得不亡矣！剷斷金陵爲厭勝，亦蓋由於奸宦耳。睿王報德以直爲，聞其明樓被焚毁。即今重修復舊觀，以德弗以直尤美。明至神宗末年，綱紀廢壞極矣。重以天啟昏懦，婦寺竊權，濫賞淫刑，忠良慘禍，不可殫述。最可鄙者，當我朝克取遼東，彼乃惑於形家之説，疑房山金代諸陵與本朝王氣相關，遂行拆毁，斸斷地脈，又建關廟於其地以爲厭勝，實屬乖謬。

然其時天啟童騃，國是久置不問，殆亦魏忠賢輩猖狂恣肆，任意妄行，轉不必歸咎於天啟也。迨我師入定燕京，相傳睿親王以尼堪外蘭之讐，焚燬德陵明樓享殿。夫修怨復仇，臣子之通義，在睿親王自當以直報怨，非爲已甚。但今閱百數十年，德怨久泯。昨因修復明陵，仍命將天啟德陵所有明樓殿廡一律興造，俾還舊觀。此則以德報怨，尤爲自古所無。非以睿親王爲爲之已甚而反其轍，蓋在我寧失之過厚耳。右德陵

大厦支寧一木材，苟爲明更濟多猜。勤勞甚亦徒虛耳，社稷殉之誠壯哉。就寢飾終經早備，崇禎既殉社稷，李自成命以宮扉載出，遷殯昌平州。州之士民開田貴妃墓，藁葬其中，一切簡率。我世祖定鼎後，命以禮改葬，即田妃園寢建陵，並御製祭文，駕詣昌平致祭，議加謚莊烈帝，典禮優厚，度越千古。起樓設主更重培。順治年間，改建思陵，而一切明樓享殿之制未大備。今重爲修葺，悉如別陵，並普立神牌木主，供奉以妥享祀焉。得非其手報從厚，萬古皇清德量恢。

按：崇禎承神、熹之後，大勢已傾，淪胥莫挽。即位之初，尚有志於明作有爲，而燭理不明，徒事苛察。加以多疑偏執，往往於瑣屑處推尋小過，而巨惡轉任其朦混。嘗謂其無恢復之能，有猜忌之實，非刻論也。故在位十有七年，憂勤惕厲，無裨阽危，有足惜者。卒之身殉社稷，愍烈可稱，與自古亡國之君有間。本朝得統，正大光明，取非其手，既爲雪恥復仇，而飾終典禮疊從優厚。復訪其後裔，至今世襲侯封，春秋命其祀陵，皆自古施仁勝國者所未之有也。茲因睇望各陵，各爲系什，並尚論當年興廢之由，亦以示萬世殷鑒云爾。右思陵

欽定日下舊聞考卷一百三十七

京畿 昌平州四

增永樂七年五月，營山陵於昌平縣，遂封其山爲天壽山。明典彙

增成祖擇壽陵，久不得吉壤。七年，仁孝皇后尚未葬，禮部尚書趙羾以江西術士廖均卿至昌平縣，偏閱諸山，得縣東黄土山最吉。上卽日臨視，定議封爲天壽山，命武義伯王通董役，授均卿官。或曰，定長陵者王府尹也，亡其名，亦不知何許人。同上

增十三年九月，昌平壽陵成。同上

增二十二年十一月，太宗葬長陵。同上

增宣德五年乙未，上奉皇太后率皇后謁長陵、獻陵，車駕發京師。三月壬寅，駐蹕陵下，謂侍臣曰：皇祖嘗言古帝王陵寢有崇奢麗及藏寶玉者，皆無遠慮；吾子孫宜戒之，不可蹈也。此語朕記憶不忘，今所建陵寢皆皇祖當時規畫，不敢有所增益。戊申，還京師。同上

原燕山自西山迤邐東來，至玉田縣西北，延袤數百里，直抵海岸。紀纂淵海

原燕山去神京百里而近，國朝諸陵在焉，更名天壽。翁文簡集

原永樂七年五月，營壽陵於北京昌平縣東黃土山，封曰天壽山，命武義伯王通督工。大政記

原居庸東折玉帶、神嶺諸山，若抱若拱，八陵在焉。治平畧

原文皇帝初卜陵，衆議欲用檀柘寺基，上獨鋭意用黃土山，即天壽山也。宙載

原寧陽人王賢，少遇異人相之，當官三品，乃授以青囊書，遂精其術。永樂七年，成祖卜壽陵，有司以賢應命，於昌平州東北十八里選得吉壤，舊名東榨子山。陵成，封曰天壽。賢後累官至順天府尹。水東日記

原永樂七年，仁孝皇后尚未葬，成祖擇壽陵，久未得吉壤。禮部尚書趙羾以江西術士廖均卿至昌平縣遍閱諸山，得縣東黃土山。成祖即日臨視，封天壽山，命武義伯王通董役，授均卿官。獻徵録

原天壽山名，始於成祖，蓋嘗駐蹕於此飲酒，是日適萬壽之期，羣臣上壽，故名天壽。今之傳譌者謂爲御體所藏名天壽者，非也。明世廟識餘録

原天壽山陵擇地，或云江西廖均卿，或云山東王賢。賢字惟善，中永樂辛卯鄉試，以鄢陵訓導擢户科給事中，陞光禄寺少卿，尋遷順天府尹。實録暨兗州府志皆未言其精青烏之術，所聞異辭，難以懸定也。兩京求舊録

原山陵入路，第一層龍沙帶崖，第二層白玉石坊，在紅門之南。嘉靖十九年建。坊北石橋，橋南二喬松，北瞰流泉，松柏左右列各六行。第三層自坊内行松陰中三里許，至紅門下馬，步入門内。左爲拂塵殿，圍牆正殿二層，羣室六十餘楹。皇帝謁陵，至此更衣。左右槐樹。正寢二殿，羣圍房各五百餘間。第四層至龍鳳門，黃緑琉璃甃治，門内外白玉石華表柱各二，雕蟠龍，色如乾黃玉。門内外石橋七座，白玉石爲欄。第五層至碑樓，洪熙元年建，碑高十丈許，無字。第六層至欞星門，門左右列雕龍白玉石柱、石人、石馬、麒麟、象、虎、駱駝、犀牛、獅子。燕都遊覽志

原宣德十年四月，修葺長陵、獻陵，始制石人石馬於御道東西。明宣宗實録

原長陵葬成祖體天宏道高明廣運聖武神功純仁至孝文皇帝，仁孝慈懿誠明莊獻配天齊聖文皇后徐氏。外一十六妃，謚葬不可考。嘉靖祀典

增仁孝皇后徐氏，中山王達長女，嘗採女憲女誡作内訓二十篇，又類編古人嘉言善行作勸善書，頒行天下，永樂五年七月崩。明史

原長陵在天壽山中峰之下，門三道，東西二角門，門内東神廚五間，西神庫五間，廚前有碑亭一座，南向，内有碑，龍頭龜趺，無字。重門三道，榜曰祾恩門。東西二小角門，門内有神帛爐東西各一。其上爲享殿，榜曰祾恩殿。九間重簷，中四柱飾以金蓮，餘髹漆。階三道，中一道爲神路，中平外墄。其平刻爲龍形，東西二道皆墄。有白石欄三層，東西皆有級，執事所上也。兩廡各十五間。殿後爲門三道，又進爲白石坊一座，又進爲石臺，其上爐一，花瓶、燭臺各二，皆白石。又前爲寶城，城下有甬道，内爲黄琉璃屏門一座，旁有級，分東西上，折而南，是爲明樓，重簷，四出陛，前俯享殿，後接寶城，上有榜曰長陵。中有大碑一，字大徑尺，以金填之，碑用朱漆欄畫雲氣，碑頭交龍方趺。寶城周圍二里。城之内下有水溝，自殿門左右繚以周垣，屬之寶城，舊有樹。昌平山水記

原長陵在龍鳳門正北十二里，居中，其地名山場，乃康家莊也。陵之左，有元時康家墳，存之，春秋賜二祭。陵規制大於諸陵。祾恩殿石欄三重，唯此與定陵爲然。其餘僅一重耳。登寶城獨從中道一門入，與他陵左右掖門入者異。碑闊四尺五寸，厚二尺五寸，他陵亦不及也。燕都遊覽志

原長陵門右别有具服殿五間，東向，有周垣。垣南有白石槽五，方而長，名曰雀池，貯水以飲雀。昌平山水記

原宣德五年三月，上駐蹕陵下，謂侍臣曰：皇祖嘗言，古帝王陵寢有崇奢麗及藏寶玉者，皆無遠慮；吾子孫宜戒之，不可蹈也。今所建陵寢皆皇祖當時規畫不敢有所增益。明宣宗實録

原宣德十年十月己酉，建長陵神功聖德碑。同上

原長陵碑，正統初，南城程南雲奉命書。明武宗實録

原嘉靖十七年，上閲長陵碑，欲更成祖謚號，命鋟木加碑上。郭勛上疏，以爲宜盡礱舊字更書之，可以垂永久。上不悦曰：朕不忍琢傷舊號。下禮部翰林院議，部覆請遵上諭，如式刊製，擇吉奉安。詔可。明典彙

原萬曆三十二年，雷震長陵碑。上命重建。於是大學士沈一貫上疏，言世祖欲改刻成祖陵碑而未遑，今雷神奮威，乃天意示更新之象，欲皇上纘成祖德，乘此更立新碑，此莫大之慶也。上優旨允行。噫！上蒼示警於祖陵，正宜君臣修省，乃反以爲瑞應，形之章奏，比王安石天變不足畏，罪浮十倍矣。野獲編

原楊士奇陪祀長陵作　萬里蒼梧去不還，宫車千古閟橋山。日華閒映芙蓉殿，雲氣深連虎豹關。扶病此時瞻玉几，傷心何處望龍顔？遺臣泣盡餘年淚，天上烏號不可攀。東里集

原李夢陽謁陵詩　本朝陵墓傍居庸，聞説先皇駐六龍。一自玉輿回朔漠，遂令金殿鎖秋峯。明禋衮職雖多預，備物祠官豈盡供？報祀獨知今上切，每於霜露見愁容。空同集

增邊貢冬至長陵詩　中峯隱隱下朝陽，複嶂層崖起曙光。觀闕昭回森象魏，山河表裏奠金湯。陵門月映千年樹，寢殿風飄五夜香。長至祠臣竊供奉，擬書雲物紀靈祥。華泉集

原劉士驥長陵陪祀詩　赤縣歸真主，青山鎖故宮。玉魚沉永夜，石馬立西風。霜露秋容肅，椒蘭祀典崇。明禋鑾馭在，濟濟駿奔同。蟋蟀軒草

原鄭善夫至日陪祀長陵作　長陵西接黃花鎮，白雪蒼巖夜色遥。陰殿衮龍猶在目，往時松柏已干霄。總聞一怒風塵起，想見千官遷次朝。悵極兩京興廢事，小山何意起漁樵。少谷集

原區大相供事長陵詩　文皇鼎成後，此地葬衣冠。日月神宮閟，山河帝寢安。塞雲疑扈蹕，關樹想回鑾。寂寞犁庭事，深知創業難。弓劍思軒后，山川會禹陵。翠旗何日返？龍馭幾時升？寢殿行春草，幽宮寂夜燈。萬年關路北，神武至今稱。
海目集

原又雨中祀長陵柬同事諸子詩　冒雨祠官肅，山園禁漏稀。雲輕沉蕙帳，風細颯靈衣。淅瀝松階静，深沉燎火微。羣公攀望處，入夜有龍歸。同上

原范景文詩　松風一道瀉哀湍，碧瓦鱗鱗白石欄。一自路荒清蹕後，十年閒殺老中官。冰餐堂集

原仁宗昭皇帝陵曰獻陵，在長陵之右。燕都遊覽志

原獻陵葬仁宗敬天體道純誠至德宏文欽武章聖達孝昭皇帝，誠孝恭肅明德宏仁順天啟聖昭皇后張氏。其恭靖賢妃、恭懿惠妃、貞静敬妃俱葬金山，外一妃謚葬不可考。嘉靖祀典

增誠孝皇后張氏，永城人。父麒，以女貴追封彭城伯。正統七年崩，合葬獻陵。明史

原七妃三葬金山，餘皆從葬。明典彙

原獻陵在天壽山西峯之下，距長陵西少北一里，自北五空橋北三十餘步分，西爲獻陵神路。至殿門可半里，有碑亭一座，重簷，四出陛，內有碑，龍頭龜趺，無字。亭南有小橋門三道，榜曰祾恩門，無角門。殿五間，單簷，柱皆朱漆直椽。階三道，其平刻爲雲花。石欄一層，東西有級。兩廡各五間，餘如長陵。殿有後門，爲短簷，屬之垣。垣有門，垣後有土山曰玉案山，故闢神路於殿西。玉案山之右有小橋，前數步又一小橋跨溝水。溝水自陵東來過橋下，會於北五空橋。山後橋三道皆一空。又進爲門三道，並如長陵，而高廣殺之。甬道平，寶城小，塚半填，榜曰獻陵，餘並如長陵。山之前門及殿山之後門及寶城各爲一周垣，舊有樹。昌平山水記

原十三陵制獻陵最樸，景陵次之。洪熙元年五月，上疾大漸，遺詔有曰：朕臨御日淺，恩澤未浹於民，不忍重勞。山陵制度，務從儉約。是日升遐。皇太子即皇帝位。及營仁宗皇帝山陵，上諭尚書蹇義、夏元吉等曰：國家以四海之

富葬其親，豈惜勞費？然古之帝王皆從儉制，孝子思保其親之體魄於久遠，亦不欲厚葬。秦漢之事，足爲明鑒。況皇考遺詔，天下所共知。今建山陵，宜遵先志。義等對曰：聖見高遠，發於孝思，誠萬世之利。於是命成山侯王通、工部尚書黄福總其事。其制度皆上所規畫也。同上

原楊士奇謁陵詩　去年侍從謁長陵，此日重來慟倍增。春柳春花渾似昔，獻陵陵樹復層層。君恩追憶不勝哀，老淚乾枯病骨摧。陵下一來腸一斷，餘生知復幾回來！　東里集

原宣宗章皇帝曰景陵，陵在長陵之左。燕都遊覽志

原景陵葬宣宗憲天崇道英明神聖欽文昭武寬仁純孝章皇帝，孝恭懿憲慈仁莊烈齊天配聖章皇后孫氏。而以恭讓誠順康穆靜慈皇后胡氏葬金山，榮思賢妃亦葬金山，外六妃謚葬不可考。嘉靖祀典

增孝恭皇后孫氏，鄒平人。父忠，任永城縣主簿。天順六年崩，合葬景陵。明史

增恭讓皇后胡氏，濟寧人。宣宗即位，孫貴妃有寵。后未有子，又善病，上表辭位。正統七年崩，葬金山。同上

原八妃，一葬金山，餘皆從葬。明典彙

〔朱彝尊原按〕宣德十年三月庚子，贈何氏爲貴妃，謚端靜；趙氏爲賢妃，謚純靜；吴氏爲惠妃，謚貞順；焦氏爲淑妃，謚莊靜；曹氏爲敬妃，謚莊順；徐氏爲順妃，謚貞惠；袁氏爲麗妃，謚恭定；諸氏爲恭妃，謚貞靖；李氏爲充妃，謚恭順；何氏爲成妃，謚肅僖。謚册有曰：兹委身而蹈義，隨龍馭以上賓。宜薦徽稱，用彰節行。是從葬者蓋有十妃，祀典、典彙皆誤也。

原景陵在天壽山東峰之下，距長陵東少北一里半，自北五空橋南數步分，東爲景陵神路，至殿門三里，碑亭門廡如獻陵。殿五間，重簷，階三道，其平刻爲龍形，殿有後門不屬垣。殿後門三道並如獻陵。甬道平，寶城長而狹，榜曰景陵。周垣如長陵，寶城前存樹十五株，塚上一株。昌平山水記

原嘉靖十五年四月，上親詣景陵，語郭勛等曰：景陵規制獨小，又多損壞，其於宣宗皇帝功德之大殊爲弗稱。當重建享殿，增崇基構。明世宗實録

原天壽七陵，惟景陵規制獨小。嘉靖十五年，稍廓大之。今言

原許國謁景陵詩 宣宗黄屋閟青山，十載雍熙想像間。睿藻向來金匱秘，宸遊長麗玉泉閒。蒼林迴合春流斷，紫霧冥濛晝殿關。始信霸陵留儉德，試看階玉點苔斑。許文穆集

增景泰七年營壽陵。八年，上皇復位，廢帝爲郕王，薨於西宫，謚曰戾，毁所營壽陵，以親王禮葬西山，給武成中衛軍二百户守護。成化十一年，勅有司繕陵寢，祭饗視諸陵。明史

原英宗睿皇帝曰裕陵，在慶陵少西。燕都遊覽志

原裕陵葬英宗法天立道仁明誠敬昭文憲武至德廣孝睿皇帝，孝莊獻穆宏惠顯仁恭天欽聖睿皇后錢氏，孝肅貞順康懿光烈輔天成聖皇后周氏。其靖莊安穆宸妃、莊僖端肅安妃、端莊昭妃、恭安和妃、恭僖成妃、榮靖貞妃、恭靖莊妃、恭莊端惠德妃、莊和安靖順妃、昭肅靖端賢妃、端靖安和惠妃、端靖安榮淑妃、安和榮靖麗妃、昭静恭妃、僖恪充妃、惠和麗妃、端和懿妃，俱葬金山。貞順懿恭惠妃葬桃山。嘉靖祀典

增孝莊皇后錢氏，海州人。正統七年立爲后，無子。周貴妃有子，立爲皇太子。成化四年崩，合葬裕陵，異隧。距英宗元堂數丈許，中窒之，虚右壙以待周太后，其隧獨通。而奉先殿亦不設后主。明史

增孝肅周太后英宗妃，憲宗生母也，昌平人。憲宗即位，尊爲皇太后，弘治十七年崩，合葬裕陵。同上

原山陵初止一后祔葬，至英宗元配孝莊錢后終時，憲宗厭於生母孝肅周后，幾不得祔葬裕陵。大臣力諍之，始虚孝肅元宫以待。而二后並祔，自此始矣。野獲編

原十八妃，一葬緜山，餘俱金山。明典彙

原高廟、文廟、仁廟、宣廟皆用人殉葬，至英宗大漸，召憲廟謂之曰：用人殉葬，吾不忍也。此事宜自我止。後世子孫勿復爲之。至今遂爲定制。否泰録

原天順八年六月，裕陵成。其制，金井寶山城池一座，照壁一座，明樓花門樓各一座，俱三間。香殿一座，五間，雲龍五彩貼金硃紅油。石碑一，祭臺石一，燒紙鑪二。神廚正房五，左右廂房六，宰牲亭一，牆門一，奉祀房三，門房三。神路五百三十八丈七尺。神宫監前堂五間，穿堂三間，後堂五間，左右廂房四座二十間，周圍歇房並廚房八十六間。樓一，門房一，大小牆門二十五，小房八，井一，神馬房、馬房二十，歇房九，馬椿三十二，大小牆門六，白石橋三，甎石橋二，周圍包砌河岸溝渠三百八十八丈二尺，栽培松樹二千六百八十四株。明英宗實録

【原】裕陵在石門山，距獻陵西三里，自獻陵碑亭前分，西爲裕陵神路，路有小石橋，碑亭北有橋三道，皆一空，平刻雲花。殿無後門。榜曰裕陵。餘並如景陵。寶城如獻陵。垣内及冢上樹存一百七十株。昌平山水記

【原】朱獻陪祀裕陵詩　龍荒六駕飛，想像翠華歸。廟社靈無改，天人理果微。忝嘗欣永託，禮樂正垂衣。寢殿澄氛霧，觚稜漾素輝。昌平州志

【原】憲宗純皇帝陵曰茂陵，在裕陵西北。燕都遊覽志

【原】茂陵葬憲宗繼天凝道誠明仁敬崇文肅武宏德聖孝純皇帝，孝貞莊懿恭靖仁慈欽天輔聖純皇后王氏，孝穆慈慧恭恪莊僖崇天承聖皇后紀氏，孝惠康肅温仁懿順協天佑聖皇后邵氏。而恭肅端順榮靖皇貴妃亦葬天壽山。端順賢妃、恭惠和妃、和惠靖妃、莊靖順妃、端榮某妃、莊懿德妃、靖順惠妃、昭順麗妃、端僖安妃、恭懿敬妃、懷榮賢妃、靖僖榮妃，俱葬金山。嘉靖祀典

【增】孝貞皇后王氏，上元人。孝宗卽位，尊爲皇太后。武宗卽位，尊爲太皇太后。正德十三年崩，合葬茂陵。明史

【增】孝穆紀太后，賀縣人，本蠻土官女。成化十一年暴薨。孝惠邵太后，昌化人，父林。嘉靖元年崩。同上

【原】孝穆皇后紀氏，孝宗生母也。初葬金山，孝宗卽位，遷合葬。孝惠皇后邵氏，興獻帝生母也。初葬金山，世宗卽位，遷合葬。十四妃，一葬陵之西南，餘俱葬金山。廢后吴氏亦葬金山。明典彙

【原】憲宗初選吴氏，旋廢，則元配爲孝貞后王氏。而孝宗生母爲孝穆后紀氏，同祔茂陵，蓋循用裕陵新例。至嘉靖入纘，則憲宗貴妃邵氏已稱壽安皇太后，尋終，祔葬金山，後亦遷祔茂陵。於是三后並祔，又從此始。野獲編

【原】茂陵在聚寶山，距裕陵西一里，自裕陵碑亭前分，西爲茂陵神路，路有石橋一空，制如裕陵，榜曰茂陵。垣内外及冢上樹千餘株。十二陵惟茂陵獨完，他陵或僅存御榻，茂陵則簨簴之屬獨有存者。昌平山水記

【原】程敏政望茂陵詩　茂陵宫殿鬱參差，已近先皇發引時。上界鸞聲應載道，北山龍脈又分支。遞遷九室藏新主，會遣千官奉節祠。慚愧十年叨講幄，一言無補鬢如絲。篁墩集

【原】薛蕙謁茂陵祀孝貞太后詩　一棄東朝養，千秋不復歸。夜臺長寂寞，月殿少光輝。野露淒金盌，山風動玉衣。茂陵多碧草，春日自芳菲。西原集

【增】王鏊恭送孝穆皇太后祔葬茂陵詩　露宿千官繞，風悲萬木號。配天同浩蕩，啟聖亦劬勞。紅日低黄屋，青山映白袍。誰云金殿遠，還接茂陵高。王文恪集

【原】孝宗敬皇帝陵曰泰陵，在茂陵之西。燕都遊覽志

【原】泰陵葬孝宗建天明道誠純中正聖文神武至仁大德敬皇帝，孝康靖肅莊慈哲懿翊天贊聖敬皇后張氏。嘉靖祀典

增孝康張皇后，興濟人。父巒，封昌國公。嘉靖二十年崩，合葬泰陵。明史

原弘治十八年六月，營泰陵於天壽山，勑太監李興、新寧伯譚佑、工部左侍郎李鐩提督，發五軍等三營官軍萬人供役。明武宗實録

原初建泰陵，都下盛傳其地有水，吏部主事楊子器直言其事。時督工太監李興有殊寵，勢焰薰灼，遂下楊錦衣獄，莫敢救者。適起復知縣邱泰，莆田人，到京上疏，言子器此奏甚有益。蓋泰陵有水，通國皆云，使此時不言，萬一梓宮葬後有言者，欲開則洩氣，不開則抱恨終天。今視水有無，此疑可釋。尋遣司禮監太監蕭敬押楊往，衆謂必遭興毒手，及至，興率奴客詈罵楊，欲箠之。蕭敬曰：水之有無，視之立見，何必爾？又顧興曰：士大夫可殺不可辱也。遂得免。既回奏無水，衆又謂楊必死。事傳禁中，太皇太后聞之曰：無水則已，何必罪之？遂得還職。九朝野記

補泰陵金井内，水孔如巨杯，水仰歕不止。楊名父親見之，歸而疏諸朝，請易地。事下工部。湯陰李司空鐩怒其多言害成功，陰令人塞其孔，以誹謗狂妄奏。命錦衣官校押名父赴陵所驗看。名父身親三木，朝辭賦詩云：禁鼓無聲曉色遲，午門西畔立多時。楚人抱璞云何泣？杞國憂天竟是癡。羣議已公須首實，衆言不發但心知。殷勤爲問山陵使，誰與朝廷決大疑？其志亦可憐矣。孝廟聖體竟葬此中，言之可爲寒心。李司空居官，風采凜凜，晚年尤剛勁不阿，獨此一事不愜人意。無用閒談

原泰陵在史家山，距茂陵西少北二里，自茂陵碑亭前分，西爲泰陵神路，路有石橋，五空，賢莊灰嶺二水逕焉。碑亭北有橋三道，皆一空，制如茂陵。榜曰泰陵。垣内及冢上樹百餘株。存御座、御案、御榻各一。承塵皆五色花板，多殘缺，而茂陵、泰陵獨完。昌平山水記

原何景明謁泰陵詩　世切如雲望，天摧格帝功。彌留念諸將，顧命託三公。玉几星辰上，元宮霜露中。松楸慟哭地，白日起悲風。大復集

原徐禎卿長陵西望泰陵詩　新宮猶靄靄，白露已蒼蒼。詎識神靈遠，徒悲劍舄藏。陰風連大漠，落日照漁陽。稽首攀松柏，雲天灑淚長。迪功集

原邊貢供事泰陵有述　像設徒虛備，龍游竟不還。勳華留率土，精爽寄空山。石錮金泉黝，雲棲碧殿殷。寢園如種竹，應有淚成斑。華泉集

原又望陵詩　徙倚東峯下，西陵望鬱然。元宮深閟日，玉座迥浮烟。風雨清明候，乾坤正德年。攀龍無處所，空有淚潺湲。憶在先朝日，曾沾侍從恩。鸞輿歸寂寞，鳳質儼生存。夕日昏阡樹，春風長澗蘩。祠官如可乞，長奉泰陵園。同上

【原】顧璘詩　松柏西陵路，祠臣仗節來。衣冠瞻漢寢，弓劍拜軒臺。細雨春山濕，明星曉殿開。年年揮淚地，不見長蒼苔。息園集

【原】王謳望泰陵詩　寡昧慚愕散，休明憶聖朝。風雲猶鬱鬱，松柏自蕭蕭。弓劍仙原閟，謳歌帝德昭。放勳如可作，直欲贊神堯。彭衙集

【原】何瑭望泰陵作　泉扃一自掩重關，惆悵龍髯不再攀。絳節定應歸帝所，翠華無復到塵寰。亂峯殘照玄猿哭，衰草寒烟石獸閒。載筆小臣凝望久，玉樓瑶殿倚空山。何文定集

【原】王衡詩　九原何處不蒼涼，弓劍橋山泣孝皇。警夜燎光承委珮，當關午漏下封章。翠旗風雨歸華表，玉几星辰照未央。千祼泰陵坏土濕，登臺北望一沾裳。緱山集

【原】武宗毅皇帝陵曰康陵，在泰陵正西。田大受謁康陵記：康陵西去紅門三十里，十二陵中最僻遠者。陵背負五峰，形如青菡萏，舊名連花山，灌莽陰森，望之不見土石，長松大者至數十圍。燕都遊覽志

【原】康陵葬武宗承天達道英肅睿哲昭德顯功宏文思孝毅皇帝，孝静莊惠安肅温誠順天偕聖毅皇后夏氏。嘉靖祀典

【增】孝静皇后夏氏，上元人。正德元年册立爲
皇后，嘉靖十四年崩，合葬康陵。明史

【原】二妃葬金山。明典彙

【原】康陵在金嶺山，距泰陵西南二里，自泰陵橋下分，西南爲康陵神路，山勢至此折而南，故康陵東向。路有石橋五空，錐石口水遥焉。又前有石橋三空，制如泰陵。榜曰康陵。明樓爲賊所焚。垣內外樹二三百株。昌平山水記

【原】馬汝驥望康陵詩　康陵接泰陵，西極紫雲層。暮倚金門柏，秋攀玉殿藤。地靈原有待，天壽豈無憑？灑淚還佳節，龍髯不可升。西原集

【原】王健上陵詩　玉帛來天府，衣冠去國門。萬年周典禮，七葉漢陵園。月擁元宮迴，星依紫極尊。翠華如在上，瞻切五雲屯。鶴泉集

【原】張孚敬康陵陪祀作　至日康陵上，初封土未乾。君臣原一體，瞻拜亦多官。清路旌旗斷，空山草木寒。去年當此日，猶未返長安。羅峰集

【原】顧夢圭謁康陵詩　早霧籠山暝，新松匝殿稠。三邊餘武烈，八駿想神游。花萼皇情遠，衣冠歲事修。傷心大官酒，猶得獻千秋。疣贅録

【原】王世懋夜出康陵作　石瀨苦頻涉，巖巒却屢登。寒星動飛澗，斷樹出疏燈。不辨元宫色，猶瞻紫氣層。行行一回首，寂寞問康陵。王奉常集

【原】世宗肅皇帝陵曰永陵，在長陵東南。享殿前後凡五重牆，内外皆植栝子松，祾恩殿後之左有松卧而復起，西向三折而始上，寶城頂有杏有桑。燕都遊覽志

原永陵葬世宗欽天履道英毅聖神宣文廣武洪仁大孝肅皇帝，孝潔恭懿慈睿安莊相天翊聖肅皇后陳氏，孝烈端順敏惠恭誠祗天衛聖皇后方氏，孝恪淵純慈懿贊天開聖恭順皇后杜氏。芹城小志

增孝潔皇后陳氏，元城人。嘉靖七年崩，謚曰悼靈，葬襖兒峪。十五年改謚曰孝潔。遷葬永陵。明史

增孝烈皇后方氏，江陵人。嘉靖二十六年崩，預名葬地曰永陵。同上

增孝恪杜太后，穆宗生母，嘉靖三十三年薨，葬金山。穆宗立，遷葬永陵。同上

原孝潔皇后陳氏，初葬襖兒峪，隆慶初，遷合葬。繼后方氏葬金山。孝恪皇后杜氏，穆宗生母也，初葬金山，隆慶初，遷合葬。二十六嬪，惟五妃葬襖兒峪，餘俱金山。明典彙

原世宗元配爲孝潔后陳氏，繼曰孝烈后方氏。上以方氏有定變衛護功，其終也，梓宮先入永陵元宮，又特祧仁宗，以孝烈神主入太廟。比穆宗登極，遷孝潔梓宮與孝烈並祔，而上生母爲孝恪后杜氏，亦遷祔焉。永陵亦有三后同穴，一如茂陵故事矣。野獲編

原嘉靖十五年，禮部諸臣上言：帝后合葬，諸妃陪葬，古今經常之制。英宗皇帝遺詔：皇妃他日宜合葬，惠妃亦當遷來，以後諸妃次第祔葬。聖訓具在。今會典止載睿皇后錢氏合葬裕陵，諸妃竟無陪葬者，茂陵亦無陪葬，莫考其故。臣等竊以諸妃陪葬，義則不當由隧，宜於外垣之內寶山城之外明樓之前左右相向，以次而祔，庶合禮制。從之。嘉靖祀典

原嘉靖十五年，作壽陵。君卽位爲椑，禮也。壽宮在十八道嶺。今言

補永陵成，世宗登陽翠嶺顧謂工部臣曰：朕陵如是止乎？部臣倉皇對曰：外尚有周垣未作。乃築垣，諸陵所無也。後定陵效之。北游紀方

補永陵寶城八十一丈，外加方牆圍護，特異諸陵。朱文懿奏議

原永陵在十八道嶺，嘉靖十五年改名陽翠嶺。距長陵東南三里，自七空橋北百餘步分，東爲永陵神路，長三里，有石橋，一空，有碑亭一座如獻陵，而崇鉅過之。碑亭南有石橋三道，皆一空，門三道，門內東神廚五間，西神庫五間，重門三道，東西二小角門，又進，復有重門三道，飾以石闌，累級而上，方至中墀。殿七間，兩廡各九間，其平刻左龍右鳳，石闌二層，餘悉如長陵。殿後有門，兩旁有垣，垣各有門，明樓無甬道，東西爲白石門，曲折而上，樓之三面皆爲城堞。榜曰永陵。享殿明樓皆以文石爲砌，壯麗精緻，長陵不及也。寶城前東西垣各爲一門，門外爲東西長街，而設重垣於外，垣凡二周，皆屬之寶城，其規制特大。昌平山水記

【原】公鼐謁永陵詩　帝座明江漢，河清應聖人。規模千古上，制作百王新。弓劍瞻遺像，風雲想舊臣。桃花流磵壑，長見永陵春。問次齋稿

【原】何喬遠謁永陵詩　嗣服推真主，垂衣數中興。龍飛三楚外，鳳起五雲層。英武天將縱，聰明古未曾。文思多自涣，威惠乃無恒。議禮臣工屈，箴心聖哲能。居深三殿秘，坐致萬方澄。龍首朱堂建，具茨法駕登。夜飛陳寶石，青映壽宮燈。名昔張相達，聲終顔駟騰。私門哀卞璧，萬姓泣橋陵。甲楯神猶護，松楸涕倍增。中宵天仗外，明月滿觚稜。鏡山集

【原】穆宗莊皇帝陵曰昭陵，在定陵之南，東向。燕都遊覽志

【原】昭陵葬穆宗契天隆道淵懿寬仁顯文光武純德宏孝莊皇帝，孝懿貞惠順哲恭仁儷天襄聖莊皇后李氏，孝安貞懿恭純温惠佐天宏聖皇后陳氏，孝定貞純欽仁端肅弼天祚聖皇后李氏。芹城小志

【增】孝懿皇后李氏，昌平人。穆宗爲裕王，選爲妃。嘉靖三十七年薨，葬金山。神宗卽位，合葬昭陵。明史

【增】孝安皇后陳氏，通州人。萬曆二十四年崩。同上

【原】昭陵在大峪山，距長陵西南四里，自七空橋北二百許步分，西爲昭陵神路，長四里，路有石橋，五空，德勝口水逕焉。又西有石橋，一空。陵東向。碑亭西有橋三道，皆一空，餘如康陵。榜曰昭陵。明樓爲賊所焚，樹亡。昌平山水記

【原】趙用賢陪祀昭陵紀事　瑶臺晴雪浄春空，劍珮聲沉苑路東。霜露每煩憂聖主，貂璫無復肅齋宮。通原燎火分宵白，拂樹霓旌映曉紅。寂寞翠華唯望幸，空餘金粟鳥呼風。松石齋集

【原】黎邦琰昭陵詩　松楸鬱鬱鎖崔嵬，寂寞春山帳殿開。鸞輅恍從霄漢下，龍宫深注夜濤回。虚疑銀海羣凫浴，無復瑶池八駿來。六載垂衣歌聖澤，攀髯何限鼎湖哀。嶺南文獻

【原】神宗顯皇帝陵曰定陵，在康陵之南，東向。田大受謁陵記曰：喻橡子嶺北，是爲定陵。燕都遊覽志

【原】定陵葬神宗範天合道哲肅敦簡光文章武安仁止孝顯皇帝，孝端貞恪莊惠仁明媲天毓聖顯皇后王氏，孝靖温懿敬讓貞慈皇后王氏。芹城小志

【補】銀錢山在昭陵之西，去九龍池五里。萬曆二十五年三月，敬妃李氏薨，進封皇貴妃，謚曰恭順榮莊端靖，擇地萬貴妃墳之右、悼靈墳之左葬焉。山陵考

【原】神宗壽宮皆種栝子松。湧幢小品

補大峪山壽宫寶城左至龍山脚下澗溝計四十丈五尺，右至西井界域計四十丈五尺，總計八十一丈。　朱文懿奏議

原定陵在大峪山，距昭陵北一里，自昭陵五空橋東二百步分，北爲定陵神路，長三里，路有石橋，三空。陵東向。碑亭東有橋三道，皆一空，制如永陵。其不同者門内神厨庫各三間，兩廡各七間，三重門旁各有牆，牆有門，不升降中門之級。殿後有石闌一層，而寶城從左右上，榜曰定陵。殿廡門爲賊所焚，樹亡。　昌平山水記

原葉向高謁定陵詩　康衢何處不歌謡？五十年來荷帝堯。泰運正當熙洽會，乾坤獨攬聖明朝。風傳天語來三殿，日麗宸章下九霄。謾説深宫娱晚歲，憂勤睿慮幾曾消。　一望陵京氣鬱葱，蕭蕭松柏起悲風。長留日月光天壤，更借烟雲護寢宫。彷彿翠華馳道裏，淒涼清蹕夢魂中。傷心最是攀髯日，獨有微臣抱帝弓。　蒼霞草

原朱國祚謁定陵有感述詩　乞歸自放潞河船，息偃江湖二十年。往事句臚成夢寐，重來弓劍莫攀緣。要知孝爲慈闈盡，誰道恩從貴戚偏！猶憶南宫封事入，聽言終似轉圜然。　介石齋集

原光宗貞皇帝陵曰慶陵，在裕陵西南，俗傳爲景泰窪是也。先是，景泰中建爲壽宫，英宗復辟，景皇帝遂葬西山之麓，陵基遂虚。光宗上賓既速，倉卒不能擇地，乃用此爲陵。　芹城小志

原景皇帝臨御日，自建壽陵，尋毁之。　華泉集

原邊貢過壽陵故址詩　玉體今何所？遺墟夕靄凝。寶衣銷野燐，碧瓦蔓溝藤。成戾當年謚，恭仁葬後稱。千秋同一毁，不獨漢唐陵。　同上

原虞淳熙景泰窪詩　合沓衆山轉，鴻溝界危岡。貞松心不移，偃蓋覆神堂。欲蜕龍爲魚，千古以慨慷。土木骨縱横，魂來關塞長。君王奠鰲足，太史筮苞桑。宗廟救淪喪，朱火寒有光。迎駕誼何篤？覆轍戒難忘。豈無延陵心？重爲亡國傷。宫門一以奪，羨門竟迷方。碧瓦易黄屋，蓬顆西山旁。杜宇啼舊埏，織烏集野棠。坤維幸弗絶，一窪得新藏。靈表扶九宫，何必敞陰房？碧血障邊塵，芊芊白草芳。高睇歌大招，涕泗洒衣裳。　德園集

原慶陵葬光宗崇天契道英睿恭純憲文景武淵仁懿孝貞皇帝，孝元昭懿哲惠莊仁合天弼聖貞皇后郭氏，孝和恭獻温穆徽慈皇后王氏，孝純淵静慈肅皇后劉氏。　芹城小志

原諭禮部：朕唯慶源有自，禮必隆於所生；孝思永言，施必由於親始。典關教化，義重彝倫。章獻俱存，肇稱宜亟。我聖妣貞静賢妃，芬降華宗，躬膺令德。徽音夙禀於女史，婉懿早著於青蒲。在昔皇考，毓我弟昆，蓋華萼共輝於連枝，而顧復各勤於離裏。我皇兄纂承祧之重，既篤於濬源；逮眇躬荷世及之休，亦深於惓慕。欲酧罔極，宜備追崇。正儷體之鴻稱，舉遷祔之上典。爾禮部其會官詳議以聞。於是尊謚聖母孝純淵静慈肅毗天鍾聖皇后，祔葬慶陵。　明崇禎遺録

原天啓元年，禮部左侍郎署尚書事周道登疏言：昭陵舊制，祾恩殿正當龍砂之上，形家謂龍砂不可損傷，有謂獻陵享殿亦在龍砂之外，今營建規制原仿昭陵，而斟酌地勢，兼參獻陵。明熹宗實録

原陵寢有後殿、中殿、前殿，重門相隔。有爲門之樞紐者曰銅管扇，冶鑄甚艱，舊例責内侍監造。時因慶陵擇定九月初四日窀穸，内侍以期太迫，再四規避，工部尚書翁臣萬爆董其事，甫一月而功成。陵工記事

原慶陵在天壽山西峰之右，距獻陵西北一里，自裕陵神路小石橋下分，東北爲慶陵神路，長二十餘步，有橋一道，一空，制如獻陵，平刻龍鳳，殿柱飾以金蓮。殿無後門，殿後繚以垣門一道，門北有橋三道，皆一空，其水自殿西下，殿門西又有一小橋爲行者所由。殿北過橋有土岡，自東而來，至神路而止。岡後周垣門三道，如獻陵。寶城東西直上，至中復爲甬道而入。榜曰慶陵。殿門前及垣内樹五百株。昌平山水記

原朱國祚恭謁慶陵作 講幄頻趨鶴籞深，重來就日慘棠陰。十年始受東朝册，一月真傾下士心。視榷盡收中使節，披沙罷採廿人金。最愁日曆書難既，龍去烏號涕不禁。枚卜纔宣三殿麻，深宫遽晏五雲車。翠微色映長陵樹，金粟堆開景帝窆。北去重關遮鳥道，西來一水抱龍沙。白浮村下園官近，未夏雕盤已薦瓜。介石齋集

原熹宗哲皇帝陵曰德陵，在永陵之東北，即永陵之虎沙也，陵獨西向，與昭定二陵相對，旁有竇禹錫手植槐。燕都遊覽志

原德陵葬熹宗達天闡道敦孝篤友章文襄武靖穆莊勤哲皇帝。芹城小志

原懿安皇后張氏，性賢明。魏璫誅僇朝士，后聞楊左諸君子死，色不豫者累月。李自成入犯，思陵將殉社稷，傳旨後宮，令自裁。時周皇后及貴妃宮嬪之承寵者皆遵旨畢命，獨長公主年尚幼，未奉詔。帝怒，拔刃斫其臂，公主仆地。而宮監王永壽方從懿安皇后宮至，白帝曰：懿安皇后業縊死宮中矣。帝乃走煤山自經。當魏忠賢柄國時，有養女任氏，美而狡，進之熹宗，立爲貴妃。及賊入宮，任僞曰：我天啓皇帝后也。賊不敢犯，既而流轉民間，或送於官。永壽從旁竊窺之曰：此任貴妃也。貴妃睨永壽，面發赬，旋閉目如不聞見者。永壽終亦不敢置詰也。永壽事熹宗，不入魏黨。甲申寇亂後，削髮爲僧，往來西山間，談及故宮事，輒語人云。菊隱紀聞

原德陵在潭子峪，距永陵東北一里，自永陵碑亭前分，北爲德陵神路，陵西南向。碑亭前有橋三道，皆一空，制如景陵。平刻龍鳳，殿柱飾以金蓮，殿無後門。榜曰德陵。殿樓門亭俱黄瓦。昌平山水記

原德陵葬雙鎖山潭子峪，在永陵東北。思陵葬錦屏山小紅門内。肅松録

原吴惟英長陵道中望德陵詩 一望長陵路幾盤，葱青秀色馬頭看。烟嵐掩映依元隧，松檜逶迤擁翠巒。梧野乍含秋氣肅，鼎湖遥帶夕陽寒。神孫咫尺龍升處，惆悵臨風淚不乾。墨響齋集

補思陵既殉社稷，至本朝初謚曰懷宗端皇帝，後乃更謚曰莊烈愍皇帝，真追隆勝國之盛典也。白頭閒話

補思陵神牌高二尺五寸，石青地，雕龍金字，書欽天守道敏毅敦儉宏文襄武體仁致孝莊烈愍皇帝，其神主則書懷宗欽天守道敏毅敦儉宏文襄武體仁致孝莊烈端皇帝。神主之左爲周后主，上書孝敬貞烈慈惠莊敏承天配聖端皇后。右爲田妃主，上書恭淑端慧静懷皇貴妃。主長俱不滿尺，白櫝冒之。北游紀方

補崇禎十五年七月癸未，皇貴妃田氏薨，輟朝三日。十七年正月壬子，葬皇貴妃田氏。國榷

補崇禎十五年七月，皇貴妃田氏薨，加謚册文曰：桂殿承芳，輝冠三星之首；蘭宫隕秀，禮崇六列之先。惟昭德於生前，宜隆恩於身後。爾皇貴妃田氏，生有令質，早晉榮封。麟趾鍾祥，式振衍繩之慶；雞鳴效警，時襄宵旰之勤。淑問方宣，遺芳遽掩。望帷如在，悲空結於璠華；辭輦猶聞，名應高於彤管。欲章懿範，宜有褒旌。爰稽素履，謚爲恭淑端慧静懷皇貴妃。靈其有知，尚歆寵渥。山書

原鹿馬山有田貴妃墓，南距西山口一里。崇禎壬午，妃薨葬此。遣工部左侍郎陳必謙等營建，未畢而都城失守。賊以帝后梓宫至昌平州，士民率錢募夫葬之田妃墓内，移田妃於右，帝居中，后居左，以田妃之槨爲帝槨，斬蓬藋而封之，門外右爲司禮太監王承恩墓，以從死祔焉。昌平山水記

原順天府昌平州署吏目事省祭官趙一桂，爲開壙捐葬崇禎先帝及周皇后共歸田妃寢陵事：恭照明陵，坐當昌平州天壽山。卑職於崇禎十七年正署州捕，遭際都城陷没，故主縊崩。至三月二十五日，順天府僞官李紙票：爲開壙事，仰昌平州官吏即動官銀僱夫，速開田妃壙，安葬崇禎先帝及周皇后梓宫。四月初三日發引，初四日下葬，毋違時刻，未便。彼時州庫如洗，監葬官禮部主事許作梅因葬主限迫，亦再三躊躇。卑職與好義之士孫繁祉、白紳、劉汝朴、王政行等十人，共捐錢三百四十千，僱夫啟閉。其壙中隧道長十三丈五尺，闊一丈，深三丈五尺。督修四晝夜，至初四日寅時，始見壙宫石門。用拐釘鑰匙推開頭層石門入内，享殿三間，陳設祭器，中有石香案，兩邊列五色綢緞，侍從宫人生前所用器物衣服俱在大紅箱内盛貯。中懸萬年燈二盞。殿之東間石寢牀一座，鋪設裁絨氊，上叠被褥龍枕等物。又開二層石門入内，通長大殿九間，石牀長如前式，高一尺五寸，闊一丈。田妃棺槨即居其上。初四日申時，候故主靈到，即停於祭棚内，陳猪羊金銀紙劄祭品，同衆舉哀祭奠下葬。卑職親領夫役入壙宫内，即將田妃移於石牀之右，次將周后安於石牀之左，後請崇禎先帝之棺居於正中。田妃葬於無事之時，棺槨俱備，監葬官與卑職見故主有棺無槨，遂將田妃之槨移而用之。三棺之前各設香案祭器畢，卑職親手將萬年燈點起，遂將二座石門關閉。當時掩土地平，尚未立塚。至初六日，率捐葬鄉耆等祭奠，號泣逾時方止。卑職差人傳附近西山口地方撥夫百名，各備掀掘筐擔，舁土築完。卑職同生員孫繁祉亦捐貲五兩，買甎修築周圍塚牆，高五尺有奇。幸大清定鼎，特遣工部復將崇禎先帝陵寢修建香殿三間，羣牆一週，使故主不致淪没於荒郊，君后猶享血食於後世，雖三代開國不逾是也。計開：劉汝朴錢六十千，王汝朴錢五十千，白紳錢三十千，徐魁錢三十千，李某某錢五十千，鄧科錢五十千，趙永健錢二十千，劉應元錢二十千，楊道錢二十千，王政行錢二十千。肅松録

〔朱彝尊原按〕思陵葬日，仁和龔光禄佳育流寓昌平，地宮例書某帝之陵，合以石板，奉安梓宮之前。時倉卒不及礱石，以甎代之，鈐之以鐵，乃光禄所書也。光禄嘗爲予言，壙始開，入石門，地甚濕，其中衣被等物多黰黑，被止一面是錦繡，餘皆以布。長明燈油僅二三寸，缸底皆水。其金銀器皆以鉛銅充之，當時中官破冒，良可憾也。

原甲申四月，密雲副將張減，率所部兵至昌平城下，繫血書於矢，射城中。於是生員孫繁祉同鄉官王廷授、舉人楊春茂，監生白紳，生員楊應震、毛應元，鄉民白希顏等，倡義滅於五月朔日攻城，城中響應。自卯至午與賊戰，斬級百餘，生擒賊一百二十名，墜城死者無算，奪騾馬六十四。隨於次日同赴長陵祭奠，縛賊渠李道春、周祥，磔之，以僞官劉愷澤等四人獻俘於崇禎皇帝陵墓之側，亦磔之，具文哭奠焉。肅松録

原思陵碑亭南北四丈八尺，東西如之，宮門三，距亭十一步，階三，唯中門有棟宇，廣二丈四尺，修三丈。饗殿距門十三步，階三，無臺。殿三楹，廣七丈二尺，修四丈二尺。内香案一，青琉璃五器全設。一神牌高三尺五寸，石青地雕龍邊，以金泥之，題曰明欽天守道敏毅敦儉宏文襄武體仁致孝莊烈愍皇帝。中楹爲暖閣，長槅六扇，中供木主三，中則莊烈愍皇帝，左則周后，右則田妃，外俱用櫝冒之。周后神主題曰明孝敬貞烈慈惠莊敏承天配聖端皇后，田妃神主僅存恭懿二字，餘被人磨去矣。配殿三楹俱黑瓦，殿前大杏樹一株，靈寢門三，距殿址四步，穴牆爲門，中廣二丈四尺，修一丈二尺，旁則户矣。明樓距門十一步，不起樓，階四，中開一門，左右夾窗二。碑石廣一丈六尺，修六尺，雕龍方座高丈許，題曰莊烈愍皇帝之陵。石几距樓十步，長五尺，博二尺。几前石器五，俱高八尺，方式雕龍，中一方鼎，與諸陵異，皆列在地。寶城距几甚近，無城，周迴用牆高六尺，中以石灰起冢，高四尺，繚以短牆，左松八株，右松七株。同上

增大學士金之俊奉勅建明思陵碑記 臣常觀古今治亂之蹟，邦國興替之由，使後人得而考焉以爲法戒者，其義莫詳於史。大約國之興也，創業開基之君莫不有應天順人之舉，積功種德，爲累葉之所憑藉。其亡也，必末年季世之主，或天資刻薄，殘民以逞，或闇弱昏庸，太阿旁落，或甚而縱慾敗度，滅裂綱常，種種失德，難以枚舉。皆因自取滅亡之道，卽國祚之修短不同而覆敗相尋，異世一轍。書曰：與治同道罔不興，與亂同事罔不亡。非虚語也。我皇上聰明睿智，典學惟勤，涵泳六經之暇，尤研精史書。舉前代之是非，往事之成敗，靡不溯源窮委，一一究其指歸。而於明朝興亡本末，更瞭如指掌。深晰崇禎帝之所以失天下者，厥咎有在，非末世亡國之君可同年而語。但當時既無

實録，日後慮多傳疑，每厪睿慮之惻惻。於順治十四年二月內，爰諭工部，立碑表章。恭繹天語，一則曰：明崇禎帝尚爲孜孜求治之主，祇以任用非人，卒致寇亂，身殉社稷。再則曰：若不亟爲闡揚，恐千載之下竟與失德亡國者同類並觀。於戲！宸鑒及此，不能不低徊歎息頌我皇上明並日月，發幽光於已沈；德邁前王，昭公平於隔代。真前此紀載中未有之盛事也。茲工部遵諭礱石既成，皇上特命臣之俊爲文以勒之碑。臣係故明纍臣，矢殉溝壑，幸遭永清之會，再續餘生。既捧徽綸而感涕，益警專命而徬徨。以謭陋昏耄如臣，何能追闡遺徽，卸副皇上表章之盛心？然不敢不就見聞所及，謬述其槩以竊附史臣之職也。按：崇禎帝本以英敏之姿，潛德藩邸，繼膺大統。當卽位之始，正逆璫煽亂之餘，中外危疑。獨能不動聲色，剪除大憝，如秋風振槁。因目擊人心蠱壞，盡屬如醉如夢之流；法紀廢弛，釀成不痛不癢之習。鋭意更弦，猛圖法祖，恤民隱，畏天災，常蔬食布衣，痛自貶損。講幄之咨詢不輟，平臺之召對屢勤。一段宵旰靡寧想望太平之意，誠有如上諭所云孜孜求治者。假令當日有先憂後樂之臣，同心一德，匡濟時艱，小康猶可坐致。卽或中材之佐，警戒綢繆，尚得彌縫歲月。其如偷安積玩，貪黷成風，下吏之精神專用以鑽營結納，大僚之好尚惟在於位高多金。以致民窮盜起。然發難之初，不過西陲一隅，亦何難以國家全力制之？而上下相蒙，以賊爲諱。嘯聚之勢，日熾月盛，攻城掠邑，有同破竹。然後舉國張皇，紛紛議選將，議抽兵，議加派，議設總理總督重臣，臨渴掘井，毫無成算。以言剿，則挫衄屢聞；以言撫，則招徠無術。至於驕兵悍將，反借賊勢披猖爲護身符，來不能禦，去不肯追。遂蔓延流毒秦楚豫巴蜀暨大江以北，所在騷然。而朝端之上方爭洛蜀之黨，日搆元黃之戰，厝火怡堂，獨以賊遺君父憂。間有一二耿介特立之士，以公忠體國爲心，又往往不安於其位，一時內外文武事權在握者無一實心辦職之人矣。致令仁明鋭治之主，不幸而丁中葉陵替之後，起獘扶衰，萬難措手。兼之孑然孤立於上，四顧盈庭，茫無可倚。豈非天之所廢莫能興之，而人謀不臧適任其咎者耶？考史傳所載，凡末季亡國之君，覆車之轍，崇禎帝並無一蹈焉。乃身殉社稷，不引天亡之言，亦綦烈矣。於戲傷哉！有君無臣，貽禍邦國若斯哉！此明代之可爲痛哭流涕者也。我皇上深用惻隱，而欲亟爲之闡揚。是卽孔子當年作春秋之心，褒貶出乎至公，瑕瑜毋令相掩。俾天下後世讀明史者，咸知崇禎帝之失天下也非失德之故，總由人臣謀國不忠所致。庶使後之爲人臣者，悚然知所戒，而後之爲人君者，亦知慎於用人也。然則煌煌睿諭，明乎致治保邦，勿玩小寇，而弭寇必以安民爲本，安民則又以知人爲本，此非直昭一時之信史，實著萬世之常經，蓋永爲君臣之寶鏡云。

原今昌平州故永安城也。正統中，調長獻景三陵衛於中東西三山口及東西二營地方駐劄，以護陵寢。及土木之難，明年景泰元年，於昌平縣之東八里築城，徙衛於內，名曰永安。三年，并昌平縣徙焉。今之東西二門及城中大橋，故南門遺蹟也。其後續設陵衛益多，乃於城南復築一城連之，今之南門是也。乃去舊城南面甎石而合爲一，周十里二十四步。州治在舊城內大街西，先爲順天府昌平縣。正德元年，南京吏部尚書林瀚言：陵寢所在，歲三大祭，欽遣百官陪祀，及帝后忌辰歲暮正旦，並遣駙馬詣陵。縣小民貧，供億煩苦，請改爲州，以密雲、順義、懷柔三縣隸之，助其力役。凡有科派差徭及養馬之類，悉皆優免。從之。未幾復降爲縣。八年，縣丞張懷復奏，始定爲州，以三縣屬焉。昌平山水記

原昌平升爲州，議自林文安瀚始，其户部分司舊駐京，歲一巡視而已。正德中，始開署昌平。見文林記。國史唯疑

原嘉靖十六年三月，上駐蹕沙河，視文皇帝行宮遺址。禮部尚書嚴嵩因言：沙河爲車駕展視陵寢之路，南北道里適均，文皇肇建山陵，卽建行宮於兹。正統時爲水所壞，今遺址尚存，誠宜復修而不容緩者。且居庸白羊近在西北，若鼎建行宮於中，環以城池，設官戍守，寧獨車駕駐蹕爲便，而封守慎固，南護神京，北衛陵寢，東可以蔽密雲之衝，西可以扼居庸之險，聯絡控制，居然增一北門重鎮矣。上是其議，命卽日興工。明世宗實録

原嘉靖十七年十一月，勅兵部左侍郎樊繼祖：沙河駐蹕之所，宜有城池，其往相度。乃同巡撫戴金、陸釴，巡按胡守中、王應，兵備副使潘鎰横直量度，通一千一百五十五丈八尺，其城垣四面量度停中，惟南北二門乃鑾輿出入之處，各開三門，中門視左右爲大。南北二樓比東西亦加偉。其城外濬池，約離城六丈五尺，闊二丈，深一丈，以嘉靖十八年正月興工。既竣，得旨：城門南名扶京，北名展恩，東名鎮遠，西名威漠。建築疏稿

〔臣等謹按〕昌平山水記，北名展恩作展思。

增鞏華城四門置戍守，亦曰鞏華臺。方輿紀要

原隆慶六年，薊遼總督侍郎劉應節、順天巡撫都御史楊兆議，於鞏華城外安濟橋至通州渡口止，疏通一河，長可一百四十五里，以運諸陵官軍餉，發軍卒三千人治之。水部備考

原萬曆元年二月，命昌平兵備僉事張廷弼疏濬鞏華城外河，聽民徙鞏華城居住，以輸官地價建修城隍廟。明神宗實録

原戚元佐鞏華城卽事詩　鞏華晴散紫宸朝，曉度春風威漠橋。花映前茅仙蹕引，日臨左纛玉驄驕。山迴御氣雲中轉，爐裊天香仗外飄。六尚才人都後乘，綵霞深處擁笙韶。青藜館集

原王維楨鞏華城陟眺作　沙城粉堞喜初憑，壯接神京亦股肱。地湧雲霞圍御宿，峯懸松柏認皇陵。青青輦道春苔合，宛宛靈山紫氣凝。盡説經營勞睿思，羣工莫自論微能。槐野集

原天壽山陵前有鳳凰山，後有黄花鎮，左有蟒山，右有虎峪。東西山口兩水會流於朝宗河。文皇帝葬所曰康家莊，是爲長陵。次皇山，距長陵一里有半，是爲獻陵。次黑山，距獻陵三里，是爲景陵。次石門山，距景陵六里，是爲裕陵。次寶山，距裕陵二里，是爲茂陵。次史家山，距茂陵二里，是爲泰陵。次金嶺山，距泰陵三里，是爲康陵。次陽翠嶺，距康陵十六里，是爲永陵。次大峪山，距永陵九里，是爲昭陵。次亦名大峪山，距昭陵一里，是爲定陵。次皇山二嶺，距定陵五里，是爲慶陵。燕都游覽志

原自州西門而北六里至陵下，有白石坊一座，五架，又北有石橋，三空，又二里至大紅門，門三道，東西二角門，門外東西各有碑，刻曰官員人等至此下馬。入門一里有碑亭，重簷，四出陛，中有穹碑，高三丈餘，龍頭龜趺，仁宗

皇帝御製文也。亭外四隅有石柱四，俱刻交龍環之。其東有行宮。又前可二里爲欞星門，門三道，俗名龍鳳門。門之前有石人十二：四勳臣，四文臣，四武臣。石獸二十四：四馬，四麒麟，四象，四橐駝，四獬豸，四獅子，各二立二蹲，近者立，遠者蹲。石柱二，刻雲氣，並夾侍神路之旁，迤邐而南，以接乎碑亭。碑文後書洪熙元年四月十七日孝子嗣皇帝某謹述。蓋文成而碑未立。宣德十年四月辛酉，修長陵獻陵，始置石人石馬等於御道東西。十月己酉，建長陵神功聖德碑。是時仁孝皇后之葬二十有三年，太宗文皇帝之葬亦十有一年矣。然而始立者，重民力也。欞星門北一里半爲山坡，坡西少南有舊行宮，土垣一周。坡北一里有石橋，五空，又北二百步有大石橋，七空，大石橋東北一里許有新行宮，宮有感思殿。宮東南有工部廠及內監公署。大石橋正北二里有石橋，五空。又二里至長陵。殿門神道自嘉靖十五年世宗謁陵，始命以石甃。自大紅門以內，蒼松翠柏無慮數十萬株，今盡矣。昌平山水記

【原】入紅門，有殿曰時陟，車駕更衣之所也。神路中石獅子、犀、象、駱駝、麟、馬各四，石人十二，擎天柱四，望柱二，碑亭一，而九陵分道焉。長陵當中，正南鄉，其左爲永陵、景陵，右爲茂陵、裕陵、獻陵、昭陵，惟康、泰二陵稍遠，可三十里。小草齋集

【原】出昌平州東門數里入伽藍口，又三里爲永陵園。園後曰蔣山。山腹有神仙洞，洞不甚深，鐫字於旁曰：蜿蜒龍脊山吞月，磊砢雲根洞有天。上懸一石如覆鐘狀。山上有三清殿。復行二里度一溪，溪西有七鳳橋，長陵神道東流之水經焉。旁有井，故地名玉井灣。北有工部廠，與龍王廟並。廟碑三，弘治、嘉靖、萬曆中太監王定、張保山、潘朝用所立。廠碑二：其一思陵命太監魏國徵掌昌宣軍務勅諭；其一翰林韓四維所爲記也。定與保山、朝用皆爲工部廠員。命掌鎮兵，則自國徵始；繼之者王希忠、申之秀也。希忠後死亂軍中。之秀見賊陷京城，削髮去爲僧。有司香太監貫宗云然。又行里許爲德陵神宮監，又半里許名東井，相傳成祖入妃葬此。少北渡一小石橋，爲德陵。陵西向，面大溪。過大石橋而西至永陵。再西而北至景陵。由長陵西下坡度石橋爲獻陵。又度小石橋爲慶陵。再度石橋二爲裕陵，松左右成列。再西，見碑樓出松林中，度一大石橋，抵碑樓下，則茂陵也。松列樓外者存二十二株，列樓以內至祾恩門者三十六株。自祾恩門入，難以數計矣。由茂陵神馬廠神宮監而西三四里，度一大石橋至泰陵。度溪而南至康陵。折而北爲錐石口，自溪而東有斷橋，循麓右轉，復度溪，水上一岡，至定陵。少南爲西井，再南爲萬妃墳，又南則昭陵，東至思陵。肅松録

【增】景泰元年正月，命於天壽山之南築城周圍十二里，以居長陵、獻陵、景陵三衛官軍。明景皇帝實録

【增】正德間，定長陵以下諸陵各設神宮監並衞及祠祭署。明史禮志

【原】長陵有東西二井：東井在德陵東西饅頭山之南，西向。西井在定陵西北，東向。並重門，門三道，殿三間，兩廡各三間，緑瓦周垣。會典言長陵十六妃從葬，位號不具。其曰井者，蓋不隧道而直下也。自英宗止宮人從葬，於是

妃墓始名。其在陵山内者，昭陵之左九龍池南爲蘇山，有萬貴妃之墓，東向，憲宗妃也。又南爲銀錢山，有鄭貴妃暨二李、劉、周四妃之墓，南向，神宗妃也。又南爲嶴兒峪，有四妃、二太子墓，中閻妃、王妃，左馬妃，次左哀沖太子，右楊妃，次右莊敬太子，世宗妃太子也。又南爲悼陵，東南向，孝潔皇后陳氏初謚悼靈，葬此，後遷世廟永陵，而其封兆尚存，旁有沈、文、盧三妃之墓，至今猶曰悼陵云。東山口迤東有劉惠妃墓，英宗妃也。又東八里綿山有蘄獻王、滕懷王墓，仁宗子也。凡陵及妃嬪諸王之葬及上所御殿，其外垣皆塗以紅土。昌平山水記

原 長陵、獻陵、裕陵、茂陵、慶陵俱癸山丁向，景陵、永陵俱艮山坤向，泰陵壬山丙向，康陵辛山乙向，昭陵乾山巽向，定陵戊山辰向，德陵甲山庚向，思陵子山午向。肅松録

原 明初有玉鴿十二，從南方來，飛集燕山。識者謂北平當王，蓋兆燕山十二陵也。菊隱紀聞

原 景泰元年正月，命於天壽山之南築城周圍十二里，以居長陵、獻陵、景陵三衛官軍。二年十月，徙昌平縣治并儒學倉庫於新築土城之内。明景帝實録

原 景泰七年七月，太常寺言：天壽山，祖宗三陵所在，今又益以壽陵，猶未列諸祀典，請於每歲春祈秋報附祭天壽山神，主於北嶽之壇，牲牢不加而事體實宜。從之。同上

原 嘉靖庚戌，寇長驅至天壽山。總兵趙國忠列陣紅門前，寇不敢入而去。明世廟識餘録

補 天壽諸陵，相傳夜分時有神燈出，宫娥引駕以行。神宫監多望見之。虞吏部淳熙詩云：夜深遥接白雲平，原上金燈夜夜明。山鬼蘿衣挽秋駕，青冥有路不教行。蓋紀其事也。黄圖雜志

原 十二陵各有宰牲亭、祠祭署、朝房、神馬房、果園、神宫監，又各有衛領左右中前後五千户所，主率領軍士防護陵寢，其公署皆在州城。昌平山水記

原 方新神宫監作，神宫倚陵麓，虚曠自天開。翠嶺鈎簾入，晴雲遶檻來。三關凌朔漠，萬井俯燕臺。行望靈旗動，依稀玉輦迴。定溪集

補 長陵祠祭署建於神宫監之南，中爲公座，左右小房，前爲署門，永樂七年建。獻陵祠祭署建於宰牲亭左，中爲公座，左右楹爲官舍，前爲門，洪熙元年建。景陵祠祭署建於宰牲亭右，中爲公座，後爲官舍，前爲門，宣德十年建。裕陵祠祭署建於宰牲亭左，中爲公座，左右楹爲官舍，前爲門，天順八年建。茂陵祠祭署建於宰牲亭左，制如裕陵，成化二十三年建。泰陵祠祭署建於宰牲亭左，制如裕陵，弘治十八年建。康陵祠祭署建於宰牲亭左，中爲公座，後爲官舍，前爲門，正德十六年建。永陵祠祭署建於宰牲亭左，制如康陵，嘉靖十五年建。定陵祠祭署建於宰牲亭左，制如昭陵，萬曆十一年建。慶陵祠祭署建於本陵橋南向東，制如定陵，天啟元年建。德陵祠祭署建於宰牲亭左，制如永陵，崇禎元年建。太常記

【補】嘉靖十七年二月，上躬行春祭禮，乃改陵殿曰祾恩，殿門曰祾恩門。明山陵考

【補】欞星門北，五空橋南山坡號蘆殿坡，當時祭陵，以蘆席作殿，以息羣工執事者。北遊紀方

【原】長陵果園在神仙洞北，獻陵園在州南門外少西，景陵園在山北，裕陵園在景陵園西，茂陵園在大松園西，泰陵、康陵園俱在大紅門，永陵園在神仙洞前，昭陵園在西山口，定陵園在州西門外御路西，慶陵園在白浮村，德陵園在州西門迤南。肅松録

【原】長陵、獻陵榛廠俱在渤海所，景陵廠在葦村，裕陵、泰陵廠俱在懷柔縣，茂陵、永陵、昭陵、定陵廠俱在密雲縣，康陵廠在紅川柳溝，慶陵廠在平谷縣，德陵廠在薊州盤山。同上

【原】康陵神宮監太監劉杲，嘉靖元年六月奏請天壽山空地并九龍池菜園種蔬果以備四時供獻。命户部給之。明世宗實録

【原】凡祭，清明、中元、冬至以太牢，國初遣太子、親王，其後遣大臣行禮。昌平山水記

【原】舊制，以中元節祀陵，往往遇雨，河流汎漲，每苦漂溺。迨嘉靖十五年，世宗始改定清明、霜降二大祭，著爲令，然後人無阻溺之憂。燕都游覽志

【原】唐制，二月八日及生日、忌日，公卿朝拜諸陵，又有忌日行香於京城宫觀，至宋猶有宫觀行香之禮。漢唐以來，諸帝升遐，宫人無子者悉遣詣山陵，朝夕具盥櫛治衾枕，事死如生。本朝國忌上陵及内殿有祭，無行香宫觀之禮。諸陵唯中官洒掃，不遣宫女，皆前代所不及也。縠城山房筆麈

【補】謁陵各官類晚入昌平憩宿，五更祭陵。公署弗能盡容，各以類假宿。如兵部官則宿於衞所，户部宿於倉司，給事中宿於劉蕡祠，黌校則翰林寓宿之地，與察院相鄰，察院，諸御史宿處也。楊學士守阯暮抵昌平，遂誤入察院，因賦詩曰：雙眼風沙百里程，敝衣瘦馬到昌平。欲尋潁水先生館，誤入分司御史廳。導引輿臺顔盡赤，將迎豸繡眼偏青。只愁太史明朝奏，昨夜文星犯法星。無用閒談

【原】魏學禮大祀山陵賦 萬曆庚辰歲，皇帝將有事於山陵，宗伯以故事請曰：展陵視寢，永昭孝思，每帝嗣統，則斯禮稱焉。主上光紹鴻極，八載於兹矣。爰修縟典，仰答神靈，帝其念哉！帝曰：俞，是唯朕衷，厥俟典禮，卜日考儀，則秩宗其視厥載往，欽哉！乃以季春十有二日聖駕夙蹕，兩宫聖母暨中宫皇后及諸嬪妃咸輿以從，再越日，肇稱祀典，長、永、昭、獻、景、裕、茂、泰、康九陵及章皇后、景皇帝陵。厥明上奉兩慈宫以旋，后妃從，詰朝而還宫，禮也。臣伏覩曠儀，思揚洪美，唯昔何承天有上陵篇，未足以極其致，乃造斯賦以仰頌萬一云爾。其辭曰：皇明開天，垂祺萬葉。誕此神聖，茂隆昌業。紹九帝以駿宏，邁三代而光牒。逮垂衣之八載，將展視乎山陵。思神靈

之在天，超埃壒而崇登。峻皇隴之巍峙，實玉體之是憑。悵儀刑之莫覿，抒遐思而靡勝。於是命秩宗，稽懿典，詢太卜，戒雲輦。建行宮以待莅兮，運嘉木以經營。覆善土以清路兮，望馳道之允平。肅九門之環衛兮，屬元侯之上卿。拱淵穆之宸居兮，夾萬雉之朱城。乃吉日之既屆兮，鑾輿夙以啓行。闢長安之左扉兮，歷輔權與璣衡。炳瑶暉於泰階兮，睹斗緯之清明。蔚戈鋋之先導兮，振霞采之幢旌。錯五色以成章兮，卷蜚颷而縱横。玉輅耀以融麗兮，儼曲蓋之葱蒨。識鹵簿之威儀兮，陽羲升而霧散。兩宮皇母，曁厥后妃。東華東安，宛見翟翬。彼羣嫗之捧乘兮，粲綵裾之菲菲。紛翼侍之服御兮，載晻藹而交輝。從官前行，居守趨送。駕次翠華，翩躚翠鳳。既侍膳於慈闈，朝昌平之羣衆。詔奉車使馭蹕兮，屯六師之如雲。虎旅集其警嚴兮，刁斗遠其相聞。厥明至於天壽兮，翠華弭於感思。唯詰旦以行祭兮，詣長陵以停綏。御青袍以對越兮，燎芬芳以猋吹。列鼎俎與簠豆兮，獻桂酒以陳辭。思雄武之御世兮，極神謨之飛宕。控九宇以張弛兮，齊宏功於肇創。都燕甸以撫夏兮，掃沙漠之翠帳。振長算以詔後兮，啓神明以開亮。唯聖智之建始兮，緊繁祉之錫貺。祭竟徹牲，百官既出。更設酒脯，內祀靜謐。兩宮中宮，拜起齋栗。聿愛敬之咸盡，昭內外之若一。唯永昭之二陵，實肅莊之元殿。爰自仁而率親，亦如儀而躬薦。獻景裕茂，以及泰康。章后景帝，奕葉重光。八陵迢遞，親禋不違。乃遣官以代祀，僉縟文之是詳。覲聖制之有奕兮，循宏啓之彝章。肆經緯乎天地兮，亦符協乎陰陽。式遄發以還闕兮，朝百辟於明堂。衍宗祊於萬載兮，享血食以孔長。纘祖德以恒思兮，流祚慶於無疆。荷天命之彌篤兮，永丕式於四方。長林片葉

原石珤天壽山詩　銀峯翠壁峙諸孫，嶽勢雄開祖宅尊。關塞正當山右臂，風雷近接海西門。龍過古澗多成雨，虎撼長松半出根。隱隱五陵佳氣在，欲攀弓劍泣深恩。熊峯集

原屠應埈朝陵詩　本朝宮寢居庸北，百二山河枕上都。隧道陰陰連大漠，金輿寂寂閟蓬壺。天留碣石爲華表，水繞桑乾作鼎湖。欲寫神功鐫嶧頌，窮崕絕壁倚天孤。蘭暉堂集

原嚴嵩聖駕朝陵歌　沙河士馬若雲屯，萬姓環門識至尊。青天突起迎鑾殿，此地今爲駐蹕村。鈐山堂集

原梁有譽謁陵眺望詩　清秋霜露肅祠官，帝里山川此鬱盤。上谷風塵通大漠，居庸紫翠落層巒。七陵松掩金鋪暝，萬壑鐘流玉殿寒。香霧濛濛候靈蹕，星辰還仰太微看。蘭汀存藁

原環天壽山凡十口，自大紅門東三里曰中山口。又東北六里曰東山口，距州東門八里，有樓，南北二座，三層。又北而西十里曰老君堂口，距景陵北二里。又西十五里曰賢莊口，距泰陵北五里。又西三里曰灰嶺口。又西南十二里曰錐石口，距康陵東北二里。三口並有垣，有水門。又南十一里曰雁子口，距康陵西北三里。又西南三里曰德勝口，距九龍池四里，有垣，有水門。又東南十里曰西山口，距悼陵南二里。有小紅門，距州西門八里。又東二里曰榨子口，距大紅門三里。凡口皆有垣。陵後通黃花城。昌平山水記

補明諸陵犯前代陵名者匪一。太祖曰孝陵，與後周武帝同也。成祖曰長陵，與漢高祖、魏孝文帝同也。仁宗曰獻陵，與唐高祖、金穆宗同也。宣宗曰景陵，與魏宣武帝、唐憲宗、金睿宗同也。英宗曰裕陵，與金顯宗同也。憲宗曰茂

陵，與漢武帝同也。孝宗曰泰陵，與唐玄宗、金肅宗同也。武宗曰康陵，與漢平帝、東漢殤帝、後晉睿祖、宋順祖、南漢劉龑同也。世宗曰永陵，與南唐徐知誥、蜀王建、金世祖同也。穆宗曰昭陵，與後周明帝、唐太宗、南漢劉晟同也。神宗曰定陵，與孫吴景帝、魏孝明帝、後周宣帝、唐中宗、宋翼祖、金景祖同也。光宗曰慶陵，與唐元昭后、後唐德祖、後周世宗、遼聖宗、興宗、道宗同也。熹宗曰德陵，與南漢劉隱、金宣宗同也。莊烈愍皇帝曰思陵，與金熙宗同也。又興獻帝曰顯陵，與前涼張重華、後晉高祖、遼世宗、義宗同也。昔宋徽宗梓宫從北還，宰臣上陵名曰永固，王性之以犯後魏明帝、後周文宣二后陵名，高宗特下秘書省參考。蓋陵名相犯，前代固多不避，然使不同舊稱，亦存乎考禮之臣多學博識爾。裘杼樓叢説

【原】陵故爲康家莊，長陵之東百餘步有土一邱，康老葬焉。康老者，明初以前人也。文皇帝卜斯地作山陵，曰安死者，人之同情也。命勿去。昌平山水記

【原】松園在昌平州東門外，延袤里許皆松檜，無一雜樹，以備陵樹缺移栽也。二百年來禁人樵採，遂成大林。燕都游覽志

【原】無名氏詩　鬱鬱松千樹，青青閲歲時。人間不敢採，留作萬年枝。昌平舊志

【補】蔣山後龍母莊東一里有竇禹錫植槐，空腹中可設案，羅坐八人。翠微志

【補】竇氏植槐在景陵瓜園中，順治四年伐去。燕都游覽志謂在德陵旁者，非也。北游紀方

【增】世祖章皇帝御製明内監王承恩碑文　朕聞烈士殉名，齎志而歿；貞臣衛主，捐軀以從。自有明失馭，寇陷都城，懷宗皇帝敦國君死社稷之義，崩於石室。時有司禮監秉筆太監王承恩者，攀龍髯而矢志，甘雉經以從君。陪縊於旁，死而猶踞。嗚呼！若承恩可謂事君有禮，不忘其忠者矣。夫人臣事主，無二厥心。爲其易者與爲其難者，途徑若分，理道則一。人臣之懷二心者，倖圖苟免，甘心事讐，乃在平日侈讀詩書高擁爵位之人。無論生無以爲人，死無以爲鬼，對若人其亦何地置足！朕殲除巨憝，用彰民彝。既禮葬

懷宗皇帝於思陵，因賜承恩塋域一區，俾葬兆外，以從厥志，仍賜之香火田地，豎之穹石，使後世知艱危之際，内員中乃尚有忠烈而死如承恩者。

增世祖章皇帝諭祭王承恩文 朕嘗考諸史册，見夫忠臣烈士，身殉國難，名炳千載，未嘗不掩卷三歎也。雖忠義之性命之於天，人人可以自盡，然變亂之際，利害動於中，禍患怵於外，依違瞻顧，多不能引決。求夫風雨不渝其常，霜雪不易其操者，蓋難之矣。若夫掖庭之中，貂珥之列，或恪恭著美，或勤慎流徽，若漢之吕强，唐之張承業，亦可謂賢矣。至於國家多難，秉志不移，忠誠貫於金石，氣節昭於日星，尤足以激末流而挽頹俗也。明司禮監太監王承恩者，有可紀焉。當明季寇訌，海内鼎沸，莊烈愍皇帝勵精圖治，宵旰焦勞，原非失德之主。良由有君無臣，孤立於上，將帥擁兵而不戰，文吏噂沓而營私，以致羣寇縱横，不能奏績。逮逆渠犯闕，國勢莫支，帝遂捐生以殉社稷。而一時戴縱垂纓之士，在平時則背公樹黨，遇難則苟且偷生。言之可爲太息。唯有范景文等十九人無愧臣節，業賜謚致祭以旌其忠。然多士盈廷，能赴義捐軀者蓋不多見。獨承恩目擊艱危，從容就義，從死愍帝之旁。其嶽嶽之風節，卽古之忠臣烈士何以加焉！既乃託體山阿，瘞骸林麓，永近園陵，常依隧道。可謂式慰幽靈，用綏貞魄者矣。朕自踐阼以來，斟酌前代之典章，洎夫有明，恒深嘉歎。其列代山陵近在畿輔，向來永禁樵採，守護維嚴。於順治十六年因東狩駐蹕昌平，覩勝國之松楸，感廢邱之霜露。諸陵周覽，心惻久之。爰至思陵，念愍皇帝精勤遘亂，亡國非辜，躬奠椒漿，尤增愴泣。顧見陵側有土一坏，即承恩墓也。特命從臣爵酒焉。邇者，當省斂之時，展軨宵駕，載履明諸陵，拜陳酹醴，復徘徊於思陵之所，撫荒墟而灑泣，瀝旨酒而痛心。念茲從死之臣，彌興節義之感。手一巵命大臣拜奠其墓，以勸忠也。謚義：危身奉上、險不辭難曰忠。故忠君愛國，庸人每未之逮。貞烈之士，毅然行之，使百世之下聞而興起者，慕義無窮也。矧承恩趨侍宮掖，出入禁闈，其責任不繫乎封疆，名位不同乎公輔，而獨能視死如歸，豈非較然不欺其志者哉！以視世之讀書明大義、負重名者，變故當前，依阿淟涊，幸免旦夕，其爲人賢不肖又何如也？用是勒之貞珉，使盡忠者以爲勸，不忠者以爲戒，且以告天下萬世之爲人臣者。

原御馬監太監王承恩，順天人。大同告陷，上命承恩提督京營内外軍務，居督府之上。三月十八日夜，承恩執槍隨駕奪門，不得出，還至萬歲山下，從上對縊於巾帽局而死。王之心者，舊司禮監掌印太監，亦順天人。甲申二月，廷議助餉，衆言：之心富甚，家藏銀三十萬。時之心閒住已久，上即日召諭之。之心以家計消乏爲辭。次日進銀一萬兩。洎李自成入，繫之，搜掠銀十五餘萬，以未足三十萬之數，拷掠至死。他書有言之心自殉者，故詳其實，附志於此。又有言殉難爲王之俊者，益謬。之俊於甲申冬同曹化淳共證僞太子事，丁亥四月，乘馬於道，人猶見之，傳説之譌如此。甲申傳信録

（朱彝尊原按）思陵從死内臣，有云王之臣者，陳方策京師塘報是也。有云王之俊者，徐艮光都門見聞小紀、馮夢龍甲申紀聞暨燕都日記是也。有云王之心者，程源

孤臣紀哭、陳濟生再生紀畧、李遜之三朝野史及闖賊犯北罪狀、北變紀事等書是也。其云王承恩者，許自俊甲乙彙畧、劉尚友定思小紀、吴邦策國諱忠奸實録暨破夢閒譚、國變録等書是也。崇禎遺録謂王之俊納銀於賊，倖免夾死，而王之心者縊死於家。傳聞各異。而世祖章皇帝有諭祭王承恩墓文，故采錢秀才士馹所紀而附著所聞焉。

欽定日下舊聞考卷一百三十八

京畿 順義縣

原順義縣在州東北六十里。明一統志

〔臣等謹按〕順義縣，明初屬順天府，正德八年改屬昌平州，本朝仍屬順天府，在東北六十里。

增東西距八十里，南北距五十里。東至三河縣界四十里，西至昌平州界四十里，南至通州界二十五里，北至懷柔縣界二十五里，東南至三河縣治九十里，西南至大興縣治六十里，東北至密雲縣治七十里，西北至居庸關一百二十里。大清一統志

原縣在州東南九十里。昌平山水記

原幽州東北至順州八十里。續通典

原幽州東北三十里有望京館，東行少北十里餘，出古長城，又二十里至中頓，又踰孫侯河，行二十里至順州。夢溪筆談

【原】順州至燕京一百十五里。金人疆域圖

【原】秦爲上谷郡地。太平寰宇記

【原】漢爲土垠縣，東二十里爲狐奴縣，西三十里爲軍都縣。順義縣志

〔朱彝尊原按〕兩漢土垠屬右北平郡，當在今豐潤境内，而縣則漢漁陽郡狐奴地也。

【增】漢置狐奴縣，屬漁陽郡，後漢因之，三國魏景初二年廢，晉復置，屬燕國，後魏廢。大清一統志

【原】後魏安樂郡故城在縣西北六里。延和元年，置交州。太平真君二年，罷州置郡，領縣二：土垠、安市。北齊廢土垠入安市，後周廢安市入密雲。隋開皇初郡廢，今爲安樂莊，永樂間撥給良牧署。昌平山水記

【原】土垠，晉宋爲易京城，後魏廢易京爲安樂郡，今州北負郭名安樂村。順州公廨記

【原】北齊始置歸德縣，屬燕郡，後周廢。唐開元中移燕州於此，仍置遼西縣爲州治。方輿紀要

【原】開元二十五年，徙燕州治於幽州北桃谷山。唐書

〔朱彝尊原按〕此爲幽都縣治。

〔臣等謹按〕桃谷山，據大清一統志，卽桃山，在今順義縣。

【原】歸順州，其地乃燕之北境，卽元順州之北境。開元四年置爲契丹松漠府彈汗州部落，領

懷柔一縣。太平寰宇記

原歸順州，天寶元年改爲歸化郡，乾元元年復爲歸順州。同上

增屬河北道。通考

原唐末爲順州。遼史

增五代晉天福初入遼。大清一統志

原遼曰順州歸寧軍，又改歸化軍。方輿紀要

增屬南京道。遼史

原宋宣和四年，金人以州來歸，賜名曰順興。宋史

原金仍曰順州。方輿紀要

〔朱彝尊原按〕明一統志，順州之名始自隋。然考之隋書，粟末靺鞨渠長度地稽内附，止云居之柳城而已。寰宇記云：大業八年爲置遼西郡以統之。亦未有隋置順州之文也。唐貞觀四年，平突厥，乃以其部落置順、祐、化、長四州都督府於幽靈之境，其時順州僑治營州南五柳城，後又僑治幽州城中。寰宇記，順州四至八到與范陽同，東北至幽州一百二十里。則順州乃在幽州之南，與今之順義初不相蒙矣。至於開元中徙燕州於桃谷山，雖今縣地，然仍曰燕州。繼爲朱滔所滅，因廢爲幽都

縣。終唐之世亦未嘗以順州稱也。直至梁乾化三年，晉周德威拔燕順州地，以順州名見此，而五代史職方考，後唐一百二十三州，順州始在其列。此紀地治者所當考也。

〔朱彝尊又按〕唐書，羈縻州一曰順州順義郡，一曰歸順州歸化郡，一以處突厥，一以處契丹。寰宇記，歸順州南至幽州八十里，北至檀州七十五里，東至薊州二百一十五里，西至嬀州二百里。今之順義疑本歸順州歸化郡，而非順州順義郡也。

〔臣等謹按〕太平寰宇記，煬帝初廢營州爲柳城，唐仍營州。貞觀六年，置順州，寄治營州南五柳城。遼史誤以唐置爲隋置，明志因沿其誤耳。至順州非卽今順義地，按通典：順州在范陽郡城内，天寶初置，尋改爲順義、歸化兩郡。今考寰宇記，順州順義郡領縣一，賓義，四至八到與范陽同。范陽爲故幽州，卽今順天府境。歸順州歸化郡領縣一，懷柔，另有四至八到，西南至幽州七十五里。今順義縣境正在府東北六十里，地界相符。彝尊以縣爲唐之歸順州歸化郡，非順州順義郡，是矣。至寰宇記所云順州四至八到與范陽同，乃指范陽郡言，通典謂在范陽郡城内可證。彝尊乃以涿州之范陽縣當之，云東北至幽州一百二十里，則歸順州又在幽州東北七十五里，兩地相距幾及二百里，中隔幽州一城，界址不屬，與寰宇記所云歸順州卽元順州之北境其説相牾。是則誤以范陽郡爲范陽縣，又彝尊之失考也。

【原】縣二：温陽、密雲。金史

【原】元廢縣存州。元史

【原】明洪武二年，降爲順義縣。清類天文分野之書

【原】初屬順天府，正德八年始屬昌平州。方輿紀要

【原】城縱横四里，南昂北俯，又東北突出一隅，肩臂四折，入於河濱，宛如龜背形。周圍一千一百三十五丈九尺，連堞高二丈五尺，濠塹四周，深一丈五尺。其門南曰迎恩，東曰平秩，西曰晴嵐，北曰疊翠。順義縣志

【增】城周六里，門四，濠廣四丈，明萬曆中甎築。本朝康熙十七年、十八年重修。大清一統志

【增】順州故城今順義縣治。唐開元中移燕州於此，後改順州。同上

〔臣等謹按〕此爲唐末之順州，卽歸順州也。

【補】順州舊治唐歸順州，見大曆五年試太子洗馬鄭宣力所撰開元寺碑。金節使剛忠王公子明死節於此。秋澗集

【增】乾隆十年御製雨中過順義縣詩　曉看春雲膩，驅車冀野行。忽霑垂柳色，似聽滴桐聲。釋矣懷人感，時哉望歲情。披蓑荷鋤者，相率事深耕。春寒雨作雪，春暖雪爲

雨。前日與今朝，佳境隨時覩。密雲失遠峯，新溜添曲渚。淅淅復濛濛，極目迷空所。歷歷緑塍鱗，來牟色倍新。榆烟低處潤，村靄澹初勻。鳥噪驚簷瀑，人欣浥路塵。無花良亦可，不是爲尋春。

增乾隆三十四年御製過順義縣城詩　行行過縣城，陌柳颺烟輕。白水橋爲渡，青郊塵不生。藩宣察吏治，保障廑民情。安樂真安樂，是縣古名安樂。春田雨遍耕。

〔臣等謹按〕過順義縣城御製詩，謹繹有關紀述者恭載卷内，餘不備録。

增縣治西從東直門出京，往古北口驛路一道，境内計程四十八里，自大興縣界古柳樹一十二里至治，而三家店有行宫駐蹕。自三家店二十里至牛欄山鎮，又一十六里至懷柔縣界。順義縣册

〔臣等謹按〕三家店行宫正殿恭懸皇上御書額曰無踰此地。西室聯曰：詩情詎花柳；樂意在農桑。又聯曰：庭饒芳草鋪生意；座有芸編結古歡。捲房額曰折旋中矩。聯曰：雜花分户映；空翠落庭陰。又聯曰：紅桃緑柳天然趣；夕惕朝乾依舊身。又聯曰：風烟有奇狀；物象歸餘清。佛室聯曰：八德靈源超覺海；三明妙境照慈燈。皆御書。

增縣治西北發圓明園往熱河驛路一道，境内計程二十五里，自昌平州界官莊横道一十二

里，至治西北南石槽，有行宮駐蹕。從南石槽岐路三里至北石槽，又十里至昌平界。順義縣冊

〔臣等謹按〕南石槽行宮前殿東室恭懸皇上御書聯曰：山光積翠遥疑雪；罏篆浮香近若雲。西室聯曰：縱目恰宜遇寥朗；託懷又喜得清舒。佛室聯曰：華海慈源分一滴；金輪妙果演三乘。後殿額曰竟川含緑。西室聯曰：列嶂拖藍，晴横朝靄碧；千畦環秀，香擁暮雲黄。東室聯曰：雜卉晞陽争蒨絢；喬柯得蔭亦森沈。皆御書。

增乾隆六年御製石槽行宮對月詩殘靄全收晚景妍，疏楊影裏漏嬋娟。詩因望夕清添興，光到深秋皎徹天。别院初迴飛蓋駐，行營兩見皓輪圓。何殊上苑憑吟處，桂子風微夜未眠。

增乾隆九年御製順義縣行宮作 將爲田盤行，趁此秋成閒。旌麾歷冀野，輪蹄背湯泉。朝暾散晏温，入我輿帷暄。塗霜帶冷白，坂花垂紫殷。枯樹雀飛飛，廣陌兔爰爰。芻棚隱茅落，罷喘牛高眠。囷鹿户有積，室家幸苟完。所見扶鳩翁，尚鮮怨祁寒。由來歲功成，降康端自天。行宮建勝地，樹石誠有年。葺新成此日，止頓因路便。匪誇楝有芝，詎必池茁蓮。記我書室名，是處欣隨安。明窗受暖曦，市語隔煩喧。染翰藻思抒，習静道心存。愜適以爲佳，奚必居深山？

〔臣等謹按〕石槽行宮御製詩，謹繹有關紀述事實者恭載卷内，餘不備録。

原　前代州治爲小城，方二里許，四隅角樓遺跡尚存。至元二年，節度使劉瑜建大廳并長廊。二十八年，知州大興王居政於廳左右搆捕盜所吏目幕次，復搆架閣庫祇候直舍。大德七年，知州鉅野段廷珪作後廨並東西房。皇慶初，知州大興梁彦義起儀門，高三丈餘。翰林學士清河元明善爲之記。其驛館，至元十八年州倅李讓剏焉。梁宜順州公廨記

原　元明善順州儀門記　古者諸侯三門：皐門、應門、路門。今之州凖古伯子男之國，作儀門，禮也。温榆水之陽有古城焉，曰順州，隸大都路。地沃而民淳。國家罷兵百年，涵濡撫育，生殖日繁，蔚爲饒郡。郡城據亢爽地，郡廨特當其亢，亢有故儀門址。至大四年，知州事梁君彦義始來，明年百廢次第舉，民用大和。乃謀諸監郡，將建岑樓於址，僉曰休哉。民皆子趨以獻工。肇事於皇慶元年秋七月，畢工於二年夏六月。登其上，北望則紅螺峻極，雖五十里外若接闌檻。東北曰黍谷，鄒衍吹律之山也。潮、潞二水會於白漵，經城東而南注，吴船來集通元橋下。其西南則天都霄漢，觚稜金爵，隱然鬱葱佳氣之間。羣情大悦。咸曰：是不可不著興建之歲月。予太史也，書必稽之典禮，俾知今之州凖古諸侯之國，不爲不重，興作制備而從民志，則太史喜爲之書。清河集

增　順義縣署在城内正北，明洪武初建。畿輔公署志

增　舊治堂，康熙十八年地震廢，五十五年邑令黄成章修葺，乾隆十年重修。順義縣志

原　順義學在縣治西，洪武八年重建。明一統志

〔臣等謹按〕順義縣志，縣學舊址在西門内北小巷，元改置通衢，即今址。明崇禎七年重修，本朝康熙十九年邑令鄒琬重建。

原　元梁宜順州廟學記　宣聖廟未詳建於何代，金明昌初，提刑萊州劉仲洙降漕司錢五百千，同知州事著作郎狀元瓜爾佳中孚繼出俸金，鄉進士馬湘、竇鳴道相與翼佐，營葺殿廡，肖御史中丞孫郎康所寄曲阜石本聖賢像，俾繪塑之。

鑿井於圃，廩給生徒，欲搆講室未克，見泰和元年秘書少監李暘重修記。聖元南牧，遂毁於兵，獨禮殿存焉。四無垣墉，鞠爲牧場。郡人中書右丞贈平章事順國宣靖曹公庭瑞，以廟學久廢爲慮。迨至元辛未，知州郭幹繕殿之摧漏，起東西兩廡，殿後隘無數尺，宣靖公懇寺僧高其價，得袤五丈，廣倍之。知州故福建道宣慰司都元帥段廷珪增塑鄒兖二公，貌七十子，更爲明倫堂。泰定甲子，宣靖公之子工部尚書偉念繼先志，發私帑楮幣，而甲匠提舉司達嚕噶齊郭伯達、耆士富察晉柴唯允共贊之。刱神門左右齋學掾居室，賓幕庖庫靡不全備。仍甓巨井。丙寅，達嚕噶齊今監察御史多羅台、知州王汝楫以其前阻隘巷，乃市地南撤，東西通達，上作櫺星門。由是行道之人莫不歎美。丁卯，工部公於江浙造銅禮器二百三十事，復購經史若干卷，宜守是州刊加封大成，詔圖十儒像益弟子員，割錢千緡，規息以資朔望祭物。但關於祀事教典者，悉皆告完。順義縣志 按：瓜爾佳、舊作夾谷，從八旗姓譜改正。多羅，蒙古語七數也，舊作托剌。今譯改。

原 營州左屯衛在縣治東。明一統志

〔臣等謹按〕左屯衛今廢。

原 衛本屬大寧，永樂元年移於此，領左右中前後五千户所。昌平山水記

增 漕河營在縣東北牛欄山東南，有把總戍守。大清一統志

原 縣西北三十里有石槽三，曰東石槽、南石槽、北石槽。元史：上都兵入古北口，其知樞密院事準台以兵掠石槽，是也。昌平山水記 按：準台義見前，舊作竹温台。今譯改。

增 元致和初，上都兵掠石槽，雅克特穆爾遣薩敦掩擊敗之，卽此。大清一統志

原 福山在縣南五里。順義舊志

原 孔山在縣南。明一統志

〔臣等謹按〕水經注，山上有洞穴開明，故土人以孔山稱。據大清一統志，在縣南二

十餘里。

原 龍山在縣南二十里，下有龍泉。明一統志

原 桃山在縣西北三十五里，舊唐書謂之桃谷山。山有五峯如桃花瓣，巨石錯落，横亘數畝。元致和初，上都兵入古北口，留重兵屯燕樂城，以輕騎進抵桃山。雅克特穆爾掩擊之於白狼河，追至桃山，降其衆。燕樂聞之遂潰。白狼河卽白河也。一云白狼河在縣西北三十里。方輿紀要

原 史山在縣西北三十五里，山石戴土，高百餘丈，狀如眠弓，南望京師城闕，金碧眩目，寺宇皆唐時建。名勝志

〔臣等謹按〕順義縣志，山有卧佛寺。

原 縣北二十里爲牛欄山，山上有洞，俗傳有金牛出焉，至今洞前石壁爲小槽形，名曰飲牛池。山北里許有小山，昔有仙人騎牛來遊，因名靈蹟山。宋王曾上遼事曰：順州至檀州漸入山，牛欄當其要路也。山之東麓，潮白二河合焉，有龍王廟。山之東南爲漕河營，有城二門，把總一人守之。昌平山水記

〔臣等謹按〕畿輔山川志，亦名金牛山。

原 遼置牛欄都統領司。遼史百官志

補帝次牛欄山，欲盡戮漢軍，穆呼哩以舒穆嚕拜達勒可用，奏釋之。元史

原牛欄山改名順義山。明一統志

原牛欄山與狐奴山相望，其第三峯腰帶間一洞，相傳曾有金牛出食禾稼，田畯逐之，遁入洞穴，有投以瓴石者，輒聞水聲，或以物擲之，良久自山旁白河浮出。其北里許靈蹟山，二山一脈，前山石身負土，後山土身戴石，前大後小，行人總以牛欄名。長安客話

原順州北有銀冶山。元混一方輿勝覽

〔臣等謹按〕據大清一統志，山今在密雲縣南十五里。

原順州東北過白嶼河，北望銀冶山。王文正上遼事

原呼奴山亦名狐奴山。明一統志

原縣東北二十五里爲狐奴山。水經注：水不流曰奴。蓋以山前豬澤名也。其北麓鳥道而上，里許漸濶漸平，有寺。寺後有小石城，山下有龍潭，今涸。山西南百步有漢狐奴縣故址，魏文帝黄初二年省。昌平山水記

原曹王山，曹操嘗駐軍於此。遼史

原沽水西南流逕狐奴山西，又南逕狐奴縣故城西。漁陽太守張堪於縣開稻田，教民植種，百姓得以殷富。童謡歌曰：桑無附枝，麥穗兩岐。張君爲政，樂不可支。視事八

年，匈奴不敢犯塞。狐奴，王莽之舉符也。水經注

原白河經靈蹟山，黄花鎮川河入焉。又南經牛欄山東麓，潮河流合焉。又南逕縣城東門外。方輿紀要

原道人溪水南流逕孔山西，上有洞穴開明，故土俗以孔山稱。水經注

原縣西南二十里有天柱村，三十里有葦溝村，村東臨温餘河渡，渡南有長城遺跡。遼史：順州南有齊長城。城東北有華林、天柱二莊，遼建涼殿，春賞花、夏納涼者也。齊長城，天保中所築。沈括曰：幽州東北三十里有望京館，東行少北十里餘出古長城。卽此。昌平山水記

原温餘河卽昌平之榆河，下流爲沙河，入順義西南界，下至通州入潞河，順義謂之西河。金人名縣曰温陽，以此。遼史作温榆河，本水經注之濕餘河，以字相似而譌也。同上

〔臣等謹按〕許慎説文，濕水爲㶟水之譌。則濕餘、温餘並當作㶟餘水。

原順義縣有井，一日三溢，海潮則大溢，相傳源與海通。民疏其水爲渠，灌田百畝，號曰聖井。燕山叢録

原狐奴縣舊城在縣東北三十里狐奴山西麓。順義縣志

原 唐南河縣故城在縣東南二十五里，而軍都縣故城在縣西三十里，蓋軍都之别徙者也。昌平山水記

原 城内四達之中，有白石幢，下方上鋭，每方廣二丈，高三尺；又上重之八角各高二尺餘，刻獅象海馬之形；又上爲十二欄干，爲千葉蓮花座；又上漸狹漸圓，中石心一圜刻佛像千尊；外石柱六，各盤螭虎四距；又上竹節小梲可三尺餘；又上荷葉寶蓋二尺餘。四門城樓僅與幢基址平，遥望之，層層如雲中麾蓋也。同上

原 縣西三十里有燕王冢。或曰水經注所謂濕餘河，在燕王陵南者也。同上

原 開元寺有唐大曆五年試太子洗馬鄭宣力撰碑。秋澗集

〔臣等謹按〕開元寺在縣治東隅，俗稱爲東大寺。

原 締興寺在縣治西南，洪武八年建。明一統志

〔臣等謹按〕締興寺在縣治西門内，俗稱爲西大寺。

補 順州有龍雲寺。元崇國寺碑陰

原 呼奴山白雲觀有元大德八年集賢學士宋渤碑。淥水亭雜識

原 宋渤白雲觀記畧 真人張霞卿弟子張道寛居順州之呼奴山白雲道觀。能以符水救人，大丞相東平王嘗有瘍生體中，醫藥罔效，道寛治以符水遂愈，王爲之搆觀云。順義縣志

原 王梁爲郡吏，太守彭寵以梁守狐奴令。後漢書本傳

原上谷太守任興欲誅赤沙烏桓，烏桓怨恨謀反。詔鄧訓將黎陽營兵屯狐奴以防其變。訓撫接邊民，爲幽部所歸。同上

原遼聖宗統和十二年十二月獵於順州西甸。遼史游幸表

原王晦，字子明，澤州高平人。貞祐初爲户部郎中，以部兵守順州。時通州圍急，晦攻牛欄山以解通州之圍，遷翰林侍讀學士。及順州受兵，晦誓死不去。將士縋城出降，被執，不屈以死。謂其愛將牛斗曰：若能死乎？曰：斗蒙公見知，安忍獨生？并見殺。贈榮禄大夫樞密副使，有司立碑，歲時致祭，録其子汝霖爲筆硯承奉。金史

原順州山中有異獸，如馬而食虎豹，遼人不知其名，以問劉敞。敞曰：此所謂駮也，爲言其形狀聲音，皆如所見，人歎其博物。東都事畧

欽定日下舊聞考卷一百三十九

京畿 懷柔縣

原懷柔縣在州東北一百里。明一統志

〔臣等謹按〕明正德初，以縣屬昌平州，本朝改屬順天府，在府東北一百里。

增東西距二十五里，南北距三十八里。東至密雲縣界二十里，西至昌平州界五里，南至順義縣界十里，北至密雲縣界二十八里，東南至平谷縣界九十里，西南至昌平州界五十里，東北至密雲縣治四十里，西北至昌平州界三十里。大清一統志

原懷柔縣其地乃燕之北境，太子丹使荆卿獻地圖，蓋謂此地。太平寰宇記

〔臣等謹按〕太平寰宇記，此條爲歸順州所理之懷柔，乃今之順義。

增漢漁陽縣地，唐初爲密雲、昌平二縣地。大清一統志

〔臣等謹按〕此爲今之懷柔，明洪武中分置之地。

原唐貞觀六年置懷柔縣，治五柳城，改順義縣。開元四年，置松漠府彈汗州。天寶元

年，改歸化郡。乾元元年復今名。遼史

〔臣等謹按〕太平寰宇記，順州理賓義縣，唐貞觀六年置，寄治營州南五柳城。天寶元年，改爲順義郡，乾元元年，復爲順州，四至八到與范陽同。此順州也。通典所謂順義郡置在范陽郡城内者是矣。歸順州理懷柔縣，卽元順州之北境。開元四年置爲松漠府彈汗州，天寶元年改爲歸化郡，乾元元年復爲歸順州，是歸化郡乃松漠府彈汗州所改，其地南至幽州卽范陽郡八十五里，西南至幽州七十五里，爲今順義縣地。朱彝尊所云今之順義本歸順州歸化郡，非順州順義郡是也。至今懷柔，乃明初析昌平、密雲地所立，雖取古名，實非舊地。考遼史：順州歸化軍領縣一，懷柔，有温餘河。金史：領縣二，温陽、密雲。温陽，温餘水之陽也，卽懷柔所改。今温餘水入順義北界，不經懷柔界，是可證昔之懷柔爲今順義而非懷柔矣。遼史此條混歸順州於順州，固多舛錯，彝尊既以歸順州爲順義，復以此條并下條載入懷柔，是又混懷柔於順義矣。

增歸順州歸化郡本彈汗州，貞觀二十二年置，開元四年更名，縣一，懷柔。唐書地理志

原金明昌六年，改爲温陽縣，元廢。方輿紀要

〔臣等謹按〕此爲今之順義。

原明洪武十三年分密雲、昌平二縣地建懷柔縣，在順義縣北，屬北平府。清類天文分野之書

〔臣等謹按〕此爲今懷柔地。

原縣屬順天府，正德中改州屬。方輿紀要

增乾隆六年御製懷柔縣詩　山圍古郡富耕桑，此地前朝是戰場。四海懷柔原在德，由來禮義固金湯。

增乾隆二十五年御製懷柔縣東詩　懷柔縣東潦盡灘，長橋空臥沙渚寬。去歲曾此待度難，茭楗絞縛劬且艱。事半功倍古有言，不如乘時理信然。村民道左鞠跽，年年許覲顏尺咫。今秋收穫詢如何，都道人和緣歲美。覩兹景象寧不喜？陡憶下河復被水。多方賑恤付有司，曾否勤宣善經理？中心藏之何日已。

增乾隆二十六年御製懷柔縣東叠去歲詩韻　去歲此經乾石灘，今秋一望潦水寬。柳橋縛架又值難，昨宵待宿工就艱。逍遥河上風人言，前秋景況今復然。去歲過縣東，秋潦已盡，視己卯經此新漲方盛，情景迥殊。曾有詩紀事。今年所值與前歲畧同，命侍衞等相視，便道測流徑渡，並不需前詩茭楗絞縛之勞矣。一二地方吏來跽，請罪進寸退且咫。笑謂更不須汝曹，羽林一一雄才美。厄魯回人尤色喜，撇捩踴躍善行水。牽驅驅馬須臾間，輕裝運畢百度理。我亦乘舟渡河已。

增乾隆四十六年御製彈汗行　路經彈汗州，懷柔縣貞觀二十二年建彈汗州。因作彈汗行。自昔蒙古長，原有

汗之稱。長城以北東西亘，各據部落雄相爭。文皇欲彈壓若輩，邊州因以此額泐巖城。而何四夷君長上尊號，既笑却之後乃賜書四夷遂用可汗名。唐太宗貞觀中，西北君長請上尊號爲天可汗，却之，然其後賜書四夷及屬國上書遂稱天可汗云。彈汗行慢言唐事，試言我皇清。四十九旗爲舊屬，久去汗號惟以王公帶礪百世榮。科爾沁等旗，舊亦有稱汗者，自太祖、太宗時內附，即請去其汗號，受王、貝勒、公等封矣。四喀爾喀實後附，仍其汗號乃我皇祖沛恩宏。喀爾喀於康熙年間爲噶爾丹所逼，棄其部落，挈人户求內附，皇祖許其來歸。故車臣汗烏默赫、札薩克圖汗額爾克阿海巴朗尋皆仍存其舊號，與四十九旗同備藩服。朕雖不德定準部，亦存其汗號，都爾伯特至今世禄其孫曾。乾隆二十年，平定準噶爾部，封都爾伯特與綽羅斯、輝特、和碩特四族台吉爲四汗，並分建王貝勒貝子公，遊牧如四十九旗喀爾喀之例，嗣綽羅斯、輝特、和碩特部落尋以叛逆自取滅亡，惟都爾伯特始終恪守臣節，其子孫世受封爵，部落耕牧安生云。其餘自作孽覆祀，非我黷武逞嘉兵。綽羅斯汗自噶爾藏多濟被戮後，其族屬殄滅無幾，輝特汗巴雅爾亦以叛逆誅，和碩特汗沙克都爾曼濟心懷攜貳，殲之于巴里坤，皆因反覆煽亂自底滅亡，非欲嘉兵黷武也。其原委詳見西師詩，至土爾扈特汗亦準噶爾四衛拉特之一，初竄歸俄羅斯，傳數世至渥巴錫，挈全部户口十萬餘來歸。因命仍其汗號，分地安居，贍給耕牧，一遵皇祖收撫喀爾喀之例，優加恤賚，詳見歸順優恤二記。最後土爾扈特自歸順，仍其汗號無庸更。彈汗行，何須彈壓惟屢懷柔情。各部入覲循茲以入京，億萬斯年受恩保土與國享昇平。

增 乾隆四十七年御製過懷柔縣詠古詩 彈汗貞觀名，蓋因突厥輯以武。開元易懷柔，圖撫以文繩厥祖。徒武失剛徒文柔，胥非中道那永輯而撫。雖然用剛過者其禍速，不如用柔禍緩略能久。叶得其中者信難哉，要在文武并用無逸以爲所。懷柔去京百餘里，古所謂守在四夷者即此。衹今伊犁建城興屯田，其遠較茲奚啻倍而蓰。此非誇也實懼乎，自我得之敢不業業兢兢守在己。復申其説曰要於敬天愛民而已耳。

〔臣等謹按〕懷柔縣御製詩，謹繹有關紀述事實者恭載卷内，餘不備録。

原 王世貞懷柔道中作 馬足吾何限？山行稍自寬。人家梅雨色，衣袖麥秋寒。過瀑添新徑，歸雲改故巒。斷腸沙雁起，一一向長安。弇州山人稿

原 楊旦懷柔道中作 春城樹樹亂啼鴉，鎮日山行未見花。田野蕭條村落静，土橋茅屋兩三家。惜陰小稿

原 縣舊有土城，創自洪武十四年，至成化三年易以甎石。弘治十五年，以城大民少，去其西偏，而城其東偏。開三門，東曰咸陽，南曰拱衞，西門最小，以便汲水。知縣事保德李士元開大門於西，名曰留照，復易東門曰迎旭，南門曰開薰，西小門曰湧泉。隆慶二年，增設甕城敵臺。萬曆八年，知縣屯留龐鳳鳴闢東小門，名曰通利。懷柔縣志

原 懷柔城大兵少，弘治中截其東偏而築之，故縣治在西門也。城周四里六十步，三門，嘉靖末，設兵備僉事於此，尋罷，後以守備一人駐焉。昌平山水記

補 懷柔城極堅整，西南在平地，東北則因山爲之，其南甕城可盤馬。麗譙片石記，萬曆九年增修丈尺，末云並用純灰鋪底，灌抿全完，以垂永久，宜其歷百年尚如新築也。温陽署紀

〔臣等謹按〕縣志：明成化三年，巡撫閻某重修，弘治十五年，兵備道錢承德改築，有大學士謝遷碑。隆慶初，縣令蔡孔泮增設甕城敵臺。萬曆八年，邑令龐鳳鳴重

修，仍易其門，又開一東小門，添設城樓三。其後邑令賈濬復加修葺，有賈濬碑。三十三年，久雨城圮，邑令史國典請修，有昌鎮營遊擊管朝爵城工記。其後東大門、西小門俱閉，止留三門。本朝康熙五十九年地震，城北面圮，六十年四月聖祖駐蹕懷柔，特命修築，越明年告成。

【增】謝遷重修懷柔城記　懷柔爲邑，東連密雲潮河，以抵於山海，西接昌平居庸，以及於雲中。實古幽燕之域也。我太祖載造區夏，於是割昌平、密雲二縣之地爲懷柔，以屬於北平。及太宗定鼎燕京，陞北平爲順天，而懷柔仍隸之。經制之初，城郭未備。比歲巡撫都御史錢塘洪鍾按節是邑，召知縣事祥符劉淮，授以規畫，俾圖新之。於時山東按察副使姑蘇錢承德適領兵備之任，專董其役，畚鍤雲集，板築並興。城以丈計者二千有奇，外悉甃以甎石，樓櫓雉堞畢備。闢二門以通出入，東曰咸陽，南曰拱衞。引渠通水道，俾無淫潦之患。始事於弘治壬戌之春二月，六閱月而告竣。功既畢，邑庠訓導閩人黃璋請記其成，弘治十六年夏五月日立石。

【增】管朝爵重修懷柔城記　萬曆己巳春，懷柔城以霪雨傾頹。邑侯史君爲保障慮，申請修築，以不佞任分修之責。先分外口甎城，自東北角臺起至南門東止，凡五段，共長七十丈八尺，裏口西門甕城甎工一段長七丈二尺。繼分修隨牆土城，自東北角起南至東南角臺西空止，凡五段，共長七十一丈八尺，大西門迤北土城一段，長二十五丈，西門迤南土城一段，長二十五丈。共土城一百二十一丈八尺，俱用墁頂女牆甎灰疊砌，裏外口甎土城工共一十三段，共長一百零八尺。自二月十四日始，至五月初十日報竣。萬曆二十三年五月日立石。

【原】唐順之登懷柔城作　塞下孤城古白檀，半臨平野半依山。秋來亭堠無烽火，官馬千家苜蓿間。荆川集

【增】查慎行雨後過懷柔城外詩　火雲突兀壓城頭，地近黃花古戍樓。好是綠陂新過雨，路平如掌接檀州。敬業堂集

【增】行宮在南門外。懷柔縣志

〔臣等謹按〕懷柔縣志，康熙四十九年始以三教堂舊址改建祇園寺，遂建行宮於其地，五十三年增修。正殿東室恭懸皇上御書聯曰：目同碧宇朗無盡；心與白雲散以

閒。西室聯曰：千畦香撲黄雲徧；列嶂屏拖碧靄横。佛室聯曰：覺路圓通參妙諦；法幢清淨領真香。後殿東室聯曰：輕風楊柳迎頭爽；濃露郊原蓄目清。皆御書。

增 乾隆二十九年御製懷柔縣行宫停蹕詩 彈汗緣耀武，歸化欲敷文。自在綱維挈，寧關名字紛？行宫纔數宇，停蹕迴堪欣。敦樸欽先典，吾惟揚覲勤。

〔臣等謹按〕懷柔縣行宫御製詩，恭載首見之篇，餘不備録。

增 縣治在大西門内，歲久庳壞。康熙五十六年，邑令吴景果即舊址搆堂五楹，曰黍春堂。堂前古柏四株，三百年物也。堂東偏古樹之下搆書室三楹，移植紅螺山叢篠數竿於軒下，曰螺竹軒。懷柔縣志

增 吴景果黍春堂記 縣治自門垣以至堂寢，歲久頹壞。余至斯，就縣廳後考中堂三間爲視事之所。歲丁酉二月，大雪，中堂亦傾，乃即舊址搆堂五楹，視舊稍軒敞焉。會湘潭陳公滄洲來署道篆，爲書其額曰黍春堂，蓋以斯邑地小民貧，有待於吹暖律而布陽和也。康熙五十六年八月記。縣治石刻

增 縣學在縣治東，明洪武十五年建。大清一統志

原 縣學明倫堂，成化庚寅教諭餘姚趙顒所搆；泮池，萬曆甲午，知縣全州蔣守浩所鑿。懷柔縣志

〔臣等謹按〕明洪武初設縣，即立縣學。成化中有修撰王華重修明倫堂碑，萬曆中有教諭胡朝卿創鑿泮池記，天啓三年重修大殿，崇禎七年增修兩廡、戟門、啓聖祠、

明倫堂，有教諭王建極碑。國朝康熙五十五年邑令吴景果重修。

增 王華重修懷柔學明倫堂記 懷柔乃京兆屬邑，往者嘗議修學不果，講堂歲久傾圮。成化庚寅，餘姚趙先生顒涖教是邑，與諸生之賢者商搉其事，又募之富室，得緡若干。卜日鳩工，制倍於昔時。諸生請立石，先生止之。暨先生秩滿，轉官閩之政和，閲二三寒暑，訓導池州葉君勝詢得明倫堂營繕之由，慨然請予言勒諸石。

增 胡朝卿創鑿泮池記 懷柔建學垂二百年有奇，泮池獨缺。萬曆癸巳，全州蔣公守浩來涖兹土，下車謁廟，咨嗟久之。越明年，甲午春，進諸生諭以意，擇日興工，鑿池於櫺星門内，周七丈，深十尺，起三橋，樹以欄杆，砌以珉石。至於櫺戟二門、東西兩廡，壞者補，隘者拓，悉捐俸僱辦，三旬告成。萬曆二十年仲冬立。

原 廣濟倉在懷柔縣城。四鎮三關志

〔臣等謹按〕縣志，廣濟倉今廢。

增 藏冰窖在縣二門東，每歲冬月，工部行令藏潔冰三千塊以備用。懷柔縣志

增 大水峪關在縣東北三十里，河防口關在縣北三十里，神堂峪關在縣北二十里，开連口關在縣北二十五里。同上

〔臣等謹按〕四關皆密雲石塘嶺關都司所轄。舊志，自白峪以西摩天峪關凡九口，皆載入縣境，今白道峪、牛盆峪、小水峪三關屬密雲，渤海所、摩天峪二關屬昌平，唯自大水峪以西至开連口之黄草窪邊城凡六十里，爲懷柔縣境，詳見邊障門。

增 紅螺鎮在縣北十里。大清一統志

增 羅山在縣東十八里。同上

增栲栳山在縣東南九十里，山前有雲巖寺，又有砥堂寺。懷柔縣志

〔臣等謹按〕據大清一統志，栲栳山在縣東南八十六里。

增龍王山在縣西半里，舊城環其上，下有龍潭，深不可測。大清一統志

原縣西三里爲石塘山，有大工則採石焉，設工部廠。昌平山水記

〔臣等謹按〕明工部廠今廢。

增灰山在縣西四里。懷柔縣志

增峯山在縣西南五里，三峯高聳，上有真武廟。山屬昌平，東址爲懷柔界。上同

原紅石山在縣西北三里，山頂有石泉，瑩潔如玉，一名玉泉山。上同

〔臣等謹按〕據大清一統志，泉在山頂石窟中。

增景山在縣北十八里，山麓有定慧寺，今廢。懷柔縣志

原紅螺山在縣北二十里，高二百仞，下有潭，潭中嘗有二螺，色殷紅，夕吐光燄，土人異之，因以名山。明一統志

增山高二百仞，石山也。衆山皆青，沉沉獨黑，日午麗之，不秋而紫。帝京景物略

原紅螺山有泉一綫，以珍珠名，其水湧如噴珠。長安客話

〔朱彜尊原按〕遼史，檀州有螺山；金史，順州有螺山；王沂公上遼事，順州東北有

螺盤山；皆指是山也。

〔臣等謹按〕遼史，檀州統縣二：密雲、行唐。金史，順州統縣二：温陽、密雲。今懷柔爲密雲所析，彝尊以螺山爲卽紅螺山，似非無據。但考太平寰宇記，密雲有桃花山、螺山，今其地皆屬薊州。據大清一統志，密雲東南至平谷界九十里，又東南至薊州界六十里，共一百五十里。寰宇記，密雲東南至薊州界一百九十里，則舊時密雲所屬之地尚有四十里入薊州界。然考魏氏土地記云，漁陽城南五里有螺山。漁陽今薊州治。據此是薊州近界，當又別有螺山，非卽今懷柔之紅螺山矣。謹附識之以備考。

原 温陽有螺山、溆水、兔耳山。金史

〔臣等謹按〕今兩山皆不得其處，考一統志，華山一名兔耳山，在三河縣北三十里，今順義南界。順義金温陽也。據此則舊時所屬之地，今互入三河，故山在其界。又明胡濙栲栳山雲巖寺碑，有云勑賜近寺兔耳山花板石應用。栲栳山在縣東南七十五里，亦正近三河之北也。螺山今在薊州，詳前條。

原 縣東北二十里有神山，又有金鐙山，山頂夜常有光，因建金鐙寺。懷柔縣志

增 卸甲山在縣東北三十二里。大清一統志

【原】象山在縣東北四十里，山形如象。懷柔縣志

（臣等謹按）原本内尚有黍谷山七條，在縣東四十里，今縣東止二十里，則山在密雲西界也。謹據大清一統志改入密雲。

【原】縣東七里爲白河，又東十五里爲潮河。昌平山水記

（臣等謹按）一統志，白河從密雲西界南逕縣東，又南逕順義界，潮河自密雲縣東南經縣東至順義北。

【原】縣東三里有小泉河，又東五里有雁溪，俱流入白河。懷柔縣志

（臣等謹按）縣志，小泉河源出紅螺山珍珠泉，雁溪源出塞外，經神堂峪，由縣東王化莊入白河。

【原】七渡河在縣西南一里。懷柔縣志

【原】朝鯉河亦名七渡河。王文正上遼事

（臣等謹按）縣志，七渡河發源塞外，經黃花鎮川至縣境，下入白河。

【增】浮橋五處，西大橋在縣西一里，南富樂橋在縣東一里，疊道小橋在王化莊，下有泉源，滙爲深潭，土不能墊，故架橋焉。王化莊橋在王化莊東，東大橋在房家莊西北。懷柔縣志

補 釣魚臺在懷柔縣西三里，山水殊勝，澗流至此廣丈餘，横板橋以渡。東南一望，渚烟村樹，彷彿江鄉。温陽紀畧

原 孤臺在縣北三里，舊有金勝寺塔，今廢。懷柔縣志

增 砥堂寺在縣東八十里，漢時名曇泉寺，明正德中改今名。大清一統志

增 祇園寺在南門外。同上

〔臣等謹按〕寺内大殿前簷恭懸聖祖御書祇園寺三字，額後殿前簷額曰示真實相，亦爲聖祖御書。

增 奉聖寺在城西南五里，有明尚書甘爲霖詩碣，寺今廢，碣移城隍廟。大清一統志

原 能仁寺在縣治西北，洪武十八年建。寰宇通志

原 紅螺山麓有資福寺，古之大明寺也。創於金皇統初年，距縣一十五里。又有定慧寺，亦在山麓，建有萬壽、齊天二塔，距縣一十八里。懷柔縣志

〔臣等謹按〕縣志，資福寺在縣北二十里，有元大學士樊從義碑，稱寺創自金皇統初。明正統丁巳重修。本朝康熙三十三年，聖祖臨幸茲寺。定慧寺在縣北十八里景山之麓，明正統中建，有尚書胡濙碑，今廢。二塔尚存。

補 紅螺山大明寺碑，元昭文館大學士太史院使領司天監事樊從義撰文，宣文閣監書博士

兼經筵譯文官王與書，稱寺始於唐。金世宗大定間，召佛覺禪師於真定之宏濟，來住茲山。元仁宗時，詔雲山禪師以榮禄大夫大司空佩一品銀章主大聖安寺。內侍大司徒王伯順以大明爲聖安宗派，請太皇太后發帑五萬，爲修寺之資。至正中，雲山從聖安歸老於此，盡捐前後所賜金帛重修焉。蓋沙門檢校司空，在遼時已然，金元循之不改也。碑又云，兩紅螺死，爲雙浮圖，瘞之寺中，今寺一池曰紅螺池，三面皆果園，花時遊覽頗勝。殿西有竹一畝。寺東南二里許爲明懷寧侯孫武敏公墓，有兩碑，一李賢撰，一彭時撰，中一碑刻諭祭文。温陽紀畧

增禮部尚書胡濙景山定慧寺碑畧都城東北懷柔縣景山之陽，去人境雖不遠，而巖壑鬱紆，峯巒峭拔，泉清水深，最爲勝處。經始於正統七年，建前後大殿、藏經殿、天王殿、兩廡、山門、方丈、祖師、伽藍、齋室、禪堂、庖湢、庫庾、鐘鼓二樓、僧房，垣墉畢備。八年二月二十七日，賜今名。其寺北據景山，東倚大荆山，西接紅螺山，南望小荆山，一大叢林也。普照、廣明、碧峯、永安、圓明、寶安諸山梵刹及泉水庵俱爲下院。

增雲巖寺在栲栳山，向有道院名栲栳甎，金乾統中華嚴祖師居此，有沙門圓揆塔記。明景泰中重建，勑賜今名，有尚書胡濙及沙門德洽碑。成化中重修，有大學士商文毅公輅重修記。懷柔縣志

增金華嚴祖師義琛，玉田李氏子，幼喪母，事繼母以孝聞。年十二，辭家訪道，得清虛修煉之術。父訪令還家，更習儒業，通文史。壽昌五年，試中甲薦名上不赴，遂爲僧。乾統初於栲栳甎立小院，前後訪法者二百餘人，後染末疾入定如眠，有紅光發於頂面，

照滿一室，今塔尚存。同上

增胡濙栲栳山雲巖寺碑畧　雲巖寺在京師東北百餘里，順天府懷柔縣栲栳山前，年深傾圮，捐資召匠，先大雄殿，次天王殿，觀音、真武二閣，法堂、方丈、僧舍、齋堂、鐘鼓二樓、享堂、東西兩廡、行者寮、休息亭、庖湢、庫庾，繚以圍垣。景泰六年五月十五日賜額，其近寺兔耳山花板石并越府草場田土俱賜本寺應用。景泰六年某月日立。

增商輅重修雲巖寺碑畧　景泰初，因栲栳山古刹遺址建殿宇，賜額曰雲巖禪寺，近歲殿廊漸毁，地土荒蕪，成化丁亥六月，奏復前地，再董修建，寺獲更新。庚寅秋九月重陽日記。

原縣東南九十里有⿱髟丫髻山，二峯高聳，上有碧霞元君祠。昌平山水記

〔臣等謹按〕⿱髟丫髻山東四里建行宮一所。正殿恭懸皇上御書額曰巖蒼樹古。西室聯曰：天地爲罏，游心物以外；詩書敦好，尚論古之人。捲房額曰韻松軒。聯曰：端居向林藪；勝賞在煙霞。佛室聯曰：琉璃光淨徧空界；薝蔔花開霏妙香。後室聯曰：嵐影交窗翠；松陰入座濃。亭額曰山意足。皆御書。其西四里，登山爲碧霞元君廟，前殿外簷恭懸聖祖御書額曰敷錫廣生，殿内恭懸皇上御書額曰神霄朗照，後殿額曰慈護香巖，玉皇閣額曰泰鈞普育，精舍額曰寫霧軒，皆御書。玉皇閣前恭勒聖祖御製碑文。

增聖祖御製⿱髟丫髻山玉皇閣碑　距京師百里有山曰⿱髟丫髻，隸懷柔縣。兩峯高矗，望之如髻，故得是名。自元明以來，號爲近畿福地。因上有碧霞元君之祠，是以每歲孟夏，四方之民會此祈禱者，駢肩疊跡，不可勝計。古稱積高之區，神明所舍，況兹山北倚紫

塞，南拱神京，岡巒迴合，蜿蜒磅礴，而鍾秀於是。則其神氣之感，數有靈應，理固然也。康熙五十二年，值朕六旬誕期，諸臣民就兹山瞻禮，爲朕祝禧，因共建玉皇閣以祈延壽。經始於癸巳三月十八日，落成於甲午三月十八日，而請記其事。朕御極五十餘年，夙夜孜孜，唯體上帝仁愛斯民之心，以撫綏天下。幸四海清晏，年穀順成，朕與天下臣民得同享太平之福者，皆上帝之眷祐也。朕之祗承於上帝者，唯在天下臣民之永安。而天下臣民之祝願於上帝者，唯在朕躬之永年。然則兹閣之建，即上帝之陟降監觀於是乎在矣。爰立貞珉，載其始末，以傳永久云。

增乾隆十二年御製髩髻山詩嗚梢蘭磴迴，點筆綺窗虚。秀野春雲合，單椒曉景舒。水如銀屆匝，山是紫芙蕖。柳態籠烟際，桃姿過雨餘。暫來欣攬結，欲去更躊躇。緑字前秋詠，還如昨日書。

增乾隆十八年御製題髩髻山碧霞觀詩 四面山圍畫屏幛，中天路豁界玻瓈。靈峯光幻同金馬，神澤依稀擬玉雞。夢雨初晴嵐翠濕，小春猶暖櫛銀低。平生懶問長生術，羽客休誇躡景梯。

〔臣等謹按〕髩髻山並碧霞觀御製詩，俱恭載首見之篇，餘不備録。

欽定日下舊聞考卷一百四十

京畿 密雲縣一

原 密雲縣在州東北一百二十里。明一統志

〔臣等謹按〕密雲縣，明屬昌平州，本朝改隸順天府。

增 東西距一百十里，南北距一百三十五里。東至牆子嶺關界九十里，西至懷柔縣界二十里，南至三河縣界三十五里，北至白馬關一百里，東南至平谷縣治九十里，西南至順義縣治七十里，東北至古北口一百二十里，西北至懷柔縣界三十里。大清一統志

增 春秋及戰國並爲燕地，秦漢並屬漁陽郡。通典

原 漢白檀縣地屬漁陽郡。方輿紀要

原 檀州密雲縣卽漢厗奚縣舊治。續通典

原 後漢以居斤奚。遼史

原 白檀縣卽古北平。續漢書

增 晉時郡縣俱廢，後魏復置漁陽縣，屬漁陽郡。大清一統志

原 後魏皇始二年置密雲郡，治提攜城，領白檀、要陽、密雲三縣。昌平山水記

原 魏兼置安州，後齊廢郡及二縣入密雲，又廢安樂郡之土垠入安市。隋書

原 後周以安樂郡安市縣并入密雲，改安州爲元州。隋開皇初徙元州於漁陽。十六年，又割幽州燕樂、密雲二縣於舊元州，置檀州。大業三年，州罷爲安樂郡。唐武德元年，仍改檀州。清類天文分野之書

〔臣等謹按〕開皇十六年，太平寰宇記作十八年。

原 以斯地燕之邊陲管障塞軍五千。開元十道要略

原 萬歲通天元年，置漁陽軍。開元十九年，更威武軍。又有鎮遠軍，故黑城川也。有三叉城、橫山城、米城，有大王、北來、保要、鹿固、赤城、邀魯、石子航七鎮，有臨河、黃崖二戍。唐書

原 天寶元年，改爲密雲郡，乾元元年復爲檀州。太平寰宇記

原 石晉以賂遼。宋史

原 遼爲檀州武威軍，領密雲、行唐二縣。昌平山水記

原 宋宣和四年，金人以州來歸，賜郡名曰橫山，升鎮遠軍節度。七年，金人復破之。宋史

原金廢州，以縣屬順州，後復爲檀州，以密雲并入。方輿紀要

原元屬大都路。清類天文分野之書

原明改州爲密雲縣，屬順天府。正德中，改昌平州屬。方輿紀要

原舊城創於洪武年，設三門，周圍九里十三步，新城築於萬曆四年，在舊城之東，設三門，周圍一千一百七十九丈。密雲縣志

原新舊城兩端相連，總督府居其中。昌平山水記

〔臣等謹按〕前明薊遼總督府，今廢。

原縣爲薊遼總督所駐。名勝志

原縣治在鼓樓西，明萬曆二年重建。密雲縣志

〔臣等謹按〕密雲縣署，康熙五十九年修葺，雍正元年，縣令薛天培重修。

原縣學在鼓樓東，唐貞觀十二年，漁陽刺史韋宏機創建。金季兵燬，元至元二十八年，知州楊璉重修，至正六年，知州聶守節擴地增修，明洪武十一年，知縣唐忠重修。密雲縣志

原唐顯慶中韋宏機爲檀州刺史，以邊人陋僻，不知文儒貴，乃修學宮，畫孔子、七十二子、漢晉名儒像，自爲贊，敦勸生徒，由是大化。唐書

原元王思誠重修檀州文廟碑記　檀州漢爲邊郡，今畿内近地，州舊有孔子廟，燬於金季兵。至元二十八年，知州楊璉等割俸緡卽州治東市民宅，重構殿宇，爲堂三楹，兩廡四楹，以棲聖賢。迄今五十載，寖至傾圮。至正六年，太

原聶侯字用之，由行唐尹管巡院使來守是州，拜謁祠下，顧瞻荒陋，慨然以修復自任。退而謀諸監州邁珠及同知巴延、判官崔克敬，共割俸鈔爲衆倡。州中有好義者，翕然出資以助。於是斬木於山，陶甓於河，鳩工不日，悉撤其故堂，崇其基，宏其度，爲殿三楹。葺兩廡，增其楹爲六。創神庖，若大成門，重門齋舍，仍以故堂廢材又爲築講堂及教官宅，碑樓，共十三楹。繪塑一新，金碧晃耀，視昔爲有加矣。侯之致力，不惟是州爲然，其在行唐，亦新三皇孔子廟及醫學儒學，憲使富珠哩翀刻詩於石以頌其德。檀學之興，經營於三年之仲春，再越期而落成。集賢學士揭傒斯、監察御史崔特穆爾布哈扁額於殿堂之上。聶侯又欲勒石以紀歲月，命學正宋文佐以文爲請。遂爲書其始末，系以詩曰：白檀之區，昔爲邊隅。厥俗於荒，罔習於儒。今爲內甸，密邇神都。郡黌攸設，文教斯敷。明明聶侯，説禮敦書。睠茲孔廟，湫隘庳疏。乃卽同官，載詢載謀。悉撤其故，恢宏其模。完敞益新，輪如奐如。法庭殖殖，邃宇渠渠。有宅其師，有庇其徒。巍巍聖道，洋洋嘉謨。允迪惟哲，罔念則愚。嗟嗟士子，惜此居諸。學古入官，復厥生初。作與時偕，身與道俱。此惟聶侯，德化之濡。在漢文翁，異世同符。太史作頌，以永厥譽。爰告後政，勉循令圖。密雲縣志 按：邁珠舊作買住，今對音譯改。

〔臣等謹按〕密雲縣儒學，明嘉靖四十五年修，翰林侍讀王希烈有記，萬曆四十一年修，翰林顧玉繩有記。本朝順治十七年修，户部侍郎袁懋功有記，康熙五十一年修，編修李掌圖有記，雍正二年重修，見大清一統志。

原 白檀書院在縣治東南，密雲兵備濟南王見賓建。館之東曰秋實，西曰春華，其前爲堂，稍進爲亭，庖湢悉具，羅列花石於庭。又建社學齋房，以訓童子。密雲縣志

增 八旗駐防營距密雲縣城東北三里。官署及兵房共四千八百七十二間。設副都統一員，協領四員，佐領十六員，防禦十六員，驍騎校十六員，兵二千名。密雲縣志

〔臣等謹按〕密雲縣城外八旗駐防營，乾隆四十二年奉命創設廨宇，四十五年移駐。

原 密雲驛在舊城南門外，洪武十二年建。密雲縣志

〔臣等謹按〕密雲驛，本朝尚仍其舊。

增聖祖仁皇帝御製過密雲縣作　秋氣驅殘暑，青林墮葉稀。馬嘶涼籟動，蟬噪夕陽微。河繞遥通塞，山迴盡拱畿。黍苗膏雨足，歲事念民依。

增聖祖仁皇帝御製密雲作　連年駐蹕此城隈，雲谷無塵金碧堆。斗室何妨宇宙志，晨昏常掖輦輿回。

〔臣等謹按〕密雲縣志，縣署二門内於康熙四十一年建聖藻亭，恭勒聖祖御製是詩於石。

增乾隆六年御製密雲道中望長城詩　秦時闉堞漢時山，總爲天驕守禦艱。此日長城爲苑囿，三秋巡狩數經還。

增乾隆二十四年御製密雲行　京北重鎮稱密雲，巖城埤堄新舊鄰。控制三邊列棨戟，勝國曾此屯萬軍。兩山寺塔節璫建，南者已頹北猶存。糜餉士不得實用，剥民奉己祈佛恩。爾輩富貴亦何在？空令過客興慨論。白河流西潮河左，徒觀形勝誠復可。由來在德語不刊，詎誇扼險牢關鎖？即今大宛爲荒服，木蘭近囿來往熟。築堤障水惟利民，（康熙年間事。）我每經行緬聖躅。得勢不事守有餘，失勢竭力守不足。勢匪地利實人和，敬己勤民籲天福。

〔臣等謹按〕密雲道中御製詩，謹繹有關紀述事實者恭載卷内，餘不備録。

增密雲縣東門外一里劉家莊恭建行宮。密雲縣册

〔臣等謹按〕劉家莊行宮，康熙二十二年建。正殿東室恭懸皇上御書聯曰：人家烟見翠微裏；天宇晴開碧嶂頭。佛室聯曰：香雲徧滿華嚴界；甘露長滋福慧田。後殿額曰遠翠雲標。東室聯曰：最宜觀處皆成畫；於暫閒時輒詠詩。西室聯曰：逕幽仍隱緑；窗啓乍來青。又聯曰：康功北郭桑麻裏；爽氣西山襟袖間。皆御書。

增乾隆八年御製密雲行宫晚坐詩　金風玉露静秋天，别館初開翰墨筵。亦有蛩聲啼砌下，那無月色到窗前。山圍大野寥蕭夕，宇轉新晴淡淹烟。何必御園雲水榭？忘懷是處俗塵蠲。

增乾隆十二年御製密雲縣行宫對月詩　朔塞返行旌，離宫駐清蹕。天籟發庭柯，蟾輝入我室。過望輪尚圓，戀秋情更逸。盈匡經兩度，來往渾一律。鳥語話疇曩，蛩音助蕭瑟。漸覺翠峯遥，對此銀雲櫛。隨時愛景光，夜窗聊點筆。

〔臣等謹按〕密雲縣行宫御製詩，謹繹有關紀述者恭載卷内，餘不備録。

增密雲縣東北三十五里羅家橋恭建行宫。密雲縣册

〔臣等謹按〕羅家橋行宫，康熙五十一年建。正殿西室恭懸皇上御書聯曰：千畦香撲黄雲徧；列嶂屏拖碧靄横。佛室聯曰：照海慧珠通眼藏；霏空法雨滌心源。皆御

書。

增　密雲縣尖營坐落有四：一在栗園莊東，一在穆家峪莊南，一在華家店莊東，一在老王店莊東。密雲縣志

增　乾隆三十八年御製過穆家峪卽事四首　穆家峪北細流河，草囤支橋謂費多。却憶前秋泛異漲，徘徊河畔未能過。前朝雨勢較南稀，禾黍雖苗芃亦微。再霈優霖方助長，眼看稚緑嬾鞭揮。籌農逐處爲心縈，在此仍因望雨怦。却有願情云利旅，最難齊者是人情。氣候南暄漸北寒，行看麥穗尚青攢。晴資熟麥雨資黍，措念一時竟兩難。

〔臣等謹按〕穆家峪御製詩，恭載首見之篇，餘不備録。

原　大峪錐山在縣北。方輿紀要

原　至元十三年，霧靈山伐木官劉氏言，檀州大峪錐山出鐵鑛，有司覆視之，尋立四冶。元史五行志

原　至元二十五年九月，罷檀州淘金户。元史世祖紀

增　清都山在縣東五十里，舊有清都觀，故名。大清一統志

原　龍門山在縣東六十里，有黃崖洞，懸泉如瀑布。方輿紀要

原　密雲山不出泉，惟縣南十里山麓有二泉，相踰僅數尺，滙爲一流，稱聖水泉，山亦因

以名，泉上有初月亭。長安客話

〔臣等謹按〕密雲縣志，亭爲明萬曆間都護戚繼光建，又有龍女祠，今俱廢。

原 密雲山在縣南一十五里。明一統志

原 密雲山一名横山，郡所以名也。昌平山水記

原 慕容皝以段遼屢爲邊患，遣將軍宋回稱藩於石季龍，請師討遼。季龍統衆而至，及徐無，遼奔密雲山，季龍進入令支，怒皝之不會師也，進軍擊之。皝遣子恪率騎二千晨出，季龍諸軍驚擾，棄甲而遁。段遼遣使詐降於季龍，請兵應接。季龍遣將麻秋率衆迎遼，恪伏精騎七千於密雲山，大敗之，獲其司馬陽裕、將軍鮮于亮，擁段遼及其部衆以歸。晉書

原 段遼爲石虎所敗，奔平岡山。晉紀

原 山近漢平岡縣界，唐置横山城爲守禦處，蓋置於山下。方輿紀要

原 縣南二十里爲白檀山，漢所以名縣也。昌平山水記

原 密雲有隗山。唐書

原 山在縣南三十里。方輿紀要

原 山下即密雲故縣。密雲縣志

原黍谷山在懷柔縣東四十里跨密雲縣界，亦名燕谷山。明一統志

〔臣等謹按〕據大清一統志，黍谷山在密雲縣西南十五里。又密雲縣志谷中有廟，基址猶存。舊城東門外有鄒衍吹律處碑，因建新城隳，今新舊二城夾道中有鄒大夫祠。據此則黍谷應編入密雲，原本與下五條俱列懷柔縣條下，今改正。

原燕有黍谷，地美而寒，不生五穀，鄒子居之，吹律而溫氣至。劉向別録

原燕有谷，氣寒不生五穀，鄒衍吹律致氣，既寒，更爲溫熱以種黍，黍生豐熟，到今名之曰黍谷。論衡

原鄒衍吹律能變寒谷生禾黍。獨異志

原黍谷亦謂之寒谷。吴越春秋：北過寒谷。左思賦：寒谷豐黍，吹律以暖之。是也。山有風洞，洞口風氣凜烈，盛夏人不敢入。昌平山水記

原鄒衍廟在黍谷山上。密雲縣志

增遼建避暑殿於此。畿輔山川志

原方問孝謁鄒先生祠作　夫子昔遊燕，宮成碣石年。墳荒肅然雨，祠接女郎烟。名自三騶著，書從五德傳。夜深明月下，彷彿笑談天。人去不可見，川明終古流。雲疑擁篲日，廟似築宮秋。碑色含苔冷，蜩聲帶雨愁。應知精魄在，千載此幽州。蒼耳齋詩集

補蘇拯鄒律詠　鄒律暖燕谷，青史徒編録。人心不變遷，空吹閒草木。世患有三惑，爾律莫能抑。邊苦有長征，爾律莫能息。斯術未濟時，斯律亦何益？爭如至公一開口，吹起賢良霸邦國。唐音統籤

【原】天門山在縣南三十里，下有天門寺。密雲縣志

〔臣等謹按〕據大清一統志，一作天盆山。

【原】鳳山在縣西北十里，下有石佛寺，元建。密雲縣志

【增】神山在縣北十五里，下有水潭。大清一統志

【補】馬祖常登都北神山醉中題壁詩 過溪踏瑶瓊，八山來蒼翠。仙宫名神山，下負六鼇背。我來訪丹藥，羽人已千歲。清嘯響山谷，幽姿媚松檜。白水從北來，南與衆川會。開窗目沃野，千峰儼相對。自是山林樂，何但官爵貴？買田釀清泉，里社日相慰。詩成悵如失，天風逼衣袂。東望鄒衍廟，杯酒可遠酹。談天劇當時，古屋尚紛繪。騎驢獨歸去，人世空一喟。石田集

【原】縣東北八里爲冶山，上有塔，有石洞深邃，水四時不竭。東有丱洞，昔人淘金址尚存。昌平山水記

【補】密雲縣有鵶鶻安、盧家安。按説文，安，止也，土人謂安字爲高平處。碣石叢談

【原】香陘山悉生藁本香，世故名焉。水經注

【原】縣東有地名驚羅山，厓間有石門二扇，然不可開。聽之，内有潺湲水聲。長安客話

【原】梯子嶺在縣東南十五里。密雲縣志

【原】九莊嶺在縣北三十里。方輿紀要

【原】縣北有仙洞，其深莫測，内有天然石佛五軀，又有五色石，竦拔如筍，洞口有橋，人顧其下，深險不可渡。燕山叢録

增九松山在縣東北二十八里，山有松九株。密雲縣志

增乾隆六年御製九松山詩　陽崖陰巘相吐吞，上有千年祇樹園。九松盤盤踞其頂，下臨衆木如兒孫。我聞五株已成石，盤山樓松餘畫蹟。此木疑被女夷鑄，不然駐鶴神仙宅。凌空蒼翠勢未已，停鑾幾度徘徊視。庾梅渭竹空傳名，閲歷滄桑惟有此。

〔臣等謹按〕九松山，康熙四十五年始勅賜今名。

增乾隆三十三年御製九松山放歌　九松之松數百十，祇今惟識九松名。拏巖老幹不可見，其可見者率乃百年以後之所生。蘢葱過雨如滴翠，颯沓臨風自在鳴。寺僧箇箇粥飯罐，既難述古，亦復不知菀枯存亡均一夢幻乾闥城。因思攝山九老今猶在，攝山有九株松，相傳爲六朝時物，山僧珍爲古蹟。信哉名實俱收是惟南國之風情。

〔臣等謹按〕九松山御製詩，謹繹有關紀述事實者恭載卷内，餘不備録。

增要亭莊在密雲縣東北七十里，恭建行宫。密雲縣册

〔臣等謹按〕要亭行宫建自康熙三十二年。正殿東垣恭懸皇上御書聯曰：正喜軒窗無俗韻；更當風物報新秋。西室佛座聯曰：彼岸同登通筏喻；即心有契悟燈傳。後殿外檐額曰周賞遠豁。東室聯曰：智水仁山觀物妙；禮園書圃養天機。西室聯曰：寥廓澄虚宇；威紆露遠巒。皆御書。

〔又按〕要亭一作遥亭，又作瑶亭，密雲縣志則稱姚汀，今御製各集詩題皆作要亭。按水經注，要水出塞外，東南流逕要陽縣城東。考要陽卽今密雲境，則要亭之稱自爲近古也。

增 乾隆六年御製要亭行宫晚坐詩 一川景物鬭斜陽，極目拈題興渺茫。平野風寒吹稻黍，遠山日暮下牛羊。笳聲幾處梅花落，月色誰家秋思長？更剪銀檠披奏牘，憂勤那得暫時忘。

增 乾隆八年御製要亭行宫疊舊韻 游絲爽籟鬭秋陽，户列蕘峯翠渺茫。歷歷出籬垂果贏，嘤嘤繞砌足常羊。月臨素節連天淨，詩寄高岑引興長。今昔儘伊如是住，筌蹄笑我未曾忘。

〔臣等謹按〕要亭行宫御製詩，謹繹有關紀述者恭載卷内，餘不備録。

原 密雲河本白河上流，自牛欄山而下，與潮河交會。初，薊遼總督駐密雲，從通州至牛欄山，以車轉餉，勞費特甚。嘉靖中，總督劉燾發卒濬潮河川水達通州，用小舟轉粟，直抵密鎮矣。吴文恪集

〔臣等謹按〕白河流經密雲城西，乾隆三十七年敕建白河神祠，御製瞻禮詩恭載卷内。

原 密雲運道卽白河上流，運密雲官軍餉者也。嘉靖三十四年，自密雲城西楊家莊地方築塞新口，疏通舊道，令白河與潮河合流，至牛欄山水勢甚大，故通州漕糧得抵密雲城

下。〔水部備考〕

〔臣等謹按〕此爲明隆慶間舊堤，本朝康熙五十六年復自城北沙河莊南至西門外止，續築石子護城堤八百零三丈。

【補】白河經密雲諸山，全受渾、楡諸河之水，夏秋暴漲，隄防不能禦，源遠流迅，水勢漫散，河皆溜沙，深淺通塞不常，運行甚艱。唯用兜杓數千具治河，官夫遇淺卽濬，庶盤剥可省矣。近有議於白河建閘者，河廣水盛漲，必他決，底皆淤沙，閘必易損，且河徙無定，閘難改移。蓋未達水土之宜也。〔問水集〕

【增】乾隆八年御製臨白河詩　密雲古雄郡，山川何壯哉！白河襟其右，圓流多洑洄。野花夾岸紅，中泓鏡影開。是時秋漲過，波聲猶喧豗。豈能駕虹橋？臨渡且徘徊。因知投鞭言，侈志禍之媒。駢舟作輿梁，横陳楡柳材。力作爾毋亟，匪爲遊觀來。

【增】乾隆三十七年御製白河神祠瞻禮詩〔有序〕　白河源出宣化府獨石口外之瑪尼圖達巴罕，東流入密雲縣北之石塘嶺，經縣城西，折而南，與潮河合，東南流入於潞。其水發源既遠，且自經白馬關外，崖谷夾束，又挾諸山之水而來，故其至密雲流益壯，性益駛。遇夏秋盛漲，往往湍急不可禦。郡城西之渡爲京師至古北口所必經，每歲秋巡，纚舟爲浮橋以濟。辛卯七月，霖雨積日，河驟漲齧坡岸，舟當波衝不得繫，橋柱亦攲，因稽蹕程。迺遣官禱於河。越日漲陡落丈餘，遂復成梁利涉，僉以爲神之效靈至奇且速也。矧兹河潤所經，引溉通檝，民實利賴，稽之禮宜祀。嚮顧闕而未舉，蒙其佑弗歆其報，可乎？爰勅疆吏，度地河壖，搆祠像設，以壬辰五月蕆工。兹幸避暑山莊，經祠下，躬致瓣香以落之。因成八韻，并疏序梗概，付所司鋟石以代碑記。自今其毋替祀事，庶幾延庥於有永乎！遥源出宣化，靈澤護庢奚。資運功無盡，安瀾事有稽。去秋經異漲，歸壑賴明禔。是用崇祠建，於焉慶落傒。橋梁利普濟，階級肅初躋。楝宇依神焕，香花達悃攜。永恬佑保赤，錫福被羣黎。牲麗碑應峙，五言當記題。

〔臣等謹按〕白河御製詩，謹繹有關紀述事實者恭載卷内，餘不備録。

增明劉應節請改河通漕疏略　密雲環控潮、白二河，若天開以便漕者。向以二水分流，至牛欄山而上始合，故剥船自通州而上者，至牛欄山而止。若至隆慶倉則僱覓車騾，從陸輸輓，軍民艱辛之苦，水次露積之虞，難以悉狀。前總督楊博題改河資運，直接密雲，備陳四利，預防一害，已有成議，因循至今，兩河之流已爲一派。水益深則漕益便。所謂四利者已舉，而一害已除矣。然又有十利焉。密雲招商買米，每石常至一兩，今漕糧足歲支之額，免厚價以召商，一利也。往昔主客之糧，歲買不下十萬，客兵則盡賴召買，今加復原額，即客兵悉有賴焉，二利也。發漕米一石于密雲，則扣折色價一石於部，若止照七錢扣留存庫，而以五錢折色放軍，在密雲每石商價已省三錢，在部扣則折色支放每石又餘二錢，發一石之米存五錢之價，三利也。主客之兵欲折則折，欲米則米，隨時應之，不爲所窘，四利也。荒歉不能爲之災，烽警不能爲之絀，五利也。軍儲所在，民用資之，耕農雖少，米價不騰，六利也。舟運抵城，直輸入倉，則陸運脚價可省，每歲計之亦得萬餘，而民間車驢更免拘集，七利也。通倉粟米腐積，各軍領每爲蹙額，今移通倉應貯之粟以漕於密雲，而以密雲扣存之折色給通倉應領之軍，則通給無浥腐之粟，京軍有實受之惠，八利也。漕米既足，歲計已充，民間召商買米之苦可以蘇息，九利也。漕艘鱗集，則商舶踵至，市廛日充，民生日阜，十利也。臣等親自放舟，自鎮城由牛欄山至順義一帶通行無礙，則四利兼得，一害不生，而十利亦漸次可舉矣。時隆慶六年。密雲縣志